LOS PAZOS DE ULLOA

clásicos Castalia

COLECCIÓN FUNDADA POR
DON ANTONIO RODRÍGUEZ-MOÑINO

DIRECTOR
DON ALONSO ZAMORA VICENTE

Colaboradores de los volúmenes publicados:

J. L. Abellán. F. Aguilar Piñal. G. Allegra. A. Amorós. F. Anderson. R. Andioc. J. Arce. I. Arellano. E. Asensio. R. Asún. J. B. Avalle-Arce. F. Ayala. G. Azam. P. L. Barcia. G. Baudot. H. E. Bergman. B. Blanco González. A. Blecua. J. M. Blecua. L. Bonet. C. Bravo-Villasante. J. M. Cacho Blecua. M.ª J. Canellada. J. L. Cano. S. Carrasco. J. Caso González. E. Catena. B. Ciplijauskaité. A. Comas. E. Correa Calderón. C. C. de Coster. D. W. Cruickshank. C. Cuevas. B. Damiani. G. Demerson. A. Dérozier. J. M.ª Díez Borque. F. J. Díez de Revenga. R. Doménech. J. Dowling. A. Duque Amusco. M. Durán. H. Ettinghausen. A. R. Fernández. R. Ferreres. M. J. Flys. I.-R. Fonquerne. E. I. Fox. V. Gaos. S. García. L. García Lorenzo. M. García-Posada. A. A. Gómez Yebra. J. González-Muela. F. González Ollé. G. B. Gybbon-Monypenny. R. Jammes. E. Jareño. P. Jauralde. R. O. Jones. J. M.ª Jover Zamora. A. D. Kossoff. T. Labarta de Chaves. M.ª J. Lacarra. C. R. Lee. I. Lerner. J. M. Lope Blanch. F. López Estrada. L. López-Grigera. L. de Luis. F. C. R. Maldonado. N. Marín. E. Marini-Palmieri. R. Marrast. F. Martínez García. M. Mayoral. D. W. McPheeters. G. Mercadier. W. Mettmann. I. Michael. M. Mihura. J. F. Montesinos. E. S. Morby. C. Monedero. H. Montes. L. A. Murillo. A. Nougué. G. Orduna. B. Pallares. E. Paola. J. Paulino. M. A. Penella. J. Pérez. M. A. Pérez Priego. J.-L. Picoche. J. H. R. Polt. A. Prieto. A. Ramoneda. J.-P. Ressot. R. Reyes. F. Rico. D. Ridruejo. E. L. Rivers. E. Rodríguez Tordera. J. Rodríguez-Luis. J. Rodríguez Puértolas. L. Romero. J. M. Rozas. E. Rubio Cremades. F. Ruiz Ramón. C. Ruiz Silva. G. Sabat de Rivers. C. Sabor de Cortazar. F. G. Salinero, J. Sanchis-Banús. R. P. Sebold. D. S. Severin. D. L. Shaw. S. Shepard. M. Smerdou Altolaguirre. G. Sobejano. N. Spadaccini. O. Steggink. G. Stiffoni. J. Testas. A. Tordera. J. C. de Torres. I. Uría Maqua. J. M.ª Valverde. D. Villanueva. S. B. Vranich. F. Weber de Kurlat. K. Whinnom. A. N. Zahareas. I. de Zuleta.

EMILIA PARDO BAZÁN

LOS PAZOS DE ULLOA

Edición,
introducción y notas
de
MARINA MAYORAL

clásicos castalia

Madrid

Copyright © Editorial Castalia, S.A., 1986
Zurbano, 39 - 28010 Madrid - Tel. 319 58 57

Cubierta de Víctor Sanz

Impreso en España - Printed in Spain
Unigraf, S. A. Móstoles (Madrid)

I.S.B.N.: 84-7039-476-2
Depósito legal: M. 20963-1993

SUMARIO

INTRODUCCIÓN

BIOGRÁFICA Y CRÍTICA

I. Resumen cronológico de la vida y la obra de Emilia Pardo Bazán

Nace en 1851 en La Coruña, en la calle Tabernas, en el seno de una familia aristocrática y económicamente acomodada.

En los "Apuntes autobiográficos", que publicó como prólogo a la primera edición de *Los Pazos de Ulloa,* nos da de sí misma la imagen de una niña lista y muy aficionada a la lectura, cuya vida transcurre felizmente. Los episodios que destaca en esa época son:

— 1860: Desembarcan en La Coruña las tropas vencedoras en la guerra de África. Su entusiasmo patriótico se plasma en versos: "me refugié en mi habitación y garrapateé mis primeros versos, que barrunto debían de ser quintillas".

Lee el *Quijote,* del que llega a aprenderse capítulos de memoria, y la *Biblia,* que la entusiasma. Estos primeros libros los encuentra en la biblioteca de una casa alquilada para pasar el verano en Sanxenxo, mientras reparan el pazo familiar.

Pasa los inviernos en Madrid, mediopensionista en un colegio francés "flor y nata de los colegios elegantes", dirigido por "una vieja muy adobada y peripuesta que nos trataba peor que a galeotes"... "Francesa más tacaña no he visto, y eso que el género abunda". En compensación, sale de allí hablando con toda soltura el francés.

Pide que le den clases de latín en lugar de piano, para el que se siente poco dotada, pero no lo consigue: "Creo que la mala ley que tengo a los pianos nació de entonces."

— 1865: Cuenta que hacía versos a escondidas y así también lee a Victor Hugo, que le descubre un mundo novelesco diferente al de Cervantes y Fernán Caballero, únicos a los que hasta entonces había tenido acceso: "influyó en el concepto que por muchos años tuve de la novela, creyéndola fuera del dominio de mis aspiraciones, por requerir inventiva maravillosa".

— 1868: "Tres acontecimientos importantes en mi vida se siguieron muy de cerca: me vestí de largo, me casé y estalló la Revolución de Septiembre."

Su marido, don José Quiroga Pérez Pinal, sólo tres años mayor que ella, pertenece también a la aristocracia provinciana. Es carlista y contagia su entusiasmo a la joven Emilia, que ya había vivido ese clima en su propia familia.

— 1869: El padre de doña Emilia, don José Pardo Bazán, es elegido diputado a Cortes y la familia comienza a pasar los inviernos en Madrid y los veranos en Galicia.

— 1870: Lee, ve teatro y hace poesías de las que se avergüenza en su madurez: "Literariamente, sabe Dios que me pesan en la conciencia."

El papa Pío IX concede a su padre el título pontificio de Conde de Pardo Bazán.

— 1871-72: Toda la familia se marcha a Francia, "con ánimo de ver correr tranquilamente desde París las turbias aguas de la revolución, ya sin dique".

Estudia inglés: "me había propuesto leer en su idioma a Byron y a Shakespeare". Viaja por Italia, visitando museos y monumentos y leyendo a los románticos italianos: Alfieri, Foscolo, Manzoni...

— 1873-74: Entra en contacto con el krausismo. Lee mucha filosofía, sobre todo a Kant. Aprende alemán y lee a Goethe, Schiller, Burger y Heine, prefiriendo para la filosofía alemana las traducciones francesas, que mitigan las dificultades de comprensión. "Apenas pueden los hombres formarse idea de lo difícil que es para una mujer adquirir cultura autodidáctica y llenar los claros de su educación." Se somete a una intensa y férrea disciplina de trabajo: "viendo lo mal fundado de mi instrucción, mi erudición a la violeta y el desorden de mis lecturas, me impuse el trabajo de enlazarlas y escalonarlas, llenando los huecos de mis conocimientos, a modo de cantero que tapa grietas de pared"... No lee novelas ni libros de entretenimiento, pero sí le queda tiempo para una intensa vida social.

— 1876: Nace su hijo Jaime. Gana la rosa de oro en los juegos florales de Orense con una oda a Feijoo. El premio es, tal como su nombre indica, una rosa de oro macizo, de tamaño natural.

— 1877: Publica los primeros artículos en revistas madrileñas.

— 1878: Nace su hija Blanca. Descubre y empieza a leer a los novelistas españoles contemporáneos. Lo cuenta en los "Apuntes autobiográficos" como algo inmediatamente anterior a la redacción de su primera novela y haciendo ver que eso fue lo que la animó a lanzarse al campo de la novela: "Si la novela se reduce a describir lugares y costumbres que nos son familiares, y caracteres que podemos estudiar en la gente que nos rodea, entonces (pensé yo) puedo atreverme; y puse manos a la obra."

— 1879: Lee a Zola y publica su primera novela: *Pascual López.*

— 1880: Estancia en Vichy para curar una afección hepática. Aprovecha el descanso para leer novelas francesas contemporáneas: Balzac, Flaubert, Goncourt, Daudet... Empieza a escribir *Un viaje de novios.*

— 1881: Publica su libro de poesías *Jaime,* en una edición de sólo trescientos ejemplares sufragada por don Francisco Giner de los Ríos. Publica *Un viaje de novios.*

— 1882-83: Intensa labor literaria. Publica *San Francisco de Asís.* Publica *La Tribuna,* después de haber recogido durante meses información directa del trabajo en la fábrica de tabacos de La Coruña. Publica *La cuestión palpitante.* Escándalo literario y social. Se separa discretamente de su marido. Crece su fama de escritora. Tiene amistades con grandes personajes de la literatura y la política.

— 1884: Funda la sociedad "El folklore gallego".

— 1885: Publica *El cisne de Vilamorta*. Destaca en sus recuerdos la conferencia que pronunció en el Círculo de Artesanos de La Coruña, en homenaje a Rosalía de Castro, muerta ese mismo año, a quien llama "primer poeta regional" ignorando sus composiciones castellanas. Sólo cuenta lo bien que le salió la conferencia. Se inicia su amistad y correspondencia con Narcís Oller, que se prolongará con altibajos hasta 1890.

— 1886: Es el último año que recoge en sus "Apuntes autobiográficos". Ha estado en Francia y ha conocido a Edmundo de Goncourt, cuyo "desván" frecuenta. Conoce también personalmente a Zola. Escribe y publica *Los Pazos de Ulloa*. Lee a Dostoievski.

— 1887: Da varias conferencias en el Ateneo sobre la Revolución y la novela en Rusia. Publica *La Madre Naturaleza,* segunda parte de *Los Pazos de Ulloa*. Viaja a Italia y visita a don Carlos, el pretendiente carlista.

— 1888: Viaja a Portugal y de nuevo a París. Publica *Mi romería,* contando muy por extenso las impresiones de su viaje a Italia y su entrevista con don Carlos. Origina una polémica entre los carlistas que da lugar a la escisión de la rama capitaneada por Ramón Nocedal. Visita la Exposición Internacional de Barcelona. Allí conoce a Lázaro Galdiano. Por estas fechas mantiene también una relación íntima con Galdós.

— 1889-90: Colabora en *La España Moderna.* Aventura sentimental con Lázaro Galdiano. Continúa la relación con Galdós. Publica *Insolación* (89), *Morriña* (89), *Al pie de la Torre Eiffel* (89), *Por Francia y Alemania* (90) y *Una cristiana* (90).

— 1891: Con el dinero de la herencia de su padre funda el *Nuevo teatro crítico,* que ella sola escribe y edita durante tres años. Publica *La prueba* y comienza la publicación de las *Obras Completas*. Polémica sobre las mujeres y la Academia. Publica *La piedra angular*.

— 1892: Funda la "Biblioteca de la mujer" con publicaciones de carácter feminista dedicadas a la instrucción de la mujer, pero que acaba fracasando. Publica los *Cuentos de Marineda.*

— 1993-94: Publica *Cuentos nuevos* y *Doña Milagros,* Amistad con Unamuno. Durante toda la década de los noventa los críticos dedican escasa atención a su obra, pero al mismo tiempo aumenta su fama y su prestigio públicos.

— 1895: Empieza a colaborar en *Blanco y Negro.*

— 1896-97: Publica *Memorias de un solterón* y *El saludo de las brujas.*

— 1898: Crisis de pesimismo patriótico. Publica *Cuentos de amor* y *Cuentos de la Patria.*

— 1899: Da en París una conferencia sobre "La España de ayer y la de hoy".

— 1900: Amistad con Blasco Ibáñez, que acaba muy mal. Visita a la Exposición Universal de París. Muere el pintor Joaquín Vaamonde a la edad de veintinueve años. Amigo y protegido de doña Emilia, a él se deben las imágenes más bellas que se conservan de la escritora.

— 1902: Publica *Misterio,* novela histórica.

— 1905: Publica *La quimera,* donde da forma literaria a su amistad con Joaquín Vaamonde.

— 1906: Es nombrada presidenta de la sección de literatura del Ateneo de Madrid.

— 1908: El rey Alfonso XIII le concede el título de condesa (recuérdese que el título de su padre era pontificio). A partir de entonces firma sus colaboraciones como "condesa de Pardo Bazán".

— 1910: Es nombrada consejera de Instrucción Pública.

— 1911: Publica *Dulce Dueño,* su última novela.

— 1912: Muere su marido.

— 1916: Es nombrada profesora de la Universidad Complutense en la disciplina Literatura de las lenguas neolatinas. Abandonó el cargo por falta de asistencia de los alumnos.

— 1921: Publica su último cuento "El árbol rosa", relato lleno de desengaño romántico y optimismo vital y realista. Muere el día 2 de mayo, de una gripe complicada de diabetes.

II. "LOS PAZOS DE ULLOA"

Una novela larga dividida en dos partes

El primer problema que nos plantean las novelas de los pazos es hasta qué punto pueden considerarse novelas independientes y no una sola novela dividida en dos partes.

Los Pazos de Ulloa salen a la luz en 1886 en dos tomos, el primero de ellos precedido de una autobiografía amplia en la que la autora da noticias de su formación intelectual y hace un autoanálisis de sus obras anteriores. En el año 1887 publica, también en dos tomos, *La Madre Naturaleza,* que lleva entre paréntesis un subtítulo: segunda parte de Los Pazos de Ulloa.

Por la correspondencia que mantuvo doña Emilia con el novelista catalán Narciso Oller por esos años, sabemos que la composición de *Los Pazos* fue ardua y laboriosa y que mientras luchaba con las dificultades tenía ya in mente la continuación, que se le presentaba, por el contrario, fácil y atractiva:

> El desaliento respecto a la novela se ha templado un poco desde que estoy aquí (...) Para la segunda parte estoy más animada; me gustan las notas que tengo tomadas y creo que habrá en ellas una inspiración. [1]

Lo que parece evidente es que con estas novelas inicia una modalidad narrativa de novela larga dividida en dos partes que va a repetir en *Una cristiana* y *La prueba*

[1] Narciso Oller, *Memòries Literàries,* Aedos, Barcelona, 1962, p. 95.

(1890-1891) y por tercera y última vez en *Doña Milagros* y *Memorias de un solterón* (1894-1896). Las más trabadas, las que presentan una mayor dependencia entre sí son *Una cristiana* y *La prueba,* que no pueden considerarse novelas independientes como sucede en las otras dos series, donde, pese a la evidente relación, cada parte se constituye como una novela autónoma.

Inicia esta nueva manera de narrar cuando se encuentra ya en su madurez creadora y guarda relación con las maneras de Galdós o Balzac: narración de amplio trazado, que desborda la extensión de la novela y necesita un marco más amplio y de la cual el retorno de los personajes o la reiteración de escenarios son manifestaciones estructurales.

En la Pardo Bazán la longitud de las novelas parece estar sobre todo en función del estudio psicológico de los personajes, más que en el análisis de aspectos sociológicos o históricos, de la visión totalizadora de una época o de una clase social, como sucede en Galdós. La más larga de sus novelas independientes, *La quimera,* está centrada en el análisis de la personalidad de Silvio Lago —el joven y malogrado pintor gallego Joaquín Vaamonde—, obsesionado por la muerte y el deso de gloria. En *Una cristiana* y *La prueba* asistimos, a través de los ojos del personaje narrador, a la evolución espiritual de Carmiña Aldao, a su lucha entre el deber conyugal y la creciente atracción hacia su sobrino, a la crisis moral que culmina con el triunfo del espíritu cristiano de sacrificio. En *Doña Milagros* y *Memorias de un solterón* nos ofrece un verdadero muestrario de tipos femeninos: las nueve hijas de don Benicio, más su esposa Ilduara y su vecina y platónico amor, la andaluza doña Milagros, constituyen un fresco de la vida femenil en el que va a destacarse la personalidad de Feíta, la niña que disfruta leyendo y estudiando, la jovencita que se rebela contra las limitaciones que la sociedad le impone por haber nacido hembra, la mujer que lucha por su independencia, enfrentándose a los prejuicios de una sociedad burguesa para acabar claudicando en aras de "el Deber y la Familia". Este personaje, *alter ego* fracasado de la triunfante doña Emilia, necesita la extensión de las dos novelas para desarrollarse plenamente. Sin el contrapunto de las otras vidas femeninas no se entendería su rebeldía, ni su sacrificio final; sin la doble perspectiva de los dos narradores (don Benicio, su padre, en la primera; Mauro Pareja, su adversario y después admirador y pretendiente en la segunda) no tendríamos tan cabal idea de lo que su postura significaba en la sociedad de finales del siglo diecinueve.

Algo similar ocurre en las novelas de los pazos. Don Julián es sin duda el personaje de más importancia, aquel al que la autora dedica mayor atención, y el estudio de su carácter se completará en la segunda parte. Sólo al final de *La Madre Naturaleza* entenderemos cabalmente la clase de sentimientos que unía al capellán con la "señorita Marcelina". Pero igual que sucede en las otras dos series, por encima del estudio de personajes o de la decadencia de una clase social que es otro de los grandes temas unificadores, la concepción de las dos novelas como un todo unitario se apoya en un criterio más general todavía: se trata de una reflexión sobre el sentido del dolor y del mal en la existencia humana.

Sería aventurado afirmar que desde el comienzo doña Emilia tenía en su mente el plan de ambas partes. [2] Creo más bien que al avanzar la novela, al relatar las avatares de dos seres inocentes —Julián y Nucha— poco dotados para sobrevivir en el ambiente hostil que les rodea, debió de advertir la necesidad de completar su idea variando las circunstancias exteriores. Al leer *Los Pazos* tenemos

---

[2] Nelly Clemessy, así lo cree, sin embargo, y su autorizada opinión me parece muy digna de tenerse en cuenta: "La forma en que la Pardo Bazán orientó el tema de *Los Pazos de Ulloa* tenía que llevarla a utilizar con toda naturalidad los personajes de los niños para construir una nueva intriga amorosa. La escritora tuvo presente la idea desde el primer momento, como dijimos más arriba, y para ello organizó la primera obra en función de la segunda, preparando ésta al concluir *Los Pazos de Ulloa* sobre la imagen de los futuros protagonistas." *Emilia Pardo Bazán como novelista,* Fundación Universitaria Española, Madrid, 1981, p. 229.

a menudo la impresión de que el dolor y el mal es algo evitable, producto de unas circunstancias adversas: si don Julián no fuese tan inexperto y blando, si Nucha no fuese tan débil e histérica, si no estuviera por medio Primitivo... En *La Madre Naturaleza* Primitivo ha desaparecido de la escena, Manolita es una chica fuerte y sana, perfectamente adaptada a la vida del campo. El papel masculino (relegado don Julián a mero espectador de la acción, lo mismo que don Pedro) se divide entre Perucho, fuerte y bondadoso, y Gabriel Pardo, culto, experimentado y deseoso de arreglar los entuertos del pasado. El escenario en el que se desarrollan los hechos no puede ser más grato: la naturaleza, en pleno derroche de sus dones, invita a disfrutar de la vida y del amor. ¿Cuál es el resultado? El mismo que en la primera parte. Si Nucha y don Julián han sido desgraciados, no lo son menos Manolita y Perucho y, por añadidura, Gabriel. Don Julián expone lo que debía ser la moraleja cristiana de la obra:

> Cuando era pequeñita, puede decirse que recién nacida, le tenía yo cobrado un cariño... un cariño ¡que no sé! (...) Como luego me fui de aquí y tardé bastante tiempo en volver (hasta que me presentaron para este curato), pude meditar y considerar las cosas de otro modo, con más calma, y entonces evité ver mucho a la niña, por no poner el corazón en cosas del mundo y en las criaturas, que de ahí vienen amarguras sin cuento y tribulaciones muy grandes del espíritu (cap. XXXIII).

Las palabras del cura resultan poco convincentes para el lector, ya que don Julián sufre, a pesar de esa actitud de despego del mundo, y para colmo le sentimos culpable del desarrollo negativo de los acontecimientos. Si en la primera parte su intervención provoca la tragedia, en la segunda su inhibición coadyuva decisivamente a que se produzca. En la primera parte la buena volntad de don Julián se estrella contra unas circunstancias adversas que anulan todos sus esfuerzos. En la segunda, su inhibición lleva a dos seres jóvenes y hermosos, aparentemente na-

cidos para disfrutar de la vida en medio de un paraje
paradisíaco, a ser las víctimas de un amor imposible y
culpable. Consideradas en su conjunto las dos novelas
muestran una concepción del mundo muy pesimista: el
mal y el dolor son inevitables, porque son consustanciales
con la existencia humana.

Este pesimismo sobre la vida y sus escasas posibilidades
de felicidad dimana en doña Emilia de sus creencias ca-
tólicas, al menos ella así lo piensa y lo manifiesta de
forma categórica años más tarde en su estudio sobre
Balzac, en el que señala su espíritu "honda y naturalmente católico":

> El análisis encarnizado, anatómico, lúcido, de la miseria
> humana —que vale tanto como decir de la vida humana—
> es, en cambio, tarea y obra de escritor católico, no mate-
> rialista sino pesimista, necesariamente pesimista. Dimana
> del dogma del pecado original y la caída, de la corrupción
> de nuestra naturaleza, de la certidumbre de que nos rodea
> el mal y nos persigue eternamente el dolor (...) El error
> psicológico es el optimismo, la creencia en la bondad hu-
> mana, y de este error nacen la soberbia, la fe en el propio
> dictamen, la rebeldía a la autoridad, las teorías de laxitud
> e impunidad en lo penal, la consagración de todos los ins-
> tintos, y, como consecuencia, la licitud de todos los ape-
> titos. [3]

Maurice Hemingway señaló en un interesante estudio
el carácter de tragedia católica de estas obras, contrapo-
niéndolas a *Una cristiana* y *La prueba*:

> One can see these two novels as a counterbalance to
> *Los Pazos de Ulloa* and *La Madre Naturaleza,* for whereas
> in the earlier novels Pardo Bazán dramatized the order
> of natura unilluminated by Grace, in *Una Cristiana* and
> *La Prueba,* she dramatizes (though, it must be said, far
> less successfully) the workings of Grace in the life of an
> individual.

[3] E. Pardo Bazán, *La Literatura Francesa Moderna,* vol. II,
La Transición, Madrid, 1911, pp. 150-151.

Un poco antes ha afirmado:

> *Los Pazos de Ulloa* presents us, then, with a Graceless situation, where man is neither able nor even willing, in the absence of Grace, to raise himself above the level of the animals. [4]

Creo que en esta interpretación se ha dejado al margen la figura fundamental de don Julián, cuyas actuaciones en ningún caso son reductibles al nivel de los animales, como tampoco las de Nucha o Gabriel Pardo. Pero sí es cierto que todos ellos actúan desde un plano fundamentalmente humano, no sobrenatural, y que sus intentos de solución obedecen a un punto de vista humano, es decir, van encaminados a conseguir una felicidad aquí, en la tierra, y se basan en la propia voluntad.

Consideradas en el conjunto de la obra de la Pardo Bazán, las novelas de los pazos aparecen como un hito importante en una trayectoria narrativa en la que se plantea repetidamente el sentido de la existencia humana, la búsqueda de un camino para ese ser acechado por el mal y el dolor. Este camino no es, desde luego, el de la naturaleza: "Naturaleza, te llaman madre... Más bien deberían llamarte madrastra", es la conclusión de la novela. El hombre, entregado a sus propias fuerzas, se hunde más y más en el pozo de un dolor sin sentido. A través de *Una cristiana* y *La prueba* y, sobre todo, de *Dulce Dueño*, aparecerán las soluciones trascendentes: el camino que ofrece la religión que es, en definitiva, el de la renuncia al mundo y a la propia voluntad. Carmiña Aldao alcanza la serenidad tras haber renunciado a sus inclinaciones naturales (que la llevan hacia su sobrino y la apartan de un marido que le repugna físicamente). Natalia Mascareñas va todavía más lejos: ha renunciado a todo para acomodar enteramente su voluntad a la del Dulce Dueño:

---

[4] Maurice Hemingway, "Grace, Nature, Naturalisme and Pardo Bazán", en *Forum for Modern Language Studies*, 1980, pp. 341-348. Las citas son de las pp. 346 y 347.

En lo mejor de mis años me encuentro encerrada, llevando la monótona vida del Establecimiento, sometida a la voluntad ajena, sin recursos, sin distracciones, sin ver más que médicos, enfermeros y dolientes (...) Y yo soy feliz. Estoy donde Él quiere que esté. [5]

Ése es para doña Emilia el precio de la felicidad en esta vida.

El naturalismo en las novelas de los pazos

Cuando doña Emilia concreta su postura frente al realismo en la serie de artículos de *La cuestión palpitante,* tuvo buen cuidado en dejar clara su censura, su desacuerdo con las tesis filosóficas del autor de *Los Rougon Macquart.* El determinismo, en la medida en que niega la libertad humana, le parece "perniciosa herejía" que hay que descartar. Pero el estudio de las influencias mutuas entre el cuerpo y el espíritu lo juzga campo adecuado para el novelista:

... De todos los territorios que puede explorar el novelista realista y reflexivo, el más rico, el más variado e interesante es sin duda el psicológico, y la influencia innegable del cuerpo en el alma, y viceversa, le brinda magnífico tesoro de observaciones y experimentos. [6]

Suprimidos por su traductor Alberto Savine en la versión francesa, que es la que lee Emilio Zola, los capítulos en los que la Pardo Bazán expone sus ideas sobre la libertad humana, el escritor francés manifiesta en repetidas ocasiones [7] a un tiempo su admiración por la "penetración

[5] Emilia Pardo Bazán, *Obras completas,* t. II, Aguilar, Madrid, 1964, p. 1024.

[6] *La cuestión palpitante,* en *Obras completas,* t. III, Aguilar, Madrid, 1973, p. 645.

[7] Gifford Davis analiza las tres ocasiones en que Zola se refirió a la Pardo Bazán y cómo sus palabras fueron utilizadas por los enemigos literarios de la escritora para levantar de nuevo una polémica sobre el naturalismo. La Pardo Bazán replicó a Zola y a

crítica" de la novelista española y su extrañeza por su condición de naturalista y de "católica ferviente, militante"; contradicción que el mismo se explica "por lo que oigo decir de que el naturalismo de esa señora es puramente formal, artístico, literario". En su contexto, las palabras de Zola resultan mucho más comprensivas y ponderadas que las de los colegas españoles de doña Emilia, y no escatima las alabanzas:

> Reconozco que el retrato que hace de mí la señora Pardo Bazán está muy parecido (...) Tiene el libro capítulos de gran interés y, en general, es excelente guía para cuantos viajen por las regiones del naturalismo y no quieran perderse en sus encrucijadas y oscuras revueltas. [8]

Posturas mucho menos comprensivas fueron las de don Marcelino Menéndez y Pelayo o la de Valera. El primero atribuía su interés por el naturalismo a frivolidad femenina:

> En cuanto a doña Emilia, no hay que tomarla por lo serio en este punto ni en muchos otros. Tiene ingenio, cultura y sobre todo singulares condiciones de estilo; pero, como toda mujer, tiene una naturaleza *receptiva* y se enamora de todo lo que hace ruido, sin ton ni son y contradiciéndose cincuenta veces. Un día se encapricha por San Francisco y otro día por Zola. [9]

Las palabras de Valera son todavía más agrias:

> Doña Emilia Pardo Bazán estará en París a estas horas. Sospecho que va allí en busca de celebridad, frotándose con los naturalistas.

sus contradictores españoles de manera sutil, eludiendo la polémica, en el prólogo a la edición de 1891 de *La cuestión palpitante*. Véase "Catholicism and Naturalism: Pardo Bazán's Reply to Zola", en *Modern Language Notes*, 90, 2 (marzo 1975), 282-287.

[8] "Opiniones de E. Zola sobre *La cuestión palpitante*", prólogo a la edición de 1891, incluidas en *Obras completas*, de E. Pardo Bazán, t. III, p. 1033.

[9] *Epistolario de Valera y Menéndez Pelayo, 1877-1905*, Espasa-Calpe, Madrid, 1946, p. 297.

... En su defensa y entusiasmo por el naturalismo hay cierto prurito, acaso inconsciente, de adular a Zola y comparsa, haciéndose popular en Francia. [10]

Lo que ya sorprendió a Zola sigue siendo motivo de extrañeza: ¿Se puede ser naturalista y católico convencido? ¿Hay que reducir, por el contrario, el naturalismo de la Pardo Bazán a una cuestión puramente formal? ¿Se trata sólo de una técnica, de una manera nueva de narrar? Desde el comienzo, la índole especial de su supuesto naturalismo no pasó desapercibido. Savine, su traductor al francés, la calificaba de capitana del "naturalismo católico" [11] y ese concepto ha perdurado hasta nuestros días. [12]

En su época la polémica se centraba sobre todo en la incompatibilidad de las dos doctrinas, de modo que había que negar o bien el naturalismo o bien el catolicismo de doña Emilia; así, interpretando a su manera las palabras de Zola, fray Conrado Muiños llegó a decir:

> Emilio Zola, el patriarca del naturalismo, en su prólogo a la versión francesa de *La papallona* de Narciso Oller, descarga despiadado golpe en la mejilla de la Sra. Pardo Bazán, rechazándola de su escuela por su condición católica. [13]

La crítica actual, sin embargo, ha derivado la cuestión hacia los aspectos formales y se ha empezado a dudar de lo que no dudó el mismo Zola, de que la técnica de doña

[10] *Ibid.*, pp. 344 (carta núm. 245) y 367 (carta núm. 264).

[11] "Prólogo a *Le Naturalisme*", incluido en *Obras completas*, t. III, p. 1031.

[12] Véase Donald F. Brown, *The Catholic Naturalism of Pardo Bazán*, Chapel Hill, University of North Carolina, 1975; Walter T. Pattison, *El naturalismo español*, Gredos, Madrid, 1965 y del mismo, *Emilia Pardo Bazán*, Twayne Publishers, Nueva York, 1971; Fernando J. Barroso, *El naturalismo en la Pardo Bazán*, colección Plaza Mayor Scholar, Editorial Playor, Madrid, 1973, Nelly Clemessy, obra citada.

[13] "La crítica de *Pequeñeces* y pequeñeces de la crítica", en *Ciudad de Dios*, 26 (abril 1891), 581. Para una valoración de la polémica, véase Gifford Davis, artículo citado.

Emilia era naturalista. Baquero Goyanes fue de los primeros en señalar las diferencias entre la forma de narrar de la Pardo Bazán, con continuas intervenciones de autor, y la objetividad narrativa de Zola. [14] Siguiendo por este camino, otros críticos han destacado características formales que alejan a nuestra autora del naturalismo: técnicas impresionistas, deformaciones subjetivas de la realidad, expresiones eufemísticas, comentarios a la acción, construcciones románticas... [15]

Al referirse al fondo ideológico de la novela no se debe olvidar nunca la intencionalidad del autor, porque en ello radica la mayor diferencia entre la Pardo Bazán y Zola. El novelista francés pretendía demostrar el determinismo de la herencia, el ambiente y el momento histórico en los seres humanos, ejemplificándolos en los Rougon Macquart. Esta pretensión era imposible en la novela y doña Emilia lo hizo notar acertadamente:

> Los Rougon Maquart, queriendo probar demasiado, nada prueban (...) del tronco de la loca y el alcoholizado brotan ramas tan diferentes, que ningún principio cabe establecer, dentro del rigor científico a que Zola aspira y no puede alcanzar. [16]

[14] Mariano Baquero Goyanes, *La novela naturalista española*: *Emilia Pardo Bazán*, Universidad de Murcia, 1955; prólogo a la edición de *Un viaje de novios*, Labor, Barcelona, 1971; *Emilia Pardo Bazán*, Temas Españoles, núm. 526, Publicaciones Españolas, Madrid, 1971.

[15] Véase Mary E. Giles, "Impressionist Techniques in Descriptions by E. Pardo Bazán", en *Hispanic Review*, XXX, 4 (octubre 1962), 304-316; José Blanco Amor, "Romanticismo y espíritu de clase en *Los Pazos de Ulloa*", en *Cuadernos Hispanoamericanos*, L, 148 (abril 1962), 5-12; Robert E. Lott, "Observations on the narrative Method, the Psychology and the Style of *Los Pazos de Ulloa*", en *Hispania*, LII, 1 (marzo 1969), 3-12; Michael E. Gerli, "Apropos of Naturalism and Regionalism in *Los Pazos de Ulloa*", en *Sout Atlantic Bulletin*, t. 42 (1977), 55-60; Nelly Clemessy, obra citada, pp. 769-784; Darío Villanueva, "*Los Pazos de Ulloa*, el naturalismo y Henry James", en *Hispanic Review*, volumen 52, núm. 2 (primavera 1984), 121-139.

[16] E. Pardo Bazán, *La Literatura Francesa Moderna*, III; *El naturalismo*, Renacimiento, Madrid, s. a., p. 100.

Pero que esa demostración se quede en una utopía no invalida la intención del autor, y doña Emilia, al criticar a Zola por no conseguir sus propósitos, está cayendo en el mismo error de quienes la atacan a ella por no dejar más patentes sus intenciones de católica militante. Ella cree en la gracia, pero ve la realidad, y la pinta tal como la ve, en toda su crudeza. Si hubiera pretendido demostrar que don Pedro Moscoso es víctima de su complexión sanguínea, del ambiente que le rodea y del momento de decadencia histórica que le tocó vivir, los resultados no hubieran sido, probablemente, muy distintos.

A la hora de escribir, lo que a la Pardo Bazán parece preocuparle es la coherencia interna de los personajes y las situaciones, y no unas hipótesis ideológicas previas que la autora no cuestiona ni va a esforzarse por demostrar. De ahí que muchas veces el desenlace de la novela obedezca a esas reglas internas y resulte contradictorio con las ideas profesadas por la autora. Esta discrepancia entre la intención y los resultados quizá en ninguna obra sea tan patente como en la novela corta *Morriña*. En ella, doña Aurora, la madre del protagonista hace una vigorosa defensa de Esclavitud, la hija del cura descarriado y de "una picarona", oponiéndose a las reticencias maliciosas de Rita Pardo, primero, y de su contertulio Laín Calvo, después. Incluso, reflexionando a solas sobre los malos antecedentes de la criadita, concluye:

> Verdad que los antecedentes de familia no la abonan, y que tiene mala sangre por los cuatro costados, pero eso... en eso se lleva uno chascos grandísimos: la gente no son como los pimientos, que salen gordos o ruines según la semilla. [17]

Sin embargo, el desarrollo de la novela contradice esas teorías y Esclavitud, en efecto, es víctima no sólo de sus antecedentes familiares y de las circunstancias que la rodean, sino incluso también de un determinismo geográ-

---

[17] *Obras completas*, t. I, p. 518.

fico. Entre bromas y veras, doña Emilia acaba diciendo
que "el extravío mental que conduce a la muerte volun-
taria es muy propio del sombrío humor de la raza céltica,
esa gran vencida de la Historia. [18]

En *Los Pazos de Ulloa* y *La Madre Naturaleza* se le
concede poca importancia a la herencia. Manolita hereda
el carácter nervioso de su madre y la tendencia a la histeria, que estalla al desencadenarse la tragedia y que es des-
crita con gran parquedad por Gabriel Pardo (cap. XXX
de *La Madre Naturaleza*). Al referirse a la batalla librada
en el alma de Perucho entre el deseo de coger el dinero
y su sentimiento de culpabilidad, el narrador deja a la
interpretación del autor la determinación de las causas
que inclinan al niño del lado del deber:

> ¿Fue el primer despertar de ese sentimiento de honor
> que dicta al hombre heroicos sacrificios? ¿Fue una gota
> de sangre de Moscoso, que realmente corría por sus venas,
> y que, con la misteriosa energía de la transmisión heredi-
> taria, le guió la voluntad como por medio de una rienda?
> ¿Fue temprano fruto de las lecciones de Julián y Nucha?
> (cap. XXVIII).

En otras ocasiones, la Pardo Bazán defiende de forma
más categórica la influencia de la herencia en la conducta,
pero siempre de forma positiva, es decir, exponiendo el
caso de personajes que actúan noble y hasta heroicamente
en un ambiente adverso porque por sus venas corre sangre de algún progenitor honorable. Así sucede en los cuentos "Restorán" y "Responsable" y en las novelas cortas
Finafrol y *La Pepona*.

Mucha más importancia que a la herencia concede la
autora a la influencia del medio en el comportamiento de
los seres humanos, y las novelas que nos ocupan son buena prueba de ello. Los dos miembros de la familia De la
Lage, el campesino y el ciudadano, muestran en su con-
textura física y moral las influencias del medio en el que
han vivido:

---

[18] *Ibid.,* p. 531.

Viéndoles juntos, se observaba extraordinario parecido entre el señor De La Lage y su sobrino carnal (...) pero lo que en el sobrino era armonía de complexión titánica, fortalecida por el aire libre y los ejercicios corporales, en el tío era exuberancia y plétora: condenado a una vida sedentaria, se advertía que le sobraba sangre y carne (*Los Pazos,* cap. IX).

Las diferencias se extienden también a lo espiritual. En don Pedro, la vida del campo exalta y refuerza su naturaleza agresiva: "En la índole de don Pedro había un fondo de crueldad sostenido por su vida grosera" (cap. XII), hasta el punto de incapacitarlo para disfrutar de la vida más refinada de la ciudad: "No se acostumbraba a la metrópoli arzobispal. Ahogábanle las altas tapias verdosas, los soportales angostos." La vida ciudadana le produce "irritación y sorda cólera, hija de la secreta convicción de su inferioridad". Los intentos de su suegro de refinarlo "no sólo fue trabajo perdido, sino contraproducente, pues recrudeció su soberbia y le infundió mayores deseos de emanciparse de todo yugo" (cap. XIII). Sin embargo, el trato con su mujer y sus hijas sí ha suavizado "las tradiciones rudas" de don Manuel de La Lage: "Cinco hembras respetadas y queridas civilizan al hombre más agreste. He aquí por qué el suegro, a pesar de encontrarse cronológicamente una generación más atrás que su yerno, estaba moralmente bastante años más adelante" (cap. XIII). A su vez, cuando las personas nacidas y criadas en la ciudad se trasladan al campo, sufren la misma incapacidad para adaptarse al nuevo medio, que acaba expulsándolos (Gabriel Pardo), aislándolos (don Julián) o destruyéndolos (Nucha).

El campo favorece las funciones vitales, mientras que la vida ciudadana las deteriora. Así lo expone el médico Juncal:

A las mujeres se les da en las ciudades la educación más antihigiénica: corsé para volver angosto lo que debe ser vasto, encierro para producir la clorosis y la anemia, vida sedentaria, para ingurgitarlas y criar linfa a expensas de la sangre... Mil veces mejor preparadas están las aldeanas para el gran combate de la gestación y el alumbramiento, que al cabo es la verdadera función femenina (*Los Pazos,* cap. XVI).

Así lo manifiesta también, más brutalmente, don Pedro en *La Madre Naturaleza*:

> ¡Allá en los pueblos se educa a las muchachas de un modo, y por aquí las educamos de otro!... Allá queréis unas mojigatas, unas "mírame y no me toques", que estén siempre haciendo remilgos, que no sirvan para nada, que se pongan a morir en cuanto mueven un pie de aquí a la escalera de la cocina (...) Y luego, al primer hijo, se emplastan, se acoquinan, y luego revientan, ¡revientan de puro maulas! [19]

Si la vida ciudadana destruye las energías vitales, el campo las potencia hasta el punto de acercar el hombre a los animales. Recuérdese que en la aldea la cuadra era una habitación de la casa y la convivencia de hombres y animales era estrechísima. [20] Pero no hablamos sólo de una cercanía física, sino de una animalización real: don Julián confunde a Perucho con uno de los perros de la jauría del marqués, porque el niño actúa igual que ellos, disputándoles la comida en el suelo, como un cachorro. En esta misma línea, Sabel y el ama de cría son comparadas a vacas, Primitivo a un zorro, el abad de Ulloa a un

---

[19] *Ibid.,* p. 377.

[20] Doña Emilia describe así el dormitorio de una pareja campesina: "El tálamo conyugal lo hacen cuatro tablas sin acepillar, formando una como caja pegada a la pared y abierta por donde es preciso que lo esté, para dar ingreso a sus ocupantes. Dos pasos más allá asoman la cabeza terneros y bueyes, que con ojazos tristones contemplan a los novios y con prolongados mugidos les cantan el epitalamio, mientras las gallinas escarban el suelo en derredor y el cerdo gruñe, hozando contra el lecho"; *Cuentos e historias de Galicia,* en *Obras completas,* t. I, p. 1379. La estructura fundamental de esta vivienda campesina perdura hasta bien entrado el siglo XX. Véase Vicente Risco, "Una parroquia gallega en los años 1920-1925", en *Revista de Dialectología y Tradiciones Populares,* XV, 1959.

jabalí y, en todos los casos, no se trata de meras hipérboles literarias, sino de la constatación de un parecido real, de una asimilación de las cualidades del animal por parte del hombre.

Paralelo al proceso de animalización de la vida va el de la ·destrucción de las diferencias sociales. Al imponer la naturaleza sus leyes, desaparecen las arbitrarias distinciones creadas por la sociedad humana, y los más fuertes, o los más astutos, son los más favorecidos: señores y criados, aristócratas y plebeyos invierten sus papeles, los intercambian y funden. El verdadero amo de los pazos es Primitivo, y don Julián, tanto como de la unión irregular de don Pedro, se escandaliza de la ruptura de las jerarquías sociales en el amancebamiento del señor: "¿No le pesa de vivir así encenagado? ¡Una cosa tan inferior a su categoría y a su nacimiento! ¡Una triste criada de cocina! (cap. VII). De igual forma sentirá como una "monstruosidad" que Sabel asista en el parto a la esposa legítima. En la segunda parte, Gabriel Pardo muestra su desagrado por el hecho de que Manolita vaya siempre acompañada por el hijo del mayordomo.

La naturaleza es hostil para los que intentan dominarla o escapar a sus leyes. La vegetación que invade el jardín de los pazos es símbolo del triunfo de la Naturaleza sobre sus moradores, como lo es la pobre iglesia de Ulloa del aislamiento del cura, defendido sólo por su criado:

> Goros empezó a luchar por la existencia, defendiendo al pastor de las ovejas que amenazaban tragárselo, como la tierra caída de la montaña iba tragándose la pobre iglesia de Ulloa.

Los esfuerzos del criado son inútiles: "Todo me lo come el verme", se queja Goros, que no puede mostrar a Gabriel Pardo más que "un repollo comido de orugas, un tomate que rojeaba, un pavío chiquito enfermo de flujo de goma y un peral muy cargado ya". [21] Por el contrario, la Naturaleza es pródiga con los que se entregan a ella. Manolita

---

[21] *Obras completas*, t. I, pp. 351 y 403.

y Perucho se alimentan durante todo un largo día, desde
el amanecer a la noche, con lo que la naturaleza les pro-
porciona: moras, fresas salvajes, frambuesas y miel, que
mezclan sus aromas al fundir los dos jóvenes sus alientos
en un beso, símbolo a la vez de su unión y de la comunión
con la madre naturaleza. [22]

La fusión del hombre con la naturaleza se prolonga
hasta las fronteras del Más Allá. El cementerio de Ulloa
y las tumbas de los castros son ejemplos de esta sim-
biosis:

> A esto se reducía todo el ornato del cementerio, más
> no su vegetación, que por lo exuberante y viciosa ponía
> en el alma repugnancia y supersticioso pavor (...) Parecía
> que era sustancia humana —pero de una humanidad ruda,
> atávica, inferior, hundida hasta el cuello en la ignorancia
> y en la materia—, la que nutría y hacía brotar con tan
> enérgica pujanza y savia tan copiosa aquella flora lúgubre
> por su misma lozanía (cap. XXX).

> Al pie del roble, el humus de las hojas y la sombra
> proyectada por las ramas habían contribuido a la forma-
> ción de un pequeño ribazo, resto quizá de uno de aquellos
> túmulos, así como el duro y vigoroso roble habría chu-
> pado acaso la sustancia de sus raíces en las vísceras del
> guerrero acribillado de heridas y enterrado allí en épocas
> lejanas. [23]

Tal como vamos viendo, la decisiva influencia del medio sobre la conducta de los personajes de la Pardo Bazán

[22] No comparto la opinión de Sherman H. Eoff que ve a la
naturaleza como una fuerza exclusivamente negativa en la novela: "La siniestra fuerza de la naturaleza que gravita sobre todos
los personajes que participan en la acción narrativa no sólo vence
a los intrusos que la desafían, sino que se impone de forma des-
tructora en aquellos que son originarios de sus dominios (...) En
la conclusión hay una alusión a la cruel indiferencia de la naturaleza que afecta a Perucho y a su hermanastra (y que se mate-
rializa definitivamente en La Madre Naturaleza, continuación de
Los Pazos de Ulloa)"; *El pensamiento moderno y la novela española*, Barcelona, Seix Barral, 1969, p. 117.
[23] *Obras completas*, t. I, p. 366.

podría calificarse de naturalista a no mediar la intención a que nos referíamos al comienzo, y que se manifiesta en las excepciones a la regla, en los personajes que mantienen sus posturas espirituales y refinadas pese a la brutalidad general: don Julián o el señorito Ramón Limioso son buen ejemplo de ello.

Creo que es inútil seguir dándole vueltas al tema desde un punto de vista ideológico. Los planteamientos de la autora no eran naturalistas, aunque a veces lo fuesen los resultados. Pero esta contradicción se encuentra incluso en los más acérrimos enemigos del movimiento francés, como Valera, cuyo determinismo ambiental en *Pepita Jiménez* ha sido señalado por Darío Villanueva, [24] o como don Marcelino, que no dudaba en vincular la capacidad intelectual al sexo. [25]

Más interesante me parece analizar los procedimientos que tomó del naturalismo y cómo los adaptó a su estilo, ya que partía de la idea de que se trataba de un método más que de una escuela:

> Zola siente acertadamente que el naturalismo más se ha de considerar método que escuela, método de observación y experimentación, que cada cual emplea como quiere, instrumento que todos manejan en diferente guisa. [26]

---

[24] "En *Pepita Jiménez*, la supuesta vocación religiosa del protagonista claudica ante el triple influjo de la herencia de un padre galanteador y mujeriego, el instinto sexual que provoca una atracción recíproca entre los dos jóvenes, y el medio ambiente. No olvidemos que la entrega amorosa de Luis se produce la noche de San Juan, cuando el seminarista se sintió *dominado, seducido, vencido por aquella voluptuosa naturaleza*", artículo citado, pp. 129-130.

[25] "Es para mí muestra patente de la inferioridad intelectual de las mujeres —bien compensada con otras excelencias— el que teniendo doña Emilia tantas condiciones de estilo y tanta aptitud para estudiar y comprender las cosas, tenga al mismo tiempo un gusto tan rematado y una total ausencia de tacto y discernimiento"; *Epistolario...*, ed. cit., p. 315.

[26] *La cuestión palpitante*, ed. cit., p. 646.

Objetividad narrativa y discurso indirecto libre

Con una gran penetración crítica, doña Emilia describió en su primer estudio sobre el naturalismo los dos rasgos más característicos del estilo zolesco:

> Si exceptuamos a Daudet, todos los naturalistas y realistas modernos imitan a Flaubert en la *impersonalidad,* reprimiéndose en manifestar sus sentimientos, no interviniendo en la narración y evitando interrumpirla con digresiones o raciocinios. Zola extremó el sistema perfeccionándolo (...) Pues Zola —y aquí empiezan sus innovaciones— presenta las ideas en la misma forma irregular y sucesión desordenada, pero lógica, en que afluyen al cerebro, sin arreglarlas en períodos oratorios ni encadenarlas en discretos razonamientos; y con este método hábil y dificilísimo a fuerza de ser sencillo, logra que nos forjemos la ilusión de *ver pensar* a sus héroes. [27]

También Clarín describió el procedimiento con gran agudeza al hacer la crítica a *La desheredada* de Galdós:

> Otro procedimiento que usa Galdós, y ahora con más acierto y empeño que nunca, es el que han empleado Flaubert y Zola con éxito muy bueno, a saber: sustituir las reflexiones que el autor suele hacer por su cuenta respecto de la situación de un personaje, con las reflexiones del personaje mismo, empleando su propio estilo, pero no a guisa de monólogo, sino como si el autor estuviera dentro del personaje mismo y la novela se fuera haciendo dentro del cerebro de éste. En el capítulo del insomnio de Isidora hay un modelo de esta manera de desarrollar el carácter y la acción de una novela. Sólo puede compararse a este subterráneo hablar de una conciencia lo que en el mismo género ha escrito Zola en *L'Assommoir,* para hacernos conocer el espíritu de Gervasia. [28]

[27] *Ibid.,* p. 627.
[28] Leopoldo Alas, *La literatura en 1881,* Alfredo di Carlo, editor, Madrid, 1882, p. 137.

Tanto Clarín como la Pardo Bazán advirtieron con certero instinto de creadores, por encima de aspectos más superficiales y llamativos, los rasgos más interesantes del estilo naturalista: la narración en tercera persona de la que se ha eliminado las intervenciones de autor y el discurso indirecto libre.

La narración objetiva preconizada por Flaubert responde a lo que llamamos, en terminología de Norman Friedman,[29] "omnisciencia neutral", narración en tercera persona en la que el autor no interviene directamente, pero presenta los acontecimientos tal como él los ve. El avance de Zola fue, en efecto, contar la historia tal como es vivida por sus personajes, desde dentro de ellos —"omnisciencia multiselectiva"—, sin abandonar la tercera persona, mediante el estilo indirecto libre que, en su caso, se caracterizaba por una sintaxis suelta, coloquial, con gran abundancia de expresiones vulgares,[30] que la acercan al monólogo interior joyciano. Esa forma de narrar era calificada por Clarín de "subterráneo hablar de una conciencia", y a ella se refiere doña Emilia cuando dice que da la impresión de "ver pensar" al personaje.

No cabe duda de que la Pardo Bazán admira esos avances técnicos de Zola. Veamos ahora si los llevó a la práctica y cómo lo hizo.

Por lo que se refiere a la objetividad narrativa, a la "impersonalidad", la Pardo Bazán procura mantenerla, desde luego, y en ocasiones, sobre todo en algún relato breve, lo consigue de modo admirable.[31] Pero con gran

---

[29] Norman Friedman, "Point of View in Fiction: The Development of a Critical Concept", en *PMLA*, LXX (1955), 1160-1184.

[30] Véase sobre este punto Jacques Dubois, *L'Assommoir de Zola (societé, discours, ideologie)*, Librairie Larousse, París, 1973: "Pour signaler la presence de l'indirect libre par des indices internes, Zola s'est donné un instrument très efficace: la langue familière et populaire (...) Cette adaptacion est parfois si étroite que langue du peuple et langue de l'ecrivain se trouvent confondues", p. 151.

[31] Véase mi análisis del cuento "Pena de muerte", incluido en *El comentario de textos*, 3: *la novela realista*, Castalia, Madrid, 1979.

frecuencia en sus relatos largos intercala opiniones y observaciones que traslucen claramente su ideología, sus fobias y filias, y también comentarios culturales, comparaciones con el mundo del arte, interpolaciones que demuestran su cultura y a las que es muy aficionada.

Como ejemplo de comentario de autor en *Los Pazos de Ulloa* se puede citar el que aparece al final de la descripción de la Sabia:

> Mientras hablaba con la frescachona Sabel, la fantasía de un artista podría evocar los cuadros de las tentaciones de San Antonio, en que aparecen juntas una asquerosa hechicera y una mujer hermosa y sensual, con pezuña de cabra (cap. V).

También el comienzo de la descripción de la comida en casa del abad de Naya:

> Si se encontrase allí algún maestro de la escuela pictórica flamenca, de los que han derramado la poesía del arte sobre la prosa de la vida doméstica y material... ¡con cuanto placer vería el espectáculo de la gran cocina... (cap. VI).

En la misma línea se encuentra el comentario que le inspira su personaje don Manuel de la Lage:

> Magnífico ejemplar de una raza apta para la vida guerrera y montés de las épocas feudales, se consumía miserablemente en el vil ocio de los pueblos, donde el que nada produce, nada enseña y nada hace. ¡Oh dolor! Aquel castizo Pardo de la Lage, naciendo en el siglo xv, hubiera dado en qué entender a los arqueólogos e historiadores del siglo xix (cap. IX).

La insensibilidad artística de don Pedro Moscoso le da pie para meter un comentario irónico sobre política:

> Y en cuanto a lo que en un pueblo antiguo puede enamorar a un espíritu culto, los grandes recuerdos, la eterna vida del arte, conservada en monumentos y ruinas, de eso entendía don Pedro lo mismo que de griego o latín. ¡Pie-

dras mohosas! Ya le bastaban las de los pazos. Nótese cómo un hidalgo campesino de muy rancio criterio se hallaba al nivel de los demócratas más vandálicos y demoledores (cap. X).

Incluso no faltan tampoco las fórmulas de parloteo con el lector:

> ¿Quién no conoce en la montaña al directo descendiente de los paladines y ricoshombres gallegos, al infatigable cazador, al acérrimo tradicionalista? (cap. XV).

Vemos, pues, que doña Emilia no respeta demasiado la "imparcialidad" naturalista y no se reprime para manifestar sus opiniones, aunque a veces las enmascara tan sutilmente que resulta difícil decidir si nos encontramos ante un comentario de autor o ante una modalidad narrativa diferente. Voy a poner algún ejemplo. El primero pertenece al capítulo I de la novela, donde se describe a don Julián y se relata su viaje hacia los pazos a lomos de caballo y su encuentro con los tres cazadores. El relato se hace desde la perspectiva de un narrador omnisciente que puede ver a sus criaturas por dentro y por fuera. Estas prerrogativas excepcionales no las utiliza de igual modo con todos sus personajes. De don Julián se nos dice lo que siente y lo que piensa. De don Pedro y Primitivo sólo la descripción exterior, sus gestos y palabras. Del abad de Ulloa también sus sentimientos, aunque sólo en una ocasión, al final de capítulo, cuando se nos dice que miró al curita joven "sintiendo allá en su interior profundo desdén".

La narración se hace en tercera persona y desde el punto de vista del autor, que, sin llegar a aparecer directamente, se adivina en la forma de presentar al personaje y su entorno:

> Y era pendiente de veras aquel repecho del camino real de Santiago (...) Iba el jinete colorado, no como un pimiento, sino como una fresa, encendimiento propio de personas linfáticas (...) Demostraba el jinete escasa maestría hípica.

Al aparecer los tres cazadores, el narrador abandona por un rato la postura de omnisciencia neutral y adopta el punto de vista de su personaje principal, don Julián: va a contar lo que éste ve y siente, de ahí que no diga que el cazador tenía veintiocho años, sino que "representaba veintiocho o treinta", es decir, va a ir transcribiendo lo que serían las impresiones de quien los ve aparecer:

> El cazador que venía delante *representaba* veintiocho o treinta años: alto y bien barbado, tenía el pescuezo y rostro quemados por el sol (...) El segundo cazador *parecía* hombre de edad madura y condición baja: ni hebillas en las polainas, ni más morral que un saco (...).

Fijémonos ahora en lo que sucede al describir al tercer cazador:

> Por lo que hace al tercer cazador, *sorprendióse el jinete* al notar que era un sacerdote. ¿En qué se le conocía? No ciertamente en la tonsura, borrada por una selva de pelo gris y cerdoso, ni tampoco en la rasuración, pues los duros cañones de su azulada barba contarían un mes de antigüedad; menos aún en el alzacuello, que no traía, ni en la ropa, que era semejante a la de sus compañeros de caza, con el aditamento de unas botas de montar de charol de vaca, muy descascaradas y cortadas por las arrugas. Y no obstante, transcendía a clérigo, revelándose el sello formidable de la ordenación, que ni aun las llamas del infierno consiguen cancelar, en no sé qué expresión de la fisonomía, en el aire y posturas del cuerpo, en el mirar, en el andar, en todo. *No cabía duda*: era un sacerdote. (Los subrayados son míos.)

Se sorprende el jinete, y se sorprende el lector ante tales afirmaciones. ¿Quién ha visto alguna vez en el infierno a un cura para poder afirmar que aun allí se le reconoce? Y lo que es más importante: ¿de quién es la exageración? ¿De don Julián o de doña Emilia? Mariano López [32] inter-

---

[32] Mariano López, "Naturalismo y espiritualismo en *Los Pazos de Ulloa*", en *Revista de Estudios Hispánicos*, University of Alabama, t. XII (octubre 1978), núm. 3, pp. 359-360.

preta este pasaje como un ejemplo de pervivencia de rasgos espirituales dentro de la animalización de los personajes, es decir, como un rasgo contrario al naturalismo. Sigamos con nuestro análisis formal, de técnica narrativa, que nos va a llevar más lejos. La frase final "No cabía duda: era un sacerdote", nos da la clave. La narración ha evolucionado desde el estilo indirecto del narrador omnisciente, al estilo indirecto libre con el que se expresan los pensamientos del personaje. La autora consigue reproducir el curso del pensamiento de don Julián sin violentar el hilo narrativo: el curita ve a los tres cazadores y uno de ellos le parece un cura y se sorprende porque nada en su apariencia externa lo revela: ni tonsura, ni alzacuello, ni un arreglo personal esmerado. Sin embargo, cuanto más lo mira más se reafirma en su primera impresión, y careciendo de confirmaciones exteriores, llega a la conclusión de que tiene que deberse al carácter indeleble del sello que imprime el sacramento del orden. La frase final del fragmento reproduce en estilo indirecto libre esa conclusión a la que ha llegado en su proceso mental. Nos encontramos, pues, desde el punto de vista de la técnica, con un procedimiento tomado del naturalismo y que la autora admiraba en Zola: hemos visto pensar a su personaje..., ¿a su personaje? En Zola el procedimiento del estilo indirecto libre no interfiere en la objetividad narrativa pretendida; es un medio para conocer al personaje sin necesidad de que el narrador intervenga. Por el contrario, yo me atrevería a afirmar que en este caso que estamos analizando se ha producido una manipulación del personaje por parte del autor. Es decir, los comentarios que nos transcriben no revelan tanto las ideas de su personaje como las de la propia autora. Don Julián, recién salido del seminario, refinado, casi afeminado en sus gustos y costumbres, ¿cómo podría reconocer a un colega, a un cura en aquel ser montaraz y semisalvaje que se le presenta delante? Lo lógico sería que no lo reconociese y que se sorprendiera al enterarse. Si sucede justo lo contrario es porque la autora está convencida de que a un sacerdote se le ha de notar que lo es. Un poco más adelante, en el mismo capítulo, nos puntualizará a propósito de don Julián que, pese a su carita de niña y a su rostro barbilampiño, "era sacerdotal la severidad del rubio entrecejo y la compostura ascética de las facciones". Es decir, doña Emilia piensa, y así nos lo transmite, que "el sello formidable de la ordenación"... etc., etc., y, violentando la coherencia interna del personaje, le hace pensar lo que en realidad es su pensamiento. Nada más alejado, por tanto, de la objetividad narrativa que este pasaje.

Otro bonito ejemplo de deformación subjetiva de la realidad lo encontramos en las escenas que se refieren a la boda de Nucha. Darío Villanueva interpreta la descripción del banquete nupcial como ejemplo de "filtración subjetivista" y cree que la escena está vista a través de los ojos de don Julián y que de ahí dimana el carácter tétrico del relato. [33] En esta ocasión discrepo de la opinión de mi admirado colega, aunque sólo en aspectos de matiz. No es don Julián, sino un narrador omnisciente el que deforma la realidad mediante hábiles comparaciones que convierten la escena en un preludio del triste final. El narrador parte de unas cuantas razones objetivas para que esa escena no sea alegre: la boda ha provocado la ruptura de las buenas relaciones que existían entre las hermanas; Carmen y Rita han insultado a Nucha y la segunda está ausente de la ceremonia. Don Manuel tampoco tiene motivos especiales de alegría: se le casa la hija que menos le interesaba casar. El novio no puede decirse que vaya entusiasmado al matrimonio, se casa con quien él ha escogido, pero no con la mujer que le gusta. Y lo mismo puede decirse de Nucha, que más tarde confesará a don Julián que se casó para obedecer a su padre. A esto hay que añadir que, desde el punto de vista argumental, la boda es el comienzo del calvario de Nucha; a partir de ahí, y como consecuencia de ella, empezarán sus desgracias: el parto la pondrá a las puertas del otro mundo y su incapacidad para dar a don Pedro el heredero varón que desea provocará el abandono y desprecio del esposo y, a la pos-

[33] Artículo citado en la nota 15, p. 132.

tre, su muerte prematura. No es de extrañar, pues, que
el narrador potencie los aspectos negativos en su descripción, de modo que, igual que Nucha dirá al final: "¿No
le parece a usted como a mí que este casamiento tenía que
salir mal?", el lector pueda pensar: esto ya se veía venir.
Para ello empieza señalando que la boda se celebra al
anochecer y en una parroquia solitaria, detalles ambos que
no predisponen al jolgorio, lo mismo que la escasez de
invitados, y que sin duda están justificados por la coherencia interna del relato: el anuncio de la boda había provocado comentarios y críticas y un cierto escándalo en la
ciudad, de ahí que se pretenda reducir la ceremonia a la
más estricta intimidad. Partiendo de esos rasgos objetivos, el narrador intensifica la impresión de tristeza mediante hábiles comparaciones que van transformando la
realidad: los candelabros son "altos como mecheros de
catafalco", los invitados hablan bajito "como en un duelo". "Parecía aquello la comida postrera de los reos de
muerte." A estas comparaciones se suma el comentario del
autor sobre el matrimonio en general, ya no sobre el caso
concreto que está describiendo: "los convidados, transidos aún del miedo que infunde el terrible sacramento del
matrimonio visto de cerca"... Ese miedo lo siente también
el otro pretendiente de la familia, el señorito De la Formoseda, y todo esto se concreta al fin en don Julián,
en la forma de presentimiento: "sentía (...) en el corazón
un peso raro, como si algún presentimiento cruel se lo
abrumase".

Un tratamiento similar recibe la escena siguiente que
transcurre en la cámara nupcial, aunque aquí las comparaciones nos remiten a lo sagrado y no a la muerte:
"Impregnaba la atmósfera más misterio religioso que nupcial", nos dice, y la voz de la autora se hace de nuevo
ostensible con un comentario adicional: "ni se había soñado siquiera en el clásico globo de porcelana que es de
rigor en todo voluptuoso camarín de novela...". Las cortinas "se parecían exactamente a colgaduras de iglesia" y las
sábanas "tenían la casta lisura de los manteles de altar".
Sobre el lecho "un antiguo Cristo de ébano y marfil a

quien el cortinaje formaba severo dosel". En esa atmósfera, tan contraria a la voluptuosidad, la recién desposada
tiembla de miedo y se arrodilla para rezar por el alma de
su madre. [34] La escena anuncia como en el caso anterior
lo que van a ser sus relaciones con don Pedro.

Vemos así que la objetividad narrativa, que es uno de
los pilares del estilo naturalista, es transgredida continuamente por la Pardo Bazán, que no renuncia a meter sus
comentarios personales ni a manipular los datos objetivos
para producir determinados efectos.

La otra característica del estilo zolesco que despierta la
admiración de la Pardo Bazán, el estilo indirecto libre, ya
hemos visto que es empleada por ella con una soltura que
no tiene nada que envidiar al maestro. En la novela aparece sobre todo para expresar los sentimientos o pensamientos de don Julián. Así sucede en la escena en que
Sabel intenta seducirle y él la arroja violentamente de la
habitación. El paso del estilo indirecto al indirecto libre no
está marcado por índices claros, no hay como en Zola un
vocabulario y una sintaxis especiales, propias de las clases
populares que remiten inmediatamente al lector al mundo
del personaje y no al del narrador —aunque a veces en
Zola también se confunden ambos por una vulgarización
del estilo del narrador [35]—. Don Julián es una persona
culta y su vocabulario y expresiones coinciden con las de
la autora. Los únicos índices del cambio son las interrogaciones y exclamaciones, muy propias del estilo indirecto
libre y el ritmo reiterativo, insistente del discurso:

---

[34] Opinión contraria mantienen A. Rodríguez y J. Guttman que
ven en la escena "sexual symbols, suggestively phallic in this
instance ('Ardían en el tocador de la estancia dos velas, puestas
en candeleros, no menos empinados y majestuosos que los candelabros del refresco'), sexual allusions ('voluptuoso camarín de novia') and sexually allusive terms ('impregnaba' 'casta lisura')", en
"The Stylistic Use of French Sexual Expressions in Pardo Bazán's, *Los Pazos de Ulloa*", en *Perspectivas de la novela*, Albatros ediciones, Valencia, 1979, p. 57.
[35] Véase Jacques Dubois, obra citada, pp. 151 y ss.

A no dudarlo, se había excedido; debió dirigir a aquella mujer una exhortación fervorosa, en vez de palabras de menosprecio. Su obligación de sacerdote era enseñar, corregir, perdonar, no pisotear a la gente como a los bichos del archivo. Al cabo, Sabel tenía un alma, redimida por la sangre de Cristo, igual que otra cualquiera. Pero ¿quién reflexiona? ¿Quién se modera ante tal descaro?...

Algo similar observamos en el final del capítulo XVIII y comienzo del XIX. El paso del estilo indirecto al directo está señalado por la fórmula introductoria "pensaba esto o algo análogo", pero no hay índices de la transición al indirecto libre con que empieza el capítulo XIX: "Al entrar en su habitación pensaba esto o algo análogo: «Vamos a ver: ¿Quién es el guapo que dice misa hoy?» No, ese guapo no era él. ¡Buena misa sería la que dijese, con la cabeza hecha una olla de grillos!" Todo el comienzo del capítulo XIX alterna el estilo indirecto, el directo y el indirecto libre en rápida sucesión. El estilo directo lleva fórmulas introductorias: "murmuró", "añadió para sí" y los verbos, como es preceptivo, en indicativo y en primera persona: "Bien decían en el Seminario —murmuró con despecho— que soy muy apocado y muy... así... como las mujeres (...). Resumiendo después sus vacilaciones, añadió para sí: Soy un majadero, un Juan Lanas"... El indirecto libre no lleva índices introductorios, los tiempos verbales van en imperfecto de indicativo y el personaje se refiere a sí mismo mediante el pronombre personal de tercera persona. La sintaxis es entrecortada, coloquial, y esto constituye la señal más clara que lo diferencia del indirecto o estilo del narrador: "La cosa estaba bien clara (...) No le era lícito permanecer allí ni un instante más (...) A otra parte, pues, con la música (...) Salvo que... Vaya, hay cosas más fáciles de pensar que de hacer en este mundo (...) Bien mirado él era un extraño en aquella casa. Es decir, eso de extraña... Extraño, no, pues vivía unido espiritualmente a la familia"...

Los únicos ejemplos largos de esta manera de narrar se encuentran en la novela referidos a Julián. Con los de-

más personajes el uso es muy escaso. Lo utiliza para dar-
nos los pensamientos de don Manuel Pardo en el capítulo XI. Creo que el estilo indirecto libre aparece en el
momento en que se utiliza la primera frase coloquial. Lo
subrayo para mayor claridad:

> Estremecióse de placer don Manuel Pardo (...) Había
> oído don Manuel que, donde hay varias hermanas, lo di-
> fícil es deshacerse de la primera, y después las otras se
> desprenden de suyo, como las cuentas de una sarta tras
> la más próxima al cabo del hilo. *Colocada Rita, lo demás*
> *eran tortas y pan pintado. Con Manolita cargaría, por últi-*
> *mo, el finchado señorito De la Formoseda; a Carmen se*
> *le quitarían de la cabeza ciertas locuras, y, siendo tan lin-*
> *da, no le faltaría buen acomodo; y Nucha... lo que es*
> *Nucha no le hacía a él peso en casa* (...) Con tan gratos
> pensamientos, don Manuel abrió los oídos para mejor re-
> cibir el rocío de las palabras de su sobrino... Lo que reci-
> bió fue un escopetazo.

En los demás personajes aparece sólo en frases sueltas.
Al comienzo del capítulo X, referido a don Pedro: "¡Piedras mohosas! Ya le bastaban las de los pazos." También
al final del capítulo XX, cuando Nucha, de regreso de su
excursión a los sótanos de los pazos, oye al subir las esca-
lerillas un trueno muy fuerte que la sobrecoge: "¡Era preciso encender la vela del Santísimo y rezar el Trisagio!"
Aparte del sentido de estas frases aisladas que las hace
claramente atribuibles al personaje y no al narrador, se
da en ellas como un signo formal común el tono excla-
mativo.

Otros rasgos formales del naturalismo

El naturalismo, al huir del gusto romántico por lo particular, lo único o lo extravagante, vino a caer, en lo que
se refiere a la construcción de personajes, en algo muy
cercano al ya pasado costumbrismo: se buscaban los rasgos generales o comunes, aquellos que permiten identifi-

car rápidamente al personaje con su clase social, su oficio, su trabajo o las ocupaciones propias de su sexo: la prostituta, el minero, el obrero de la fábrica... Doña Emilia, al escribir, ya tardíamente, su historia de la literatura francesa lo advierte, al hacer de nuevo un análisis del movimiento naturalista: "Los caracteres de Zola tienen algo de elemental y rudimentario, no profundizó en los arcanos del pensar y del sentir, tomó el instinto no por raíz honda, sino por ley constante, prestando a la mayoría de sus personajes una vida entre automática y, fuerza es estampar la palabra, bestial." Para paliar este defecto supone doña Emilia, y me parece un acierto crítico, que Zola utiliza el tic caracterizador:

> A consecuencia de este procedimiento, Zola ha solido caracterizar sus héroes con un gesto, un ademán, una particularidad externa que grabe en nuestra mente la significación que el autor quiere atribuirle. [36]

Tanto la generalización como el tic externo son recursos empleados por la Pardo Bazán en sus novelas anteriores, [37] pero en las novelas de los pazos está reservado el procedimiento a personajes muy secundarios, por ejemplo: el arcipreste de Loiro sorbe rapé por un fusique de plata, la esposa del juez de Cebre lleva colgado al cuello "un almacén de quincalla", el algebrista de La Madre Naturaleza repite constantemente "¡carraspo!"... Más frecuente es que el tic sea el correlato externo de un rasgo psicológico, procedimiento caracterizador en el que Galdós, tan admirado por la autora, era maestro. [38] A esta categoría pertenecen los retratos de Ramón Limioso en Los Pazos (cap. XV) y del Gallo en La Madre Naturaleza (cap. XIV). En ambos casos la exageración caricaturesca de un rasgo externo —la pobreza del atavío y la gravedad de semblan-

---

[36] La Literatura Francesa Moderna, ed. cit., vol. III, p. 119.
[37] Véase sobre este punto Baquero Goyanes, La novela naturalista española, ed. cit., caps. XIII-XV.
[38] Véase Ricardo Gullón, Técnicas de Galdós, Taurus, Madrid, 1970.

te del señorito de Limioso, y las afectadas maneras de
señor del Gallo— graban en la mente del lector la psico-
logía de los personajes.

Muy vinculada a la preceptiva naturalista es la importancia que se da a los datos fisiológicos en la descripción
o composición del personaje. En unos casos lo que se destaca es el substrato fisiológico de un rasgo físico: "Iba el
jinete colorado, no como un pimiento, sino como una fresa, encendimiento propio de personas linfáticas." "Bizcaba
más, por habérsele debilitado mucho aquellos días el nervio óptico." En otros casos la fisiología sirve de base a un
rasgo psicológico o espiritual:

> A Julián le ayudaba en su triunfo, amén de la gracia
> de Dios que él solicitaba muy de veras, la endeblez de
> su temperamento linfáticonervioso, puramente femenino,
> sin ardores ni rebeldías... (cap. III).

> Su temperamento linfático no poseía el secreto de cier-
> tas saludables reacciones, con las cuales se desecha todo
> vano miedo, todo fantasma de la imaginación. Era capaz,
> y demostrado lo tenía, de arrostrar cualquier riesgo grave,
> si creía que se lo ordenaba su deber; pero no de hacerlo
> con ánimo sereno, con el hermoso desdén del peligro, con
> el buen humor heroico que sólo cabe en personas de rica
> y roja sangre y firmes músculos (cap. XIX).

La propia autora hace la caricatura de este tipo de
caracterizaciones al describir al médico de los pazos:

> Para Máximo Juncal, inmoralidad era sinónimo de es-
> crofulosis, y el deber se parecía bastante a una perfecta
> oxidación de los elementos asimilables. Disculpábase a sí
> propio ciertos extravíos, por tener un tanto obstruidas las
> vías hepáticas (cap. XVI).

La comparación entre las descripciones de Máximo Juncal y de Julián pueden servirnos para comprobar hasta
qué punto doña Emilia está dispuesta a admitir el condicionamiento fisiológico de la conducta humana: los miedos vanos, los fantasmas de la imaginación, el valor es-

pontáneo, la fuerza o debilidad de las pulsiones eróticas pueden ser explicados por las características fisiológicas. Pero el deber moral, los "extravíos" de conducta dependen sólo de la libre voluntad del hombre. Uno no puede por menos que recordar los versos de Calderón: "Porque el hado más esquivo / la inclinación más violenta, / el planeta más impío, / sólo el albedrío inclinan, / no fuerzan el albedrío."

Todos esos datos fisiológicos que la autora maneja pueden aparecer en su normal funcionamiento o alterados por las enfermedades, que son muy frecuentes en las novelas de la Pardo Bazán y en el naturalismo en general. Esta abundancia de lo patológico se debe sin duda a un propósito de verosimilitud, de retrato objetivo y fiel de la realidad en la que no faltan tales lacras, pero lo específicamente naturalista de tales descripciones es el relato minucioso que de ellas se hace, la abundancia de detalles y pormenores.

En dos ocasiones la enfermedad ocupa un lugar tan relevante en la novela que entra a formar parte del tema: en *La prueba* y en *La quimera*. La primera ha sido siempre considerada como el ejemplo inequívoco de naturalismo en sus descripciones de la lepra, pero habría que puntualizar que de un naturalismo que ha perdido ya sus caracteres de "moda" para convertirse en una técnica narrativa intemporal. Descripciones como las del parto de Amparo en *La Tribuna,* o la diabetes "sacarina" de don Victoriano en *El cisne de Vilamortao,* o la tisis de Pilar Gonzalvo en *Un viaje de novios,* parecen más vinculadas a una época determinada, al momento en que la autora acaba de conocer el modo de hacer de Zola y quiere introducirlo en su propio mundo. Por el contrario, en *La prueba* la repugnancia que inspiran las descripciones de la lepra es un elemento esencial para la tesis de la novela. El lector, igual que el personaje narrador —sobrino y enamorado de la protagonista—, necesita horrorizarse primero para entender después en toda su "sublimidad" la actitud de la esposa cristiana. El "naturalismo" de las descripciones está, pues, plenamente justificado, no parece un añadido como en los casos anteriores, sino algo esencial para el desarrollo de la trama. De igual modo, en *La quimera* se ha difuminado el aspecto repugnante de la enfermedad para destacar fundamentalmente el aspecto angustioso de ella: la lenta agonía, la lucha hasta el final de Silvio Lago que se rebela y no acepta la muerte. Las largas y pormenorizadas descripciones de esa batalla perdida contra la enfermedad, que avanza inexorablemente, son necesarias para la cabal comprensión del tema planteado.

En las novelas de los pazos no hay enfermedades; están todos sanísimos. Doña Emilia ha de contentarse con dos ataques de histeria —uno a cargo de Nucha y otro de Manolita—, los dos muy sobriamente narrados, y, algo es algo, la extirpación de un tumor a una vaca en *La Madre Naturaleza,* donde tampoco carga excesivamente la mano.

Por lo que se refiere a la descripción de enfermedades, creo que es de justicia decir que, a lo que haya de esnobismo, hay que añadir una auténtica curiosidad, un interés real de doña Emilia por los temas médicos. Feíta Neiras, el personaje de *Doña Milagros* y *Memorias de un solterón,* que en tantos aspectos aparece como un *alter ego* de la Pardo Bazán, manifiesta su deseo de estudiar Medicina y ejercerla (cap. XV), y en la imposibilidad de lograrlo sacia su curiosidad haciendo preguntas al doctor Moragas: "¿Qué significa eso de angina gangrenosa? ¿Es lo mismo que garrotillo? (...) ¿Qué es eso de *bacillus* que dijo usted anteayer?" [39] En *Dulce Dueño,* la protagonista, que tiene también muchos rasgos autobiográficos, acude a un médico para que a través de los libros especializados le revele los secretos del amor físico.

El aspecto más negativo de esa curiosidad intelectual de la autora por los temas de medicina es el vocabulario que incorporó a su estilo. Que Moragas emplee en su conversación términos médicos contribuye a acrecentar la verosimilitud del personaje, pero que alguien que no tiene

---

[39] *Obras completas,* ed. cit., t. II, p. 385.

relación con la profesión médica utilice el término "psi-calgia" para referirse a los celos, "gastralgia" para el dolor de estómago, o sientan con don Julián o Gabriel Pardo "dolor en el epigastrio" (cap. V de *Los Pazos*, XXIV de *La Madre Naturaleza*), resulta sencillamente ridículo.

Un último rasgo formal vinculado a la estética natura-lista es lo que se ha venido llamando las "lecciones de cosas": descripciones pormenorizadas de cómo se hace algo o de cómo funciona: la fabricación de barquillos y cigarros en *La Tribuna*, los rayos equis en *La quimera*, o el balneario de aguas de Vichy son ejemplos proverbia-les. La descripción de las labores agrícolas de la maja y la meda en *La Madre Naturaleza* o la de los castros, pueden incluirse en esta categoría.

La conclusión después de este breve repaso de los ras-gos naturalista de la novela es que no sólo en lo que se refiere al fundamento filosófico, sino incluso formalmen-te, doña Emilia fue una naturalista muy especial, muy poco ortodoxa.

Veamos ahora otros aspectos de su quehacer novelesco.

Estructura novelesca: Focalización, punto de vista, ritmo y tempo

Para estudiar la estructura de la novela se han de tener en cuenta al menos cuatro elementos estrechamente rela-cionados: el foco de atención del narrador, el punto de vista desde el cual la narración se hace, la alternancia de los momentos de tensión —clímax— con los de relaja-miento o distensión —anticlímax— y la velocidad con que discurre el relato —tempo lento o rápido—. Aten-diendo a estos cuatro factores, creo que *Los Pazos* pueden dividirse en cinco partes de muy diferente longitud. [40]

[40] Coincido en la división en capítulos con Robert Lott, artícu-lo citado en nota 15, pp. 3-4. Véase también para este tema Be-nito Varela Jácome, *Estructuras novelísticas de E. Pardo Bazán*, Instituto P. Sarmiento, Santiago de Compostela, 1973, pp. 87-91, y Nelly Clemessy, obra citada, pp. 755-759.

La primera parte comprende los capítulos I al VII. El centro de atención del narrador es, sin duda, don Julián. Desde las primeras líneas de la novela el narrador "enfoca" a este personaje y sigue sus pasos. La novela se desarrolla siguiendo sus peripecias: las dificultades para mantenerse a lomos del rocín, para orientarse en el camino hacia los pazos, sus sensaciones, sus pensamientos ante lo que ve, el encuentro con los tres cazadores, la llegada a la casa, las escenas de la cocina, la habitación...

El punto de vista desde el cual se hace el relato varía. En general es el de un narrador omnisciente que ve a sus personajes por dentro y por fuera, que nos dice lo que sienten y cuál ha sido su pasado y que, además, hace comentarios irónicos o cultos sobre ellos o sobre la situación en que se encuentran. Así sucede en los capítulos IV, V y VI. La voz del narrador se hace muy evidente en algunos momentos: el tono irónico con que habla de don Julián desde el comienzo se acentúa en el capítulo III: "Julián pertenecía a la falange de los pacatos, que tienen la virtud espantadiza, con repulgos de monja y pudores de doncella intacta." Parece como si el narrador participase de la opinión desdeñosa del abad de Ulloa sobre el curita. También en las descripciones del capítulo VI sobre las fiestas de Naya, a través de la voz del narrador, se transparenta la del autor, la de la culta doña Emilia, que hace ostentación de sus conocimientos por medio de comparaciones con cuadros o alusiones a menús franceses. Otras veces el narrador abandona su postura omnisciente y adopta el punto de vista de un personaje, en este caso de Julián, y cuenta desde él, es decir, respetando lo que sería la visión del personaje; así sucede en buena parte de los capítulos I, II, III y VII.

El *tempo* narrativo es muy desigual: a veces un capítulo corresponde a unas horas de tiempo cronológico (I, II), a días y semanas (IV) o a todo un invierno (V), o en pocas páginas se resumen las andanzas de toda una generación, como en el *flash back* del capítulo IV en el que se nos dan los antecedentes familiares de don Pedro Moscoso. Estas diferencias de velocidad se deben a la utilización de diferentes modalidades narrativas: escena, panorama o resumen y descripción. [41] En las escenas la velocidad es, digamos, normal: vemos a los personajes moverse ante nuestros ojos y hablar. En el panorama el ángulo de visión es más amplio y menos detallado, el narrador presenta a modo de un resumen de la situación o de la vida de sus criaturas. La velocidad es rápida, la acción avanza muy de prisa. En las descripciones el tiempo se detiene, la acción se para. De la combinación de las tres formas surge un ritmo narrativo propio de cada novelista. La Pardo Bazán suele acabar sus visiones panorámicas con una escena que actualiza el relato, que le da vida al presentar a los personajes actuando ante nuestros ojos.

Además del ritmo temporal existe un ritmo tonal creado por la alternancia de momentos serios y graves con otros jocosos o irónicos, de unos tiernos con otros duros. El tono puede referirse tanto a la escena como al panorama. La escena de la borrachera de Perucho está relatada en tono serio, grave; las de las fiestas de Naya (la comida, las conversaciones de los curas), en tono divertido y desenfadado. El panorama sobre los antecedentes de don Pedro Moscoso se ha hecho en tono jocoso, incluso el relato de la tortura de la vieja señora; el de la cocina de los pazos en las noches de invierno (cap. V) es de tono casi lúgubre.

En esta primera parte hay que hacer notar la habilidad con que doña Emilia ha presentado a los personajes. Ya en el primer capítulo el encuentro de Julián con los cazadores da ocasión para la presentación de don Pedro y Primitivo, con lo cual el trío masculino de la obra está ya completo. El abad de Ulloa creo que juega un papel de contraste desde ese primer momento: su físico y su conducta tienden a destacar los rasgos opuestos del protagonista, es decir, Julián parece aún más delicado y "afemi-

---

[41] Utilizo los términos "escena" y "panorama" en el sentido que le da Percy Lubbock en su libro ya clásico *The Craft of Fiction,* London, 1921.

nado" al enfrentarlo a su bravío y montaraz predecesor en el cargo de capellán de los pazos.

En toda esta parte el narrador adopta frecuentemente el punto de vista de su personaje principal, y por ello la visión que tenemos de los pazos es casi tétrica, como corresponde al espíritu pusilánime y miedoso de Julián: "país de lobos" le parece el entorno; al llegar a la casa les abre la puerta "una mujer corpulenta" (que resultará ser Sabel) y a través de "corredores sombríos" llegan a la cocina, donde una vieja "de greñas blancas y rudas" se desvanece al entrar ellos "como una sombra". Allí, confundido con los perros hasta el punto de parecer uno más de ellos, ve a Perucho. La cena en la cocina, con el episodio final de la borrachera del niño, ilustra de forma dramática lo que va a ser la vida en los pazos.

Por lo que se refiere al tempo narrativo, hay que destacar el salto atrás, el *flash back* del capítulo IV, realizado correctamente, pero sin especial gracia. Es muy obvio, no tiene la sutileza de la evocación de la infancia de *La Regenta* de Clarín, donde una sensación táctil facilita el paso, casi insensiblemente, hacia el pasado. Aquí es más tosco: don Julián a la vista del archivo tiene la impresión de que la casa de Ulloa se desmorona. El narrador dice: "Era esto en Julián aprensión no razonada, que se transformaría en convicción si conociese bien algunos antecedentes de familia del marqués." Y a continuación, separados sólo por un punto y aparte, vienen estos antecedentes: "Don Pedro Moscoso de Cabreira y Pardo de la Lage quedó huérfano de padre muy niño aún"...

Un buen ejemplo de la alternancia de ritmos narrativos lo constituye el capítulo V. El narrador resume con técnica panorámica la vida de don Julián a lo largo del invierno: el arreglo del archivo, la transformación del cura en contacto con la vida campestre, la tertulia de mujeres en la cocina de los pazos, la relación que se establece entre el capellán y Perucho. Al final del capítulo encontramos una escena, introducida por la fórmula: "Una mañana entró Sabel a la hora de costumbre." De forma dramática, dialogada, nos presenta el intento de Sabel de seducir al cura y la reacción de éste. Tras ella, todavía otro breve panorama nos informa de las consecuencias del episodio al que hemos asistido.

Muy hábil me parece también la forma en que el lector es informado de las relaciones entre don Pedro y Sabel. Ya desde el primer capítulo se han dado algunas pistas (el interés de don Pedro por el niño, por ejemplo, cuando cree que la perra le ha mordido), pero las cosas no se aclaran hasta el capítulo VI. En él se suceden los panoramas y las descripciones para terminar con una escena dialogada entre don Julián y el cura de Naya. A través de una conversación plagada de equívocos se entera el capellán y de paso el lector de lo que todos saben: que don Pedro y Sabel conviven y que ella le engaña.

La segunda parte de la novela abarca del capítulo VIII al XIII inclusive.

El foco de atención se ha trasladado a don Pedro. La transición se hace en el capítulo VIII, que empieza con las reflexiones de don Julián para dar paso en seguida al nuevo protagonista de la acción, don Pedro, que toma la decisión de marchar a Santiago, arrostrando las asechanzas de Primitivo. Hasta el capítulo XIII la novela se desarrolla siguiendo este nuevo hilo conductor: llegamos con don Pedro a la casa de su tío don Manuel de la Lage y allí aparecen cuatro nuevos personajes femeninos, de los que pronto se destacarán dos: Rita y Nucha (IX). Asistimos a su estancia en la casa y en la ciudad (X), a su boda (XI) y a su vida de casado en Santiago (XIII). La única excepción la constituye el capítulo XII, que vuelve a centrar la atención en Julián, en su viaje de regreso a los pazos.

El desplazamiento del foco de atención en la segunda parte no es casual. La primera ha terminado en una escena climática: el intento de asesinato de don Julián por parte de Primitivo, culminando en ella el tono violento, triste, desesperanzador que había ido en aumento a lo largo de los capítulos precedentes. La segunda parte se inicia en un tono completamente distinto, alegre, esperanzado, que contrasta con el anterior. Se crea la impresión

en el lector de que las cosas van a arreglarse. La escena
de la boda debería marcar un clímax de signo opuesto al
del final de la primera parte: parece el triunfo de Julián
y don Pedro sobre Primitivo y Sabel, el comienzo de una
nueva vida. Pero el narrador se encarga de hacernos ver
que esto no es así. La escena del banquete de boda y la
siguiente en la alcoba nupcial se convierten en presagio
de desgracias, según he comentado ampliamente al hablar
de la objetividad narrativa. Para remachar esta impresión
el narrador deja la acción pendiente en Santiago y se tras-
lada a los pazos con Julián para hacer ver cómo están
allí las cosas y crear un nuevo suspense: con respecto
a Sabel parece que la batalla está ganada (se anuncia su
boda con el Gallo), pero pronto vemos que Primitivo sigue siendo el amo. Al volver a centrarse la acción en don
Pedro, el tono alegre ha desaparecido por completo, a través de escenas y panoramas asistimos a la creciente impaciencia del personaje, que no soporta el ambiente ciudadano.

La segunda parte acaba también en una escena climática: las dificultades con la cabalgadura que tiene que
montar Nucha y el anuncio de ésta a su marido de que
está embarazada.

En toda la segunda parte el punto de vista predomi-
nante es el de un narrador omnisciente, poco objetivo,
que deja transparentar la personalidad del autor en comentarios cultos o irónicos a la acción: "Si Sabel deseaba
retener a aquel fugitivo Eneas, no dio de ello la más leve
señal" (VIII). "Nótese cómo un hidalgo campesino de
muy rancio criterio se hallaba al nivel de los demócratas
más vandálicos y demoledores" (X). En otros momentos,
sin embargo, adopta el punto de vista del personaje foca-
lizado; así, por ejemplo, en la visión del Pórtico de la
Gloria de la Catedral, o la descripción de las cuatro primas (X), o en las descripciones de la vida en la ciudad
(comienzo del capítulo XIII).

La tercera parte comprende los capítulos XIV al XVIII
y el centro de atención es Nucha.

Se inicia, como es habitual, con un capítulo de transición: todavía es don Pedro el que en el capítulo XIV lleva la acción adelante al interrogar a don Julián sobre lo ocurrido en su ausencia, siguen después unas reflexiones de éste y finalmente el foco se centra en Nucha en la escena de su encuentro con Perucho, cuando éste está robando los huevos.

El capítulo XV está narrado desde el punto de vista de Nucha, que en las visitas a sus vecinos se fija en detalles típicamente femeninos: la tela de los sofás, las joyas de la "señora jueza". Es una visión divertida, no agria y un poco melancólica en el caso de los Limioso. También es verdad que esta visión coincidiría con la de la autora, pero, de hecho, la narración contribuye a dar una imagen del personaje: su buen humor y también su sensibilidad especial de embarazada que le permite escapar al hundimiento del sitial donde la llevan a sentarse.

El capítulo XVI se inicia con un resumen de los últimos meses, que parecen inclinar la balanza del lado de la felicidad y el bien —fijémonos en que acabamos de superar justo la mitad de la novela, que tiene treinta capítulos—. A continuación vienen una serie de escenas en las que, a pesar de no estar presente, Nucha sigue siendo el centro de atención, ya que a ella se refieren las conversaciones o los pensamientos de los otros personajes. La prolongada espera del parto va creando un clima de tensión, que culmina en el momento en que Julián oye las palabras "una niña". El capítulo acaba anticlimáticamente: don Pedro, rabioso y decepcionado; don Julián, desmayado y objeto de burla; Nucha, "abatida" y sin que se sepa si podrá o no tener más hijos.

Los capítulos XV y XVI han servido también para desarrollar un personaje que veremos reaparecer en *La Madre Naturaleza*: Máximo Juncal.

El capítulo XVIII, que cuenta la convalecencia de Nucha, marca la transición hacia un nuevo foco de atención: la pareja formada por Julián y Nucha. En el capítulo se cuentan en forma de panorama (no se muestran, no las vemos escenificadas) episodios de la crianza de la niña, en la que ambos participan, destacando por su valor simbólico el de la meada, que analizaremos un poco más adelante. El capítulo acaba con el relato de un hecho que crea un nuevo *suspense*: el descubrimiento por parte de don Julián de que se han reanudado las relaciones de Sabel con don Pedro.

La cuarta parte se extiende desde el capítulo XIX al XXVIII. El foco es la pareja Julián-Nucha y el tono sombrío de la narración se va acentuando a lo largo de los capítulos.

El capítulo XIX abunda en episodios premonitorios, que van creando un clima propicio a la tragedia: escena de la bruja echando las cartas, escena de la araña, sueño de don Julián.

El punto de vista es con frecuencia el de los personajes. Las escenas de la cocina y de la araña están vistas a través de los ojos asustados del capellán. En la de la bajada al sótano (XX) el punto de vista es el de los dos personajes, ya unificados en sus terrores y alucinaciones:

> ... A su luz menos que dudosa vieron el sótano, mejor dicho, entrevieron las paredes destilando humedad (...) En la penumbra de aquel lugar casi subterráneo (...) la pata de una mesa parecía un brazo momificado, la esfera de un reloj era la faz blanquecina de un muerto, y unas botas de montar carcomidas asomando por entre papeles y trapos, despertaban en la fantasía la idea de un hombre asesinado y oculto allí.

En esta parte se producen rupturas del hilo narrativo que merecen ser comentadas con atención.

Después de la dramática escena del descenso a los sótanos, cargada de presagios de desgracia, nos encontramos un capítulo entero de signo totalmente distinto: los preparativos de la cacería, una larga escena de carácter costumbrista, de tono jocoso, donde se cuentan chistes e historias de cazadores con sus típicas hipérboles. Ese mismo tono se mantiene en el comienzo del capítulo siguiente, el XXII, donde vemos a don Julián metido a cazador y tiene lugar el episodio cómico del perro "Chonito", que, aburrido de la incompetencia del cura, le abandona. El final del capítulo retoma, sin embargo, el tono serio, grave en la escena simbólica de la caza de las liebres, el animal tímido y cobarde por naturaleza, que, al sentir el impulso amoroso, abandona toda prudencia y corre hacia la muerte, creyendo correr hacia el amor.

La aparición de la liebre hembra está contada desde el punto de vista de un cazador tumbado en el suelo, perspectiva que deforma totalmente la realidad:

> A la claridad lunar divisa, por fin, un monstruo de fantástico aspecto, pegando brincos prodigiosos, apareciendo y desapareciendo como una visión.

El desplazamiento de la atención y el cambio de tono de estos capítulos obedece a una razón de ritmo. La tensión dramática, que seguirá creciendo, no lo hace en una línea continua, sino que se remansa cada cierto trecho. Una imagen que ayuda a entender esta forma de narrar es la del alpinista que interrumpe su ascensión en un reborde de la montaña para tomar aliento y reemprenderla con nuevos bríos. El autor, en esos remansos o mesetas narrativas, puede ampliar su radio de acción con pequeñas excursiones a otros campos, como el costumbrista en este caso. La maestría del novelista se demuestra en su acierto al dosificar tensión y distensión (indispensable en un relato largo). Si la tensión es continuada, fatiga y acaba cansando; si la distensión se prolonga distrae y se pierde el hilo narrativo. Creo que doña Emilia encontró en esta novela una medida justa: los finales de capítulo climáticos tiran de la atención y los paréntesis jocosos relajan sin llegar a romper la tensión dramática.

La tensión crece de nuevo en el capítulo XXIII, donde Nucha descubre que Perucho es hijo de su marido. El capítulo acaba climáticamente con anuncio de nuevos e importantes sucesos: al declarar Julián su impotencia para conseguir que don Pedro eche de casa a Sabel, dice Nucha: "Entonces seré yo." La acción se interrumpe otra vez en ese momento tenso y en el capítulo siguiente entramos en un nuevo remanso: relato de la campaña electoral en técnica de panorama con breves escenas intercaladas. Al final del capítulo nuevo clímax: don Julián ve huellas de violencia en las muñecas de Nucha, coge entre las suyas las manos de la mujer y en esa postura les sorprenden don Pedro, Primitivo y otros visitantes de la capilla.

El capítulo XXV parece en un primer momento una nueva distensión al centrarse en la lucha de los dos caciques enfrentados, pero la conversación final entre los curas de Loiro y Naya centra la atención en el tema principal y nos informa de las consecuencias que ha tenido la escena final del capítulo anterior: se murmura ya de don Julián y Nucha.

Todos los hilos de la novela van así convergiendo hacia el tema central y el tema político se une estrechamente a la trama psicológica: el porvenir de los protagonistas dependerá de lo que resulte de las elecciones.

El comienzo del capítulo XXVI es un buen ejemplo de perspectivismo literario. La narración se hace desde el punto de vista de don Julián y no podemos saber si sus temores tienen una base real o son producto de sus aprensiones:

> ... creía notar el capellán que le espiaban. ¿Quién? Todo el mundo: Primitivo, Sabel, la vieja bruja, los criados (...) En dos o tres funciones a que asistió, figurósele que los curas le hablaban con acento hostil. Pero acaso fuesen estas vanas cavilaciones y quizá soñaba también al imaginarse que, a la mesa, don Pedro seguía continuamente la dirección de sus ojos y acechaba sus movimientos.

El capítulo acaba con la escena de la paliza que el cura de Boán, Ramón Limioso y el Tuerto propinan a los partidarios del triunfante Trampeta. El episodio, de tono

jocoso, rompería totalmente la tensión dramática a no ser
por el colofón que hábilmente coloca doña Emilia: la conversación entre Barbacana y el Tuerto que anuncia sucesos siniestros:

> Sin duda hablaban de algo importante porque la plática
> fue larga. Una hora o algo más corrió desde que encen-
> dieron la luz hasta que las maderas se cerraron, quedando
> la casa silenciosa, torva y sombría, como quien oculta algo
> negro y secreto.

En el capítulo XXVIII tiene lugar un cambio en el
punto de vista del narrador que ha sido comentado por
cuantos se han ocupado de la novela, ya que ofrece una
perspectiva nueva e insólita para los hechos que van a
relatarse. El asesinato de Primitivo y el enfrentamiento
en la capilla de don Julián y don Pedro está visto desde
los ojos de Perucho, que entiende a su manera lo que
ve. Generalmente se ha interpretado este cambio como
un rasgo antinaturalista, un rodeo de la autora para eludir la narración de escenas desagradables. Dado el talante de doña Emilia, esa explicación me parece poco con-
vincente: antes y después de esta novela no retrocedió
ante escenas tanto o más desagradables. La explicación
ha de ser otra, más conectada con el sentido general del
relato. A este tipo de interpretaciones pertenece la de
Maurice Hemingway:

> What I want to draw attention to here is the contrast it
> creates between the happy, innocent relationship of the
> two children and the ugly and tragic nature of relation-
> ships in the adult world (...) So by the manipulation of
> "point of view", Pardo Bazán is able to set her narration
> in a definite moral perspective. The primaeval innocence
> which the scene in the granary represents suggests that the
> rest of the novel is enacted in the world of fallen man,
> of vitiated human nature, unaided by Grace. [42]

---

[42] Artículo citado en nota 4, p. 346.

Me parece evidente que, utilizando este recurso, la Pardo Bazán refuerza el tono trágico de la obra. Vistos los últimos episodios de la novela a través de los ojos de un niño, tenemos la sensación de que el mal no es ya una cuestión de moral, de buena o mala conducta, sino algo ineludible, fatal, inexorablemente vinculado a la existencia humana. La perspectiva del niño refuerza el carácter invitable de los hechos que desencadenan el drama: Perucho actúa para conseguir lo que en justicia le pertenece: sus dos cuartos, que todos le prometen y ninguno le da. Es un inocente el que inocentemente provoca la tragedia. Inocentes son también Julián y Nucha de la falta que se les imputa. Pero el mal, el sufrimiento, los envuelve a todos, también a Perucho: al final la Nené le es arrebatada y el capítulo acaba con el llanto desesperado del niño.

La quinta parte está formada por los dos capítulos finales, cuyo foco de atención es de nuevo don Julián solo. El punto de vista es el de un narrador omnisciente y el tiempo narrativo muy rápido.

En el capítulo XXIX vuelven a evocarse con técnica de panorama las escenas de la capilla, la salida de don Julián de los pazos y los diez años siguientes de su vida. El capítulo XXX se inicia con un resumen de lo que han sido esos diez años en los pazos y en la villa de Cebre. La novela se cierra con dos escenas: la visita del cura al cementerio de Ulloa y la aparición de los niños Perucho y Manolita. La primera es la que funciona como cierre de *Los Pazos de Ulloa*. En ella se nos da una nueva descripción del personaje en la que se destacan los cambios sufridos en esos diez años. Después le vemos actuar. Lo que sucede ante la tumba de Nucha, la actitud del cura, ilumina a un tiempo sus actos del pasado y lo que va a ser el porvenir: la pasión bajo la apariencia de insensibilidad.

La última escena es una transición, un puente hacia la segunda parte: la descripción de los niños y las observaciones sobre su comportamiento y aspecto anuncian lo que va a ser *La Madre Naturaleza*.

El héroe tragicómico

Los rasgos humorísticos en *Los Pazos de Ulloa* han sido estudiados por Cyrus C. DeCoster,[43] constituyendo su trabajo la única aportación de importancia a un tema de gran interés en la Pardo Bazán. Después de destacar las escenas cómicas de la obra, se fija en el tratamiento irónico que da la autora a muchos personajes secundarios: Juncal, el Gallo, Goros, Antón el Algebrista, y apunta algo que a mi juicio es fundamental: de los personajes importantes, sólo con don Julián hace el narrador uso constante de la ironía o la burla.

Doña Emilia convierte en héroe de su novela a un personaje tragicómico, un tipo parecido al don Víctor Quintanar de *La Regenta* (que no es protagonista) o al don Ramón Villaamil de *Miau* de Galdós (que es posterior, del año 88), construcciones que enraízan con la tradición realista española y que suponen un tratamiento del personaje totalmente opuesto al del Romanticismo: jamás un héroe romántico provocará risa, nunca un narrador romántico se permitirá un comentario burlón sobre su héroe.

En dos ocasiones la Pardo Bazán adoptará esa postura irónica ante un personaje principal: en *Los Pazos* y en *Doña Milagros,* donde Benicio Neiras es también un héroe tragicómico.

Los medios de que se vale la autora para la construcción de este tipo novelesco son de dos clases. Unos que pudiéramos llamar externos a la trama novelesca y otros internos, derivados de ella. Entre los primeros, el más importante es la propia actitud del narrador, que se manifiesta en el tono con que habla de su personaje. La referencia a Valle-Inclán parece obligada: "Hay tres modos de ver el mundo artística o estéticamente: de rodi-

---

[43] Cyrus C. DeCoster, "Humor in *Los Pazos de Ulloa* and *La Madre Naturaleza,* en *Homenaje a Rodríguez Moñino,* Castalia, Madrid, 1966, pp. 125-132.

llas, en pie o levantado en el aire. Cuando se mira de
rodillas (...) se da a los personajes, a los héroes, una
condición superior a la condición humana." Es la manera
de Homero. La segunda es "mirar a los protagonistas no-
velescos como de nuestra propia naturaleza". Así lo hace
Shakespeare. La tercera manera es "mirar al mundo desde
un plano superior y considerar a los personajes de la trama
como seres inferiores al autor, con un punto de ironía." [44]
Así es como habla doña Emilia de don Julián.

Desde el momento de su aparición, don Julián se convierte, por obra y gracia del narrador, en objeto de burla.
Sus dificultades con la cabalgadura por el camino real
de Santiago están contadas por alguien que se divierte
con sus malas trazas de jinete y que utiliza las palabras
adecuadas para destacar su ridícula situación. Su "escasa
maestría hípica", el sombrero "calado hasta las cejas", el
"desairado levitín", su postura —"inclinado sobre el arzón con las piernas encogidas y a dos dedos de salir despedido por las orejas"—, el contraste entre su miedo y la
mansedumbre de la caballería —"leíase en su rostro tanto miedo al cuartago como si fuese algún corcel indómito
rebosando fiereza y bríos"—, todo ello produce en el
lector la impresión de un personaje risible.

Cuando en el capítulo III el narrador define a su personaje, utiliza palabras y expresiones que pueden calificarse de ofensivas:

> Julián pertenecía a la falange de los pacatos, que tienen
> la virtud espantadiza, con repulgos de monja y pudores de
> doncella intacta. No habiéndose descosido jamás de las
> faldas de su madre...

La actitud del narrador es reforzada, desde dentro de
la trama novelesca, por la actitud de los otros personajes.
El abad de Ulloa, su predecesor en el cargo de capellán,

---

[44] "Declaraciones de Valle-Inclán a Gregorio Martínez Sierra",
en *ABC*, 7 de diciembre de 1928, recogidas en Dru Dougherty:
Un Valle Inclán olvidado: entrevistas y conferencia, Editorial Fun-
damentos, Madrid, 1983, p. 175.

le califica de "curita barbilindo" y "miquitrefe" (capítulo I), y cuando ya ha tenido ocasión de relacionarse con él le llama "mariquitas" (capítulo VI). Primitivo opina que "no mete respeto" (I), los mozos y jornaleros de la casa revelan en su saludo, "mitad desdeñoso y mitad indiferente", la poca estima en que le tienen; Juncal le trata de afeminado: "¡Qué trazas de mujercita tiene este cura! ¡Qué poquito estuche!" (capítulo XVII). Cuando Julián se ofrece a don Pedro para ir a buscar al médico de noche, la única respuesta es una carcajada de mofa por parte del marqués (capítulo XVI).

En otras ocasiones, el narrador se abstiene de hacer comentarios; se limita a reproducir gestos y actitudes de su personaje o a hacernos oír sus palabras. Su ironía se limita a colocar a su criatura en situaciones desairadas y permitir que el lector le vea en ellas. Entre las escenas "contadas" destacan las de la limpieza del archivo: allí vemos a don Julián tapándose los oídos para no oír el ruido de los bichos que espachurra con los zapatos, o su escándalo ante las obras de Voltaire y Rousseau, a las que condena a ser destruidas por la suciedad. Las escenas del convite de Naya son también de esta clase. Entre las dialogadas, una de las mejores es la conversación con don Pedro en Santiago sobre las señoritas de la Lage (X), donde, queriendo ocultar algunas pequeñeces de las chicas, acaba embrollándose y aumentando la desconfianza del marqués. La escena de la cacería (XXII) es un buen ejemplo también de situación desairada en la que sin necesidad de comentarios del narrador ni de los personajes el lector saca por sí mismo consecuencias de la ineptitud del cura.

Junto a esta visión degradante, se produce casi simultáneamente en la novela otra visión de signo opuesto, que procede también de una triple perspectiva: del narrador, de otros personajes y del lector. La Pardo Bazán ha combinado muy hábilmente la doble corriente degradante-enaltecedora. Al comienzo, cuando predominan los comentarios irónicos del narrador, nos encontramos como contrapeso una serie de escenas en las que la actitud del cura se gana el respeto del lector: su valentía al enfrentarse a Primitivo para impedir que emborrache al niño, la energía con que echa a Sabel de su cuarto cuando ella finge el desmayo, la reprimenda a los otros curas en el banquete de Naya por las inconveniencias de su conversación, le van haciendo subir puntos en su estimación. Al mismo tiempo, la bondad de su carácter —también destacada por el narrador— y sus buenas intenciones provocan la simpatía del lector, que a lo largo de la novela empieza a sufrir con las desventuras del cura y a desear su triunfo. Esta transformación viene apoyada desde dentro de la novela por la actitud de otros personajes, fundamentalmente Nucha: la estima que ella siente por el cura, su cariño, su necesidad de él, dignifican y elevan a Julián, le convierten en héroe.

Al final de la novela el respeto se ha contagiado al narrador y en las últimas escenas Julián ha perdido totalmente su carácter cómico para ser solamente un personaje trágico, carácter que mantendrá en *La Madre Naturaleza*. En cuanto personaje ha perdido matices, se ha hecho monolítico.

La consolidación del personaje tragicómico tiene lugar en los capítulos centrales de la novela, en esos momentos en los que vemos a don Julián dando aire con un pañuelo a la desmayada Nucha (XXI) o intentando sin éxito ocultar que Perucho es hijo de don Pedro (XXII). En ellos se logra ese difícil equilibrio entre la risa y la compasión que da complejidad al personaje y se produce un tono especial de humor, tierno, blando, que es excepcional en la Pardo Bazán, más proclive al humor negro.

Lengua y estilo

La prosa de *Los Pazos* se encuentra a medio camino de la sencillez funcional de Galdós y la complejidad esteticista de Valera.

Tanto Mary Giles como R. E. Lott han señalado el carácter nominal de su lenguaje, la abundancia de elementos substantivos que provoca un efecto de solidez, de firme construcción. [45] En general predomina la frase de mediana extensión, de tres o cuatro líneas en la primera edición, en 8.º, pero son también muy abundantes los ejemplos de párrafos que ocupan media página, encadenándose de forma paratáxica preferentemente. Veamos dos ejemplos del capítulo II:

> A tiempo que la comitiva entraba en la cocina, hallábase acurrucada junto al pote una vieja, que sólo pudo Julián Álvarez distinguir un instante —con greñas blancas y rudas como cerro que le caían sobre los ojos, y cara rojiza al reflejo del fuego—, pues no bien advirtió que venía gente, levantóse más aprisa de lo que permitían sus años, y murmurando en voz quejumbrosa y humilde: "Buenas *nochiñas* nos dé Dios", se desvaneció como una sombra, sin que nadie pudiese notar por dónde.

> Julián creyó al pronto que se había aumentado el número de canes, tres antes y cuatro ahora; pero al entrar el grupo canino en el círculo de viva luz que proyectaba el fuego, advirtió que lo que tomaba por otro perro no era sino un rapazuelo de tres o cuatro años, cuyo vestido, compuesto de chaquetón acastañado y calzones de blanca estopa, podía desde lejos equivocarse con la piel bicolor de los perdigueros, en quienes parecía vivir el chiquillo en la mejor inteligencia y más estrecha fraternidad.

El estilo del narrador deja ver lo que ha sido la formación literaria de doña Emilia. Algunos restos románticos se advierten sobre todo en la adjetivación y en un cierto gusto por la palabra esdrújula:

---

[45] Mary E. Giles, "Impressionist Techniques in Descriptions by Emilia Pardo Bazán", en *Hispanic Review*, XXX (1962), 304-316. Respecto a este trabajo R. Lott señaló su principal defecto: se refiere a temas impresionistas (por influencia de la pintura francesa de la época) y no a técnicas estrictamente lingüísticas. Artículo citado, p. 12.

Miró `por la ventana y el paisaje le pareció tétrico y siniestro: verdad es que entoldaban la bóveda celeste nubarrones de plomo con reflejos lívidos, y que el viento, sordo unas veces y sibilante otras, doblaba los árboles con ráfagas repentinas... (comienzo del cap. XX).

Encorvada la horrenda sibila, alumbrada por el vivo fuego del hogar y la luz de la lámpara, ponía miedo su estoposa pelambrera, su catadura de bruja en aquellarre (cap. XIX).

Blanco Amor [46] destacó la estirpe romántica —de mal romanticismo— de la escena en que Nucha llora ante don Julián:

—Usted es un ángel, señorita Marcelina.
—No... —replicó ella—, ángel, no, pero no me acuerdo de haber hecho daño a nadie. He cuidado mucho a mi hermanito Gabriel, que era delicado de salud y no tenía madre...
Al pronunciar esta frase, la ola rebosó: las lágrimas corrieron por fin...

El diminutivo es, sin duda, desafortunado, pero el carácter romántico de la escena no es tan claro; más bien parece de un sentimentalismo intemporal.

Huellas de sus lecturas se advierten en el uso —a veces irónico, de guiño al lector culto— de imágenes literarias: "La aurora, que sólo tenía apoyado uno de sus rosados dedos en aquel rincón del orbe, se atrevió a alargar toda la manecita" (cap. XVIII), "si Sabel deseaba retener aquel fugitivo Eneas, no dio de ello la más leve señal" (VIII).

Las imágenes y metáforas no destacan ni por su originalidad ni por su belleza. Es evidente que la autora no pretendía con ellas una finalidad estética, sino práctica, de claridad, de información rápida al lector, por eso no duda en recurrir al tópico: Perucho tan pronto es un "Cupidillo" como un "arbolito tierno" un "mal retoño de tronco ruin" que hay que "enderezar" mediante la edu-

---

[46] Artículo citado en nota 15, pp. 9-10.

cación. El ama de la niña es la "vaca humana", o la "poderosa bestiaza", o la "estatua colosal que anda". El cuerpo de la Nené recién nacida, "un lirio, una azucena de candor". Las comparaciones más agudas, a mi juicio, son aquellas en las que el término irreal está tomado del mundo de la naturaleza:

> ¡Horrible familia ilegal, enraizada en el viejo caserón solariego como las parietarias y hiedras en los derruidos muros.

> Saltó impetuosamente los peldaños, precipitándose en el corredor a tientas, guiado por su instinto de perseguidor de alimañas ágiles, que oye delante de sí el apresurado trotecillo de la hermosa res.

> Parecía que la leñosa corteza se le iba cayendo poco a poco al marqués, y que su corazón bravío y egoísta se inmutaba, dejando asomar como entre las grietas de la pared, florecillas parásitas, blando efecto de esposo y padre.

Con frecuencia utiliza expresiones de la lengua coloquial que coexisten con expresiones muy cultas de reminiscencias librescas:

> No era tortas y pan pintado la limpieza material del archivo; sin embargo, la verdadera obra de romanos fue la clasificación. "¡Aquí te quiero!", parecían decir los papelotes así que Julián intentaba distinguirlos. Un embrollo, una madeja sin cabo, un laberinto sin hilo conductor. No existía faro que pudiese guiar por el piélago insondable...

"Era un cacho de buen mozo el marqués", "Sabel era un buen pedazo de lozanísima carne", "Aún levantó el can un bando tan numeroso, tan próximo y que salía tan a tiro, que era casi imposible no *tumbar* dos o tres perdices disparando a bulto", "Contestó el primo, echando a Rita una miradaza que ella resistió con intrepidez notoria y pagó sin esquivez alguna". A veces da la explicación de la metáfora popular con otra expresión también metafórica, pero más culta: "Se oía a los perros *tocar la guitarra*, espulgarse a toda orquesta."

Lo más notable de la novela es el uso del lenguaje coloquial en boca de los personajes populares. Para representar el modo de hablar de campesinos, criados o gente iletrada como el cacique Trampeta —gallego parlantes en la realidad— se vale doña Emilia de un castellano deformado, tanto en la fonética como en la morfología y la sintaxis, plagado de vulgarismos y trufado además de voces gallegas. [47]

Expresiones gallegas como "a carreiriña de un can" o "un bocadiño" son traducidas literalmente, con lo cual se produce un efecto de distanciamiento. El lector se da cuenta de que el personaje, pese a emplear palabras castellanas, habla en realidad otro idioma, ya que un hablante castellano nunca diría "un bocadito" para expresar una medida de tiempo, ni "la carrerita de un can" para indicar distancias.

Muchas expresiones de los personajes populares reproducen la estructura sintáctica de la frase original gallega. Así la exclamación de Sabel: "¡Ay mi madre de mi alma!" está calcada sobre la gallega ¡Ai, miña mai...!, mientras que el castellano necesita llevar el pronombre pospuesto para mantener el significado de dolor o angustia: ¡Ay madre mía! frente a ¡Ay, mi madre!, que tiene diferente sentido. Lo mismo podemos observar en el lenguaje de "Ratón", el personajillo que hace chistes en la víspera de la cacería: "... estaba, con perdón de las barbas que me escuchan, para montar a caballo de un vallado, cuando oigo ¡tras, tris, tras, tras! (...) *viro* la cabeza mismo así"...

"Estar para" equivale en gallego a "estar a punto de", "virar" es "torcer". El vocablo castellano no se emplea con el sentido que aparece en el texto.

---

[47] Una breve enumeración de los rasgos de este lenguaje campesino puede verse en mi prólogo a *Cuentos y novelas de la tierra de E. Pardo Bazán*, Editorial Sálvora, Santiago de Compostela, 1984, pp. 28 y 29.

Los vulgarismos completan el cuadro de ese "castrapo", o castellano deformado por los gallegos parlantes incultos:

> Si eran *meigas* o era el *trasno,* yo no lo sé, pero lo mismo que habemos de dar cuenta a Dios Nuestro Señor de nuestras "auciones" me pasó lo que les voy a contar.

Otras veces la estructura sintáctica es la del castellano, pero la inclusión de un vocablo gallego mantiene la convención de este lenguaje diferente:

> ¿Qué estás *parolando* ahí?
> ¿Hay ánimo para otra *pinguita* de tostado?

Los exabruptos y exclamaciones malsonantes son sustituidos por expresiones eufemísticas que recuerdan por su fonética al original: "¡me caso!", "me caso con Dios!" (lo dice Trampeta en el cap. XXV). "¡Perra!", grita el marqués a Sabel (cap. VII).

En su deseo de reproducir fielmente el lenguaje de los personajes, la autora emplea recursos gráficos para transcribir cualidades fonéticas del discurso. Cuando Sabel llora, sus palabras entrecortadas se reproducen así: "oi-go, sii-señooor, oi-go". También las de Perucho en similares circunstancias: "No hacía mal... No hacía mal... ningu...no". Don Julián, azorado, se expresa así: "O que... los sanos no se la podamos regalar a... los que... la necesitan". Don Pedro, irritado: "Que... no... hay... bu... rraaaá". En las exclamaciones, el alargamiento vocálico también queda señalado: ¿Eeeeh?, ¡mueraaa!

Con los inevitables eufemismos que impone el uso literario de su tiempo, el lenguaje se ajusta, podemos concluir, al principio de la verosimilitud: los personajes hablan como correspondería a su *status* social e incluso a su carácter: el lenguaje de Julián es más culto, más remilgado también, que el del marqués. En cuanto al estilo del narrador, está claro que doña Emilia buscaba la expresividad por encima de la pura belleza de la palabra. Imágenes y metáforas son clarificadoras, pero no bellas, no son poéticas, y lo mismo se podría decir de otros recursos retóricos, como el símbolo.

Los símbolos

No hay en la novela grandes construcciones simbólicas. Ver en los pazos una imagen del mundo y en Primitivo y Julián encarnaciones del Bien y del Mal me parece extrapolar tanto el sentido del término símbolo, como el de los dos personajes. Sí existen, sin embargo, tales simbolismos en Zola, y doña Emilia, con gran acierto crítico, supo verlo:

> Aunque suene a paradoja, el símbolo es una de las formas usuales de la retórica zolista: la estética de Zola es en ocasiones simbólica como... ¿lo diré? como la de Platón. Alegorías declaradas (La falta del cura Mouret) o veladas (Nana, La Ralea, Pot-Bouille), sus libros representan siempre más de lo que son en realidad. En La falta, el autor no oculta la intención simbólica y hasta el nombre "Paradou" (Paraíso) y el gigantesco árbol a cuya sombra se comete el pecado, recuerdan el Génesis (...) Sobre la rubia cabeza de Naná el autor acumuló toda la inmundicia social, derramó la copa henchida de abominaciones, e hizo de la pervertida Griseta un enorme símbolo, una colosal encarnación del vicio. [48]

Comparados Julián y el abad Mouret, no cabe duda de que el cura de los pazos es mucho más realista, individualizado, humano, que el de Zola, y lo mismo habría que decir del paisaje de la novela gallega comparado con el "Paradou" francés.

Los símbolos en Los Pazos tienen un alcance más reducido, son más sencillos, y se utilizan sobre todo para concretar en una imagen plástica conceptos abstractos que de ese modo quedan iluminados.

---

[48] La cuestión palpitante, ed. cit., p. 629.

Voy a prescindir en el análisis de los símbolos de las interpretaciones psicoanalíticas, ya que al no difundirse hasta después de 1900 las teorías freudianas no pudo haber por parte de la autora un uso voluntario de tales símbolos. Me reduciré, por tanto, al uso voluntario, consciente, que la autora hizo del procedimiento. No considero, pues, el posible simbolismo sexual de la escena de la bajada al sótano. [49] La escena tiene, en efecto, un significado más profundo que el que en la novela le atribuye el personaje: "Necesito ver si hay abajo, en el sótano, arcones para la ropa blanca", dice Nucha. Pero este significado profundo no tiene que ser necesariamente de carácter sexual y, desde luego, ésa no fue la pretensión de doña Emilia.

El perro que Nucha cree ver al abrir la puerta del sótano recuerda, a cualquier lector medianamente, culto a Cerbero, el perro guardián de los infiernos. El sótano es el lugar de los miedos infantiles, y Nucha proyecta sobre las tinieblas que lo llenan todos sus temores de niña: el infierno, el diablo, los muertos (recuérdese que le parece ver brazos de momias y cadáveres de hombres asesinados).

Lo que doña Emilia quiere simbolizar con la bajada al sótano es la lucha del personaje con su propia debilidad y así se encarga de hacérnoslo notar a través de la voz narradora: el capellán insta a Nucha a abandonar la excursión y ella insiste en seguir adelante, y comenta el narrador: "resolvió Nucha, *empeñada en combatir sus propios terrores*". Terminada la aventura, vuelve a comentar el narrador: "Salió muy animada, satisfecha de su resolución, *vendedora en la lucha cuerpo a cuerpo con el caserón que la asustaba.*" Cuando Nucha es víctima del ataque de histeria, hasta el inexperto Julián entiende lo

---

[49] Véase para este tema Carlos Feal Deibe, "Naturalismo y antinaturalismo en *Los Pazos de Ulloa*", en *Bulletin of Hispanic Studies*, 48 (1971), 314-327. Sobre esta escena en concreto dice: "El descenso al sótano equivale a un descenso al vientre de la mujer-madre. Hay una unión simbólica de la mujer y el hombre", p. 323.

que ha sucedido y así lo recalca el narrador: "Julián comprendió lo que ocurría: el espasmo inevitable, la explosión de terror reprimido, el pago del alarde de valentía de la pobre Nucha."

Otra escena de carácter simbólico es la del convite de boda y la siguiente de la noche de bodas. Ya he hablado de ella al referirme a la escasa objetividad narrativa de doña Emilia: Se trata, como vimos allí, de una deformación de la realidad con fines estéticos: las escenas que hubieran debido ser anuncio de felicidad se convierten en premonitorias de desgracia, mediante la hábil distorsión de algunos elementos. Ver en las velas y candelabros que iluminan la escena símbolos fálicos [50] me parece sacar las cosas de su contexto decimonónico y, sobre todo, no entender el significado hondo de la escena, que no remite a Eros sino a Thanatos.

La escena de la cacería es también un episodio de amor y muerte cuyo sentido no se agota en el mundo animal. La autora, sin dejar de referirse a las liebres, utiliza un vocabulario que sugiere continuamente la relación humana:

> ... noche también de amor, noche de seguir a la tímida doncella de luengas orejas y breve rabo, sorprenderla, conmoverla y arrastrarla a las sombrías profundidades del pinar (...) es la hembra, la Dulcinea perseguida y recuestada por innumerables galanes en la época del celo, a quien el pudor obliga a ocultarse de día en su gazapera (...) Y si se deja pasar delante a la dama, ninguno de los nocturnos rondadores se detendrá en su carrera loca, aunque oiga el tiro que corta la vida de su rival, aunque tropiece en el camino su ensangrentado cadáver, aunque el tufo de la pólvora le diga: "¡Al final de tu idilio está la muerte!"

"Tímida doncella", "Dulcinea", "dama", "galanes", "pudor", "sorprenderla, conmoverla y arrastrarla a las sombrías profundidades", "nocturnos rondadores", "rival",

---

[50] Véase A. Rodríguez y J. Guttman, artículo citado, p. 57.

"idilio", son expresiones que nos remiten a la esfera del amor humano.

La escena es contemplada por don Julián, neófito en estos espectáculos y funciona como un aviso, como un anuncio de lo que va a suceder. Está situada en un punto estratégico del desarrollo de la trama, en medio de los capítulos en los que vemos al capellán cada vez más entregado a Nucha, preocupado sólo de acompañarla, de consolarla, sin advertir los peligros de la situación: su amor por Nucha —no importa que sea un amor castísimo puesto que es igualmente ciego— le lleva a su destrucción. La analogía con la escena de la cacería se refuerza con la coincidencia, digamos temperamental, de los protagonistas de la tragedia: tímida la dama y cobarde y tímido también el galán. Recordemos que la cobardía es un rasgo destacado en la escena por la autora ("Acaso el instinto de cobardía propio de su raza...") y a lo largo de la novela respecto a don Julián ("No despuntaba por valentón", "No era de madera de héroes").

No creo que haya que interpretar la escena como símbolo de ocultos apetitos eróticos de don Julián sino como un símbolo del amor humano, tal como lo concibe doña Emilia: una esperanza ilusoria de felicidad en la tierra. Los seres humanos, creyendo correr en pos de sus deseos, corren en realidad hacia el dolor y la muerte.

Otra escena que se presta a interpretaciones psicoanalíticas es la de la meada de la niña. El episodio tiene un primer aspecto cómico: el capellán metido a niñera recibe el inevitable regalo del angelito inocente. La situación mantiene su efecto cómico cien años después, en plena era del plástico: un adulto empapado por un bebé es siempre objeto de hilaridad y cuanto más serio, grave o importante sea el adulto más aumenta el efecto hilarante. Pero en la novela lo que se destacan no son los aspectos cómicos sino los psicológicos: el que más se ríe con lo sucedido es la propia víctima con lo cual desaparece el posible efecto degradante de la situación, y, además, confiesa su intención de repetir la experiencia al rechazar el delantal de hule que le ofrece Nucha. El narrador interpreta inmediatamente el sentido oculto, profundo de ese gesto: "por nada del mundo renunciaría a sentir aquella onda tibia", y explica el porqué de ese comportamiento y la trascendencia que el acto va a tener en la vida del cura:

> Su contacto derretía no sé qué nieve de austeridad, cuajada sobre un corazón afeminado y virgen allá desde los tiempos del Seminario, desde que se había propuesto renunciar a toda familia y todo hogar en la Tierra entrando en el sacerdocio; y al par encendía en él misterioso fuego, ternura humana, expansiva y dulce.

No es necesario recurrir al psicoanálisis para interpretar simbólicamente el pasaje. Doña Emilia se ha encargado de explicitar el sentido de los símbolos: la vida del Seminario ha privado a Julián no sólo del contacto con su familia sino de la posibilidad de crear él una, de modo que ha helado su corazón, lo ha cubierto de nieve, y esa nieve se derrite al contacto con el cariño, con la ternura humana simbolizada en ese "calorcillo húmedo" de la meada infantil. El episodio no agota su significado con la transformación afectiva de don Julián sino que sugiere la clase de relación que se establece con Nucha. El narrador nos dice que, a partir de ese episodio, "el presbítero empezaba a querer a la niña con ceguera" y que le desazona la idea de estar desempeñando el papel del padre: "el santo grupo estaba disuelto; allí faltaba San José o lo sustituía un clérigo, que era peor". Si Julián es el padre, es San José, también es el esposo de Nucha, la virgen-madre (recordemos cómo el capellán llama siempre a Nucha "señorita Marcelina" y la imagina bajo advocaciones de la virgen). Creo que doña Emilia era plenamente consciente de estos matices y, por tanto, del simbolismo erótico (no estrictamente sexual) de la escena y que multiplicó en ella pistas y explicaciones para que ese simbolismo llegase al lector.

Cargadas de símbolos están también las escenas del capítulo IV del paseo de don Julián por el jardín de los pazos y el recorrido por el interior de la casona: los jardines que habían sido cuidados con orden y arte están invadidos por la maleza, ni rastro queda del escudo de armas trazado con mirto en el suelo, el estanque se ha convertido en "charca pantanosa". En el interior encuentra un panorama semejante: suelos apolillados, muebles destartalados, ventanas sin cristales. El archivo, con el que se enfrenta en el capítulo siguiente, es pasto de los bichos, de la suciedad, del desorden. Los símbolos son bien sencillos, unos de ruina social y humana, otros de pujanza, de fuerza ciega (árboles y maleza que lo invaden todo). Sin embargo, la autora no renuncia a explicarlos. Parece que doña Emilia desconfiara de la inteligencia de su lector y quisiera facilitarle las cosas. Así, al final del capítulo, nos dará la explicación conceptual de lo que ya expresó simbólicamente:

> La verdad era que el archivo había producido en el alma de Julián la misma impresión que toda la casa: la de una ruina, ruina vasta y amenazadora, que representaba algo grande en lo pasado, pero en la actualidad se desmoronaba a toda prisa.

Esta manía explicativa de la autora se debe probablemente, como indicábamos más arriba, a que el símbolo tiene en ella una finalidad práctica y no estética. No se trata de crear un ambiente poético o misterioso, de sugerir una realidad a la que no se puede llegar por otros medios, sino de representar de forma plástica, clara, visible, unos conceptos abstractos.

Los Pazos, *novela psicológica*

La etiqueta de naturalista que se le colocó en su tiempo a la Pardo Bazán, hizo que la novela se viera, sobre todo, como una hijuela bastardeada de los Rougon Macquart. Si Zola analizaba la "historia natural y social de una familia bajo el Segundo Imperio", su discípula española no podía por menos que ocuparse de los Moscoso de Cabreira y Pardo de la Lage en los tiempos de la Gloriosa y la Restauración.

Durante mucho tiempo, en perjuicio de otras interpretaciones, lo que se destacó como tema fundamental de *Los Pazos* fue el de la ruina social y moral de una familia y de una clase social: la aristocracia campesina. Creo, sin embargo, que, pese a su indudable importancia, el tema central no es ése, sino otro de carácter psicológico que fue ya destacado en su momento con su habitual agudeza crítica por Clarín:

> Desde el primer momento nos importan las aventuras de aquel capellancico que echa sobre sus hombros la enorme carga de remendar la moral y la hacienda de los Ulloa, y que sólo consigue verse en recias tentaciones, y, por fin, víctima de sospechas tan calumniosas como de aparente verosimilitud (...) Con gracia original ha sabido la autora mostrarnos el amor que inspira Nucha al buen clérigo, sin asomo de escándalo ni aun de malicia, sin un grano de mostaza de esa que suele picar más yendo entre líneas. Nada de esto, no era tal el propósito del artista; se enamora el capellán de Nucha, como el abate Mouret de Zola estaba al principio enamorado de la Virgen. [51]

Voy, por tanto, a ocuparme, en primer lugar, de lo que creo que es el tema principal de la obra: el del cura enamorado.

a) El amor del sacerdote

El tema que centra el interés de la autora es el del amor del sacerdote (y el de los hermanos, que desarrollará en la segunda parte). Y no es de extrañar que el tema la tentara. Recordemos que en el año 1874 había constituido un verdadero éxito para Valera en *Pepita Jiménez,* novela con la que doña Emilia, según confesión propia, se asomó por primera vez a la novela española contemporánea. En el año 1875 tratan el asunto Eça de Queiroz en *El crimen*

---

del padre Amaro, y Emilio Zola en *La falta del abad Mouret.* Por los años 1878-1879 aparece *Doña Luz,* donde Valera nos presenta de nuevo a un sacerdote enamorado (en *Pepita Jiménez* sólo era seminarista). En 1884 lo hace Galdós en *Tormento* y por los años 84-85 aparece *La Regenta,* de Clarín. ¿Cómo no había de tentar a doña Emilia el tema? Pereda tenía bastante razón cuando, irritado por los comentarios a sus obras, aseguró que la autora padecía "la comezón de meterse en todo, de entender de todo y de fallar de todo".[52] Era cierto. No perdía ocasión de meter baza en los temas de actualidad, ya fuesen literarios como el naturalismo, o sociológicos como el debate sobre la pena de muerte. Incluso se lanzaba a dar solución a los enigmas policíacos que le brindaban las páginas de los periódicos.[53] Por otra parte, la posible acusación de plagio no la asustaba. Se había enfrentado ya otras veces a ella y estaba convencida de su originalidad. En una carta a Narcís Oller[54], fechada en La Coruña el 7 de julio de 1885, le dice: "Hace año y medio, a un mismo tiempo, escribíamos Armando Palacio y yo el *Idilio de un enfermo* y *Bucólica,* dos cosas tan semejantes en su punto de partida, si bien después paran en una solución diametralmente opuesta." Un poco más adelante insiste en el tema y, de paso, nos da la clave para averiguar lo que le interesa más de la novela que en aquel momento está escribiendo:

Ahora, al leer el 2.º tomo de *La Regenta,* me he encontrado yo con un cura enamorado de una dama: esto mismo, aunque en bien distinta forma y modo, danza en la novela que traigo entre manos. Pues no me arredro: sigo con mi cura, que no siendo copia, tiene que resultar

---

[52] "Las comezones de la señora Pardo Bazán", reproducido en *Obras completas,* de E. Pardo Bazán, t. III, p. 1006.
[53] Anthony H. Clarke, "Doña Emilia Pardo Bazán y la novela policíaca", en *Boletín de la Biblioteca Menéndez y Pelayo,* 49, 1973, 375-391, y Juan Paredes Núñez, "El cuento policíaco en Pardo Bazán", en *Estudios sobre literatura y arte dedicados al profesor E. Orozco Díaz,* Granada, 1979, vol. III, pp. 7-18.
[54] En el libro *Memoriès Literaries,* ed. cit., p. 93.

con su cara, la que Dios le dio y le confirmó el señor
Obispo. Adelante.

Años más tarde, cuando la acusan en *La Correspondencia
de España* de haberle plagiado un cuento a Emilio Ferra-
ri, doña Emilia escribe al colega: "¿Cuándo se convencerán los bobos, o mejor dicho los pillos, de que los asuntos
históricos y tradicionales pertenecen a todo el mundo?" [55]
En el año ochenta y cinco, doña Emilia debía de pensar
que el tema del cura enamorado era ya un "asunto tradicional". Las deudas con los otros curas de novela sin duda
existen, pero lo que destaca en la obra de la Pardo Bazán
es el trazado del carácter del personaje principal y la índole de las relaciones que se establece con la protagonista
femenina.

Desde su aparición en la primera página de la novela
don Julián se muestra como el negativo de las cualidades
que se suponen características del varón: fuerza, valentía,
rudeza... El jinete que el narrador presenta ante nuestros
ojos montado en un rocín que a duras penas puede dominar es un joven de "miembros delicados", "sin pelo
de barba" y con el miedo pintado en el rostro. La descripción de los tres cazadores con los que se encuentra —don
Pedro, Primitivo y el abad de Ulloa— acentúa, por contraste, el aspecto afeminado del curilla. Del marqués se
destaca la fortaleza física, la complexión robusta del cuerpo; de Primitivo las "enérgicas facciones" y del clérigo "los
duros cañones de su azulada barba". El narrador omnisciente nos dice lo que siente el abad de Ulloa hacia el
recién llegado: "profundo desdén hacia el curita barbilindo, con cara de niña", y Primitivo remacha esa impresión
con el comentario que cierra el capítulo: "¿Verdad que
no mete respeto?" En el capítulo siguiente cuando Julián
dice que él no bebe apenas sino agua, el abad sentencia:
"El que no bebe no es un hombre." Inmediatamente, el
narrador describe la escena de sobremesa y nos hace saber

[55] José María Martínez Cachero, "Un supuesto plagio de la Pardo Bazán", en *ABC,* 22 de diciembre de 1954.

el malestar de Julián por la presencia de Sabel: "Bajaba Julián la vista, no tanto por lo que oía como por no ver a Sabel, cuyo aspecto, desde el primer instante, le había desagradado de extraño modo, a pesar o quizá a causa de que Sabel era un buen pedazo de lozanísima carne." Todas estas notas de afeminamiento las va a repetir doña Emilia en el capítulo III, desde el punto de vista de un narrador omnisciente, que no sólo ve el interior de su personaje sino que lo interpreta y lo explica:

La continencia le fue fácil, casi insensible, por lo mismo que la guardó incólume, pues sienten los moralistas que es más hacedero no pecar una vez que pecar una sola. A Julián le ayudaba en su triunfo, amén de la gracia de Dios que él solicitaba muy de veras, la endeblez de su temperamento linfáticonervioso, *puramente femenino*, sin ardores ni rebeldías, propenso a la ternura, dulce y benigno...

La opinión del narrador la va a reforzar, como ya vimos, con la de otros personajes de la novela: Juncal ("¡Qué trazas de mujercita tiene este cura!", cap. XVII) y el abad de Ulloa que le llama "mariquitas" y considera sus hábitos de limpieza "afeminaciones", capítulo VI.

Pese a la apariencia delicada del cura, a su cara de niña y a la blandura de su carácter, calificado de femenino por la voz narradora, en ningún momento se insinúa la posible homosexualidad (sí aparecerá este rasgo, sin embargo, en Goros, su criado, en *La Madre Naturaleza*). Cuando el rumor de tener relaciones *non sanctas* con Nucha se extiende, la gente lo cree y el primero el marido, don Pedro, que reacciona violentamente. Por otra parte, a Sabel no parece desagradarle el cura recién llegado: se le insinúa varias veces e intenta seducirlo provocando la repulsa del hombre. Y digo del hombre y no del sacerdote, porque en la escena del fingido desmayo de Sabel, don Julián reacciona instintivamente, movido por sus sentimientos como hombre y no por sus creencias de sacerdote que afloran más tarde, al tranquilizarse, y le llevan a reprocharse su comportamiento: "A no dudarlo se había excedido, debió dirigir a aquella mujer una exhortación fervorosa (...) Su obligación de sacerdote era enseñar, corregir, perdonar..." Se podría objetar que Sabel actúa por instigación de su padre, pero eso sólo demuestra que Primitivo le considera un hombre y que como a tal le tienta. Además, no olvidemos que Sabel desobedece a su padre y engaña a don Pedro con otros mozos, de igual manera podría evadirse de la obligación de seducir al cura si no le resultara apetecible. Más bien parece lo contrario. Fracasado su intento se retira "cabizbaja y mohína". Ejemplos de la atracción ejercida sobre mozas fuertes y guapas por varones de apariencia femenina, débiles y hasta cobardes o apocados, no faltan en la obra de la Pardo Bazán, que consigue uno de los mejores estudios de este tipo de amor en el delicioso cuento "El molino". Que a Sabel le gusta la pulcritud y el aseo masculino queda de manifiesto en su posterior elección del Gallo para marido. Pero la atracción no siempre es mutua y a don Julián el tipo de mujer representado por Sabel no le atrae en absoluto. Sus gustos en esta materia se harán patentes al preguntarle don Pedro cuál de sus tres primas piensa que le conviene más para casarse. Don Julián le contesta según sus propios gustos y sin tener en cuenta lo que sería más conveniente para el marqués: "Yo, puesto a escoger, no lo niego..., me quedaría con la señorita Marcelina." Lo insólito de tal preferencia queda de manifiesto en el espontáneo comentario del marqués: "¡Hombre! Es algo bizca... y flaca... Sólo tiene buen pelo y buen genio." De hecho, cuando por torcidos motivos don Pedro escoge a Marcelina, todos se quedan pasmados: el padre de la novia, las hermanas y hasta la propia Nucha. Sólo a don Julián le parece bien, porque para la idea que él tiene del matrimonio cristiano la atracción física es algo no deseable: "La índole de tan sagrada institución —discurría Julián— es opuesta a impúdicos extremos y arrebatos, a romancescos y necios desahogos, ardientes y roncos arrullos de tórtola" (cap. XIV). Opiniones similares encontramos en otras novelas de doña Emilia. Así, dice Benicio Neiras de su esposa: "Supo guardar, hasta un extremo inconcebible y para mí muy doloroso al principio, aquella casta rigidez y recato de la verdadera esposa cristiana, y aquella reserva y aparente frialdad que, si enojan al enamorado loco, deben satisfacer profundamente al marido cuerdo".[56] Recordemos también que Carmiña Aldao, modelo de esposas cristianas, se casa sin amor con un hombre que físicamente le repugna y al padre Moreno, su confesor y confidente, le parece muy bien tal decisión. La concepción del matrimonio de Nucha debía de ser muy similar a ésas, ya que al final de la novela le pregunta a don Julián sobre las causas del fracaso sin entender por qué ha sucedido:

> Bien sabe Dios que no puse nada de mi parte para que Pedro se fijase en mí. Papá me aconsejó que, de todos modos, me casase con el primo... Yo seguí el consejo... me propuse ser buena, quererle mucho, obedecerle, cuidar de mis hijos... Dígame usted, Julián, ¿he faltado en algo?

En ningún momento vemos que exista atracción ni afinidad de ningún tipo entre Nucha y don Pedro. A él, ella le parece fea y "beatita" y se divierte diciendo en su presencia bromas pesadas y propasándose a indiscretas familiaridades que ella, en su época de soltera, rechaza "enérgicamente" (cap. IX). Por el contrario, sí hay afinidad con Julián, que se revela en sutiles detalles: cruzan miradas de complicidad en las visitas, divertidos por las mismas cosas (cap. XV) y también, asustados por las mismas, exclaman al unísono: "¡Qué día tan triste!" (capítulo XX).

Hay un momento crucial en el desarrollo de la trama novelesca: es el embarazo de Nucha. Todos son felices, Nucha incluso está más guapa: "Su pelo negro parecía más brillante y copioso, sus ojos menos vagos y más húmedos, su boca más fresca y roja." Don Pedro "se mostraba hasta galante": deja de cazar para no sobresaltar a su mujer con los tiros y le trae flores silvestres de sus paseos por el campo (cap. XVI). En cuanto a don Julián, su

[56] *Doña Milagros, Obras completas,* ed. cit., t. II, p. 361.

admiración por "la señorita Marcelina" parte de un idealismo tan exagerado que ni siquiera advierte su embarazo hasta que no se lo hacen notar: "La veneración que por Nucha sentía, y que iba acrecentándose con el trato, cerraba el paso a la idea de que pudiesen ocurrirle los mismos percances fisiológicos que a las demás hembras del mundo." Al ser testigo de las "familiaridades más despóticas que tiernas" de don Pedro hacia Nucha,

> parecíale al capellán que la esposa sufría mucho, herida en su cándida modestia (...) figurábasele que la caída de sus párpados, su encendimiento, su silencio, eran mudas protestas contra libertades impropias del honesto trato conyugal.

Obsérvese la habilidad con que en este punto la novelista pasa de la técnica de narración omnisciente a la del punto de vista del personaje: "parecíale al capellán", "figurábasele". Son todas apreciaciones subjetivas del cura que no puede admitir que Nucha sienta como mujer y no como un ángel. Es entonces cuando comienza a pensar que mejor hubiera sido que se metiera monja: "Por muy perfecta casada que hiciese Nucha, su condición y virtudes la llamaban a otro estado más meritorio todavía, más parecido al de los ángeles, en que la mujer conserva como preciado tesoro su virginal limpieza (...) Siendo Nucha tan buena para mujer de un hombre, mejor sería para esposa de Cristo, y las castas nupcias dejarían intacta la flor de su inocencia corporal" (cap. XIV). Pero el sacrificio de Nucha no es en vano. En don Pedro empiezan a notarse las benéficas influencias de la esposa: "Parecía que la leñosa corteza se le iba cayendo poco a poco al marqués, y que su corazón bravío y egoísta se inmutaba, dejando asomar como entre las grietas de una pared, florecillas parásitas, blandos afectos de esposo y padre" (cap. XVI). En don Julián se produce también una exaltación de sentimientos, pero todos de tipo espiritual: su devoción se hace más intensa y más firme su convicción "de que Nucha era viva imagen de Nuestra Señora, en cuanto una mujer concebida en pecado puede serlo". Dada la índole de su carácter, el amor de don Julián por Nucha es tan platónico, tan espiritual que no interfiere con sus creencias ni con su vocación sacerdotal. Algo similar encontramos en *Doña Luz*, de Valera:

> De este modo confuso y como entre nubes forjó, sin duda, el P. Manrique, a quien el trato de doña Luz encantaba, si no un plan, una ilusión, una esperanza, algo de un porvenir meramente amistoso, aunque lleno de ternura. Apenas se daba razón de lo que forjaba, pero ciertamente lo forjaba. Lo que forjaba era, por otra parte, tan sin asomo de pecado, que no suscitaba escrúpulos. Lo que forjaba era muy sencillo. Doña Luz era casi seguro que no se casaría ya: lo mejor, pues, de su inteligencia se emplearía en comunicar con la del padre; su voz en hablarle, su oído en oírle, su más seria ocupación sería pensar en las cosas del cielo, según el método y forma con que él pensaba; su deleite mayor, hablar con él de Dios y del alma y de toda verdad y de toda bondad y hermosura. En fin, el P. Manrique, sin confesárselo a sí mismo, vino poco a poco a persuadirse de que con su espíritu iba como a llenar y compenetrar el espíritu de doña Luz, y notó apenas que ella se enseñoreaba ya por entero del espíritu de él, aunque con cierta subordinación y dependencia de otros sentimientos e ideas de valer muy superior, los cuales prevalecían sobre aquella nueva y poderosa influencia. [57]

Los problemas empiezan para el cura valeriano cuando doña Luz decide casarse y para don Julián cuando el marqués, decepcionado en sus expectativas de ser padre de un varón, abandona prácticamente a Nucha. Al nacer Manolita se forma una nueva familia en la que el papel del padre lo desempeña don Julián: él acompaña a Nucha en su convalecencia, y participa de las preocupaciones y alegrías de la crianza. La sustitución por parte de Julián del papel del padre es subrayado explícitamente en la novela:

[57] *Doña Luz*, Biblioteca Perojo, Madrid-París, 1887, p. 92.

Una penosa idea le acudía de vez en cuando. Acordábase de que había soñado con instituir en aquella casa el matrimonio cristiano cortado por el patrón de la Sacra Familia. Pues bien, el santo grupo estaba disuelto: allí faltaba San José o le sustituía un clérigo, que era peor (cap. XVIII).

A partir de ese momento, los síntomas del peculiar amor del cura se multiplican. Don Julián, como cualquier enamorado, querría poner su sangre a disposición de la amada y lo insólito de su ofrecimiento se muestra en el rubor que acompaña a su reprimida oferta y en el silencio que le sigue:

> ... Lo que siempre me porfía el señor de Juncal: Fortalecerse, criar sangre... Lástima que la sangre no se compre en la tienda... ¿No le parece a usted?
> —O que... los sanos no se la podamos regalar a... los que... la necesitan...
> Dijo esto el presbítero titubeando, poniéndose encendido hasta la nuca, porque su impulso primero había sido exclamar: "Señorita Marcelina, aquí está mi sangre a la disposición de usted".

Obsérvese lo bien situados que están los puntos suspensivos para indicar las vacilaciones del cura al hablar. Los primeros interrumpen lo que debía ser un ofrecimiento personal del tipo: "O que yo no pueda darle la mía." En lugar de "yo" dice "los sanos", generalizando en el plural su pensamiento. Inmediatamente se produce otra interrupción que impide la confesión de su cariño. La frase parece pedir una continuación como: "no se la podamos regalar a *los que queremos*". Después de vacilar dos veces acaba diciendo "los que la necesitan", pero su rubor es un índice claro de la importancia sentimental de esas palabras. Tras esa especie de declaración los dos se quedan callados, mirando fijamente, "distraídos y ensimismados", el paisaje, y poco después los dos exclaman al mismo tiempo: "¡Qué día tan triste!" (cap. XX).

Cuando Julián miente acerca de la identidad del padre de Perucho para no hacer sufrir a Nucha, ella, desconfiando de sus palabras, le coge de las manos para arrancarle la verdad. El contacto de las manos de Nucha turba al capellán "de un modo inexplicable", hasta el punto de que sin reflexionar deja escapar una frase que revela a la esposa las infidelidades del marido (cap. XXIII).

Cuando los dos juntos se dedican a restaurar la capilla, Julián se siente feliz y da toda la impresión de que su felicidad depende de la compañía de Nucha: juntos visten y desnudan las imágenes, las peinan, las limpian. A veces, Nucha no hace nada, sólo dirige los trabajos que Julián realiza: "Era semejante ocupación dulcísima para Julián: corrían las horas sin sentir en el callado recinto..." (cap. XXIV).

Como doña Emilia nunca habla explícitamente del amor del cura tenemos que analizar esos pequeños detalles que nos dan la clave de los sentimientos del capellán: el rubor, la turbación que le produce el contacto físico de la mujer, el paso insensible del tiempo cuando está en su presencia, o la forma en que la mira "entre embelesado y afligido" mientras ella arregla los ramos de flores de la capilla. Precisamente en ese momento se va a producir un acontecimiento decisivo en el desarrollo de la trama novelesca. Julián ve en las muñecas de Nucha las marcas negras que han dejado sin duda los dedos del marido violento y brutal. La visión de esas señales de violencia a la que Nucha se ha visto sometida le trastornan "y completamente fuera de sí, dejó caer las sacras y tomó las manos de Nucha para convencerse de que en efecto existía la siniestra señal". En esa postura les sorprenden los visitantes de la capilla. El único que parece haberse percatado de que algo raro ocurría es Primitivo, que ordena a Perucho que le avise siempre que la señorita y el cura se queden solos en la capilla. Pero también Julián toma conciencia entonces de que lo que siente por Nucha puede ser censurable. Hasta ese momento no ha manifestado ninguna aprensión en ese sentido, quizá porque él mismo no era consciente de la índole exacta de sus sentimientos.

Es la mirada desconfiada de Primitivo la que le hace sentirse objeto de sospecha: se siente vigilado, no se atreve a ir al cuarto de Marcelina, cree que los otros curas le tratan con hostilidad y, sobre todo, le parece que durante las comidas don Pedro vigila la dirección de sus ojos. Esto le hace sufrir más que nada, "tanto más cuanto que un irresistible anhelo le obligaba a mirar a Nucha muy a menudo, reparando a hurtadillas si estaba más delgada, si comía con buen apetito, si se notaba 'algo' nuevo en sus muñecas" (cap. XXVI). Esa necesidad de mirar "muy a menudo" a la mujer, el "irresistible anhelo" que lleva sus ojos hacia ella parecen inequívocas señales de enamoramiento. La tríada de razones que da para justificar esas miradas (comprobar si ha adelgazado, si come bien, si tiene nuevas señales de violencia) más aparecen como pretextos que el cura se da a sí mismo que como razones objetivas de su comportamiento: para comprobar si una persona está delgada o desganada basta una simple ojeada que al enamorado no puede satisfacerle. Don Julián a estas alturas no actúa ya respecto a Nucha como sacerdote sino como hombre. Se turba ante la idea de confesarla y cuando ella se queda en la capilla después de la misa su presencia presentida le impide "rezar con sosiego". Los consuelos ascéticos que piensa a solas se le borran ante la evidencia del dolor de ella. Hay que notar que tampoco Nucha recurre a él como sacerdote sino como amigo y alma gemela: "Si peco no me lo diga, Julianciño", le dice (cap. XXVII) y don Julián se apresta a cometer la locura de abandonar los Pazos con su querida señorita: "¿Qué cosa en el mundo dejaría él de intentar por secar aquellos ojos puros...?"

La escena de la capilla nos permite entrever el penúltimo acto de la transformación de don Julián, el paso de la súplica al desafío, el enfrentamiento con el marqués "de hombre a hombre". Y como hombre, aunque la Pardo Bazán diga "como niño o mujer", llora Julián ante la tumba de Nucha en la página final de la novela. Después de diez años el amor sigue igual de vivo y después de veinte también.

En el último capítulo de la novela nos encontramos a don Julián fijado en un estado psicológico que será ya inmutable y que se va a prolongar todo a lo largo de *La Madre Naturaleza*. Es un final, pero también un comienzo de otra etapa, por eso en él nos presentará la autora a modo de un resumen de lo que veremos explicitado en la novela siguiente. Nos da doña Emilia la descripción de la nueva efigie física y moral del cura:

> Estaba viejo realmente, y también más varonil; algunos rasgos de su fisonomía delicada se marcaban, se delineaban con mayor firmeza; sus labios, contraídos y palidecidos, revelaban la severidad del hombre acostumbrado a dominar todo arranque pasional, todo impulso esencialmente terrestre. La edad viril le había enseñado y dado a conocer cuanto es el mérito y debe ser la corona del sacerdote puro. Habíase vuelto muy indulgente con los demás al par que severo consigo mismo (cap. XXX).

Apenas ha acabado de describirlo cuando vemos a don Julián víctima de una conmoción espiritual, que parece desmentir aquella serenidad y madurez que le ha atribuido, y que desde luego no parece propia de alguien que domina sus pasiones. Junto a la tumba de Nucha, don Julián "con la vista nublada, y el espíritu, por primera vez después de largos años, trastornado y enteramente fuera de quicio", cae de rodillas, solloza, llora, besa las paredes de la tumba y arranca con sus uñas la cal que las cubre. Esta doble vertiente de su carácter adulto, austeridad y despego del mundo junto a un oculto fuego interior, va a ponerse de manifiesto en la segunda parte de la obra, en *La Madre Naturaleza*. Cuando Gabriel Pardo visita con su sobrina al cura, éste, que adoraba a la niña cuando era pequeña, la mira ahora "con indulgencia, aunque sin calor". Sin embargo, basta la mención del nombre de Marcelina, hecha por su hermano al presentarse al sacerdote, para provocar en él una conmoción que le hace buscar apoyo en las tapias del huerto (cap. XVIII). Al final de la novela, cuando Gabriel solicita su intervención para convencer a Manola de que se case con él,

la alusión a la madre muerta es causa de un nuevo esta-
llido pasional: "¡Ojalá que la madre hubiera entrado en
el convento también...!" De forma que para una comprensión plena del carácter de don Julián necesitamos la
extensión de las dos novelas, separadas por diez años de
tiempo interno. Esa distancia y esa extensión nos permiten entender mejor la clase de sentimientos que unían a
Julián con "la señorita Marcelina".

El tratamiento que la Pardo Bazán da al amor del cura
es realmente original en el panorama del siglo XIX. El
punto de arranque es similar al de otros novelistas, incluso
el carácter de don Julián tiene similitudes con el abad
Mouret de Zola y con el padre Amaro de Eça de Queiroz. Con el primero coincide en la castidad natural y sin
esfuerzo, en la virginidad física y espiritual (al menos al
comienzo de la obra francesa), como ya señaló Clarín en
su crítica de la novela en *La ilustración artística*. Con el
personaje portugués coincide en el afeminamiento de maneras y en las circunstancias de la infancia: un mundo
de mujeres que inclinan al niño al Seminario. El aspecto
de novela de aprendizaje, que relaciona la obra con *Pepita Jiménez,* ha sido señalado por Feal Deibe: "La novela
pinta el asombro del sacerdote ante el mundo (imagen del
cual son los Pazos). El mundo con sus asechanzas, con
su carga indomable de pasiones instintivas",[58] y ha sido
desarrollado por Darío Villanueva:

> la historia nos presenta el tránsito de un individuo, Ju-
> lián Álvarez, de la inocencia y desconocimiento del mundo
> a la amarga o desencantada madurez, mediando una pe-
> nosa serie de pruebas y ritos de iniciación (...) Para mí
> es cada vez más patente la existencia de un diálogo in-
> tertextual de *Los Pazos de Ulloa* con *Pepita Jiménez.*[59]

En cuanto al tipo de relación que se establece entre el
sacerdote y la mujer, ya he señalado antes las similitudes

---

[58] Artículo citado, p. 314.
[59] Artículo citado en nota 15, pp. 125 y 129.

con *Doña Luz,* de Valera. La obra, evidentemente, tiene que tener algún parecido con las otras que en su tiempo trataron el tema, pero lo que la diferencia de todas ellas —y recordemos también *Tormento* y *La Regenta*— es la ausencia en don Julián de tentaciones carnales e incluso de un reconocimiento explícito de que sus sentimientos puedan ser "pecado". Prescindiendo de interpretaciones psicoanalíticas que por razones obvias no podían contar a la hora de componer su personaje, nos encontramos con que doña Emilia ha querido narrar los avatares de un "cura enamorado de una dama" (recuérdense sus palabras a Narcís Oller) con un amor desencarnado, espiritual, puro. Esto es lo verdaderamente original del planteamiento. En su génesis creo que puede haber influido, aparte de las novelas contemporáneas que trataban el tema del sacerdote enamorado, algo que debió de funcionar como el negativo del mismo: la historia de la amistad espiritual entre San Francisco de Asís y Santa Catalina de Siena. La admiración por la concepción franciscana del mundo se mantuvo en doña Emilia a lo largo de toda su vida y afloró repetidamente en su obra literaria: además de un extenso ensayo sobre el santo de Asís, uno de cuyos capítulos trata sobre "San Francisco y la mujer", en una novela corta, *Finafrol,* y en un cuento, "Siglo XIII", pinta "un hogar franciscano", un matrimonio de campesinos que recoge en su casa a los mendigos para ofrecerles refugio y comida. Creo que en la concepción de un amor puro y limpio de toda tentación carnal pudo influir ese episodio de la biografía del santo. Pero ni el siglo XIX es el XIII, ni don Julián San Francisco, ni Nucha Santa Catalina; son mucho más débiles y flacos de espíritu. Don Julián al final de *La Madre Naturaleza* sabe ya cuál ha sido, desde un punto de vista religioso, su error: "poner el corazón en cosas del mundo y en las criaturas, que de ahí vienen amarguras sin cuento". El sacerdote "ha de ser padre de todas sus ovejas (...) y no amar mucho en particular a nadie, para poder amar a todos, y amarlos, no en sí, sino en Cristo, que es el modo derecho". Don Julián ha amado torcidamente, ha amado mucho a la seño-

rita Marcelina "en particular" y la ha amado "en sí": sus
ojos bizcos, su cuerpo frágil y flaco, sus manos delicadas,
su sosería, su timidez, su histeria, y por eso hasta su
muerte el corazón de Julián, bajo su apariencia de santo
impasible, seguirá sufriendo, y por eso también su conducta de sacerdote no resulta "ejemplar". Coincido plenamente en el análisis que, sobre este punto, hace Anthony
Gooch:

> Julián va "cabizbajo", "triste", "mustio", sembrando en
> su derredor la melancolía de un hombre agobiado por las
> pruebas pasadas, por el sufrimiento y por el sacrificio; no
> va diseminando la alegría del sacerdote cuya fortaleza le
> lleva a superarlo todo. Da sensación de hombre entregado,
> eso sí, con resignación cristiana, al dolor, y no de apóstol
> dedicado a la lucha. La tristeza de esta vida interior, tan
> cercana a la muerte, contrasta no sólo con el regocijo del
> campo exuberante, sino también con el entusiasmo de una
> vida espiritual pujante. Se manifiesta en Julián, mucho más
> que el religioso consolado por la idea de que Nucha ha
> pasado a mejor vida, el ser humano desolado por la pér-
> dida del amor único. [60]

Don Julián pertenece a esa categoría de enamorados en
la que hay que incluir a Leocadia *(El cisne de Vilamorta)*,
Esclavitud *(Morriña)*, Rosario *(El saludo de las brujas)*,
Clara Ayamonte *(La quimera)*: seres generosos que lo dan
todo sin exigir nada a cambio. Y no es casualidad que los
dos únicos hombres capaces de sentir así resulten "femeninos" en su carácter. Esa capacidad de entrega es para
doña Emilia un rasgo característico de la mujer. Todos
ellos aparecen como seres infelices, mucho más desgraciados que los frívolos o los egoístas; demasiado idealistas
y débiles para triunfar y hasta para sobrevivir en el mundo, demasiado humanos para desligarse de él y alcanzar
la santidad.

---

[60] Anthony Gooch, "Análisis psicosemántico de un personaje de
Los Pazos de Ulloa y *La Madre Naturaleza,* de E. Pardo Bazán",
en *En torno a Pemán,* Cádiz, Diputación Provincial, 1974, p. 468.

b) Los sueños

En una novela que hemos calificado de psicológica no puede dejarse de señalar, aunque sea brevemente, el papel que desempeñan los sueños que en ella aparecen.

Prescindiremos, como en el caso de los símbolos, de las interpretaciones psicoanalíticas, ya que al no haberse difundido hasta después de 1900 las teorías freudianas, doña Emilia no pudo tenerlas en cuenta al elaborar el sueño de sus personajes. [61] Sin embargo, hay que hacer notar, como muy bien lo hace Currie Kerr Thompson en su interesante estudio, [62] que algunos de los sueños de las novelas de la Pardo Bazán alcanzan su pleno significado a la luz de las teorías freudianas. Esto es particularmente notable en *Insolación*, donde el sueño de Asís en el tren hace pensar realmente en un conocimiento por parte del autor de los símbolos que después popularizó el psicoanálisis. Pero esto no quiere decir sino que doña Emilia estaba en "el aire de los tiempos" y que don Segismundo no sacó sus teorías de la nada. Lo que el genial médico vienés sistematizó y formalizó conceptualmente, estaba en germen de forma intuitiva y desordenada en la obra de muchos escritores de su generación o, al menos, de algunos. Entre ellos, la Pardo Bazán. Cito las palabras finales del estudio de Thompson con quien estoy de completo acuerdo:

> The fact that Pardo Bazán uses psychologically meaningful dreams in her novels shows her to be abreast of this direction of thought and is a credit to her standing as an intellectual. But more important, from an artistic point of view, is the skill which she used the dream to create subtle nuances in the portrayal of her characters and to add a new dimension to her narrative technique.

[61] Para esta clase de interpretación, véase el artículo citado de Carlos Feal Deibe.

[62] Currie Kerr Thompson, "The Use and Function of Dreaming in Four Novels by E. Pardo Bazán", en *Hispania*, 59, 4 (diciembre 1976), pp. 856-862.

La Pardo Bazán parte de las teorías científicas sobre los sueños vigentes en su época y que hoy vuelven a admitirse: el condicionamiento somático de éstos, es decir, que los sueños se producen por la acción de estímulos externos —ruidos, sensaciones de frío o calor, dolor...— o internos —malas digestiones, opresión, etc.— y que se construyen con materiales tomados de los acontecimientos de la vigilia. A esto añadió dos puntos novedosos: que los sueños tienen un significado psicológico, es decir, que sirven para caracterizar psicológicamente a un individuo y, más en la línea freudiana todavía, que pueden revelar deseos ocultos a la conciencia del que sueña —recuérdese que para Freud los sueños eran "satisfacciones de deseos" que aparecían en forma de símbolos para eludir la censura de la conciencia—. Veamos cómo construye doña Emilia el sueño de Julián con la combinación de todos esos elementos.

La teoría del condicionamiento somático la explicita al final del sueño y da la clave de la última parte de él:

> Despertó repentinamente resintiéndose de una punzada dolorosa en la mano derecha, sobre la cual había gravitado el peso del cuerpo todo, al acostarse del lado izquierdo, posición favorable a las pesadillas.

El dolor del lanzazo se explica así por el dolor que siente realmente en su mano derecha, y la predisposición a la pesadilla por la postura en la cama. Los restantes elementos proceden de la experiencia de la vigilia, de episodios y situaciones vividas durante el día, y así lo explica la autora:

> Empezó a soñar con los pazos, con el gran caserón, más por extraña anomalía, propia del estado, *cuyo fundamento son siempre nociones de lo real, pero barajadas, desquiciadas y revueltas merced al anárquico influjo de la imaginación...*

Los elementos tomados de la realidad y transformados son:

La casa: castillo feudal. La transformación ilustra el miedo que siempre le ha inspirado.

El escudo: lo mismo, pero real: lobos que aúllan. Recuérdese que el país le ha parecido desde el primer momento "país de lobos".

Don Pedro: caballero amenazante. Le ha visto pegar a Sabel y teme que pegue a Nucha (escena de la araña).

Bota: bota de acero, arma (con ella ha matado don Pedro a la araña la noche anterior).

La Sabia: lechuza de greñas blancas.

Nucha: sota de bastos.

Él: caballo de espadas y San Jorge.

Araña: dragón.

Los últimos tres elementos requieren una explicación. En la escena anterior, Julián ha visto a la Sabia echar las cartas a Sabel. Él no conoce el significado de los naipes, pero el narrador lo explica: El rey de bastos es don Pedro, la sota del mismo palo, Nucha: "una señorita morena", el caballo de copas, "un joven rubio" representa a don Julián. El significado que da la Sabia a los naipes es bastante elemental: la figura más importante de la baraja representa al más poderoso de la familia, la sota del mismo palo a su esposa, la sota de copas, rubia, a su amante (más que al significado sexual, freudiano, de "copa" = símbolo sexual femenino, hay que pensar en la equivalencia copa = vino, sensualidad, insinuado por la voz narradora al decir "a la de copas le daría un puntapié por insolente y *borracha*"). La figura de la baraja que sigue en importancia al rey y que es masculina es el caballo; por tanto, representa al otro varón que vive en la casa, don Julián, que es rubio igual que el naipe.

Doña Emilia utiliza hábilmente esas informaciones que ha suministrado al lector. Mediante el sueño le hace saber lo que pasa en el interior de su personaje, *sin que éste lo sepa,* sin que sea consciente de sus sentimientos. El lector puede sacar conclusiones propias de que el caballo de espadas (don Julián, según sus informaciones) espere al pie de la torre a la sota de bastos (Nucha). Gracias al sueño, el lector sabe más de la intimidad del personaje que él mismo, que no entiende el significado de su sueño.

El sueño aparece, pues, como revelador de deseos ocultos del personaje: don Julián desea proteger a Nucha, ejerciendo el papel que en la realidad debe ejercer don Pedro. Es también premonitorio de hechos futuros: Nucha se escapa del castillo y él la espera con el caballo. Pero don Julián no quiere ser raptor, sino defensor, de ahí que adopte la forma de San Jorge, el caballero cristiano. El dolor que siente, además de estar causado por el peso del cuerpo sobre la mano, tiene una motivación psicológica: es el castigo por la usurpación de un papel que no le corresponde. Este sentimiento de culpabilidad no es inconsciente, había sido ya expresado por don Julián y destacado explícitamente por el narrador al contar las escenas de la crianza de Manolita y, concretamente, la de la meada: al cura "una penosa idea le ocurría de cuando en cuando" y es que él está sustituyendo (emplea justamente la palabra "sustituir") al marqués en sus funciones de padre y esposo.

Todavía el sueño revela algún rasgo más del carácter de don Julián. Thompson destaca la pasividad: no se mueve cuando don Pedro le amenaza con la bota de hierro. Se puede hablar también de debilidad, cobardía, falta de agresividad: es siempre el atacado y nunca se defiende. Y aún hay otro punto que me parece el más difícilmente explicable dados los presupuestos teóricos de los que parte doña Emilia. En dos ocasiones don Julián se identifica con la araña, el elemento que representa el mal para Nucha: el caballero le golpea con la bota de hierro igual que don Pedro a la araña, y cuando la lanza de San Jorge se clava en el dragón-araña es él quien siente el dolor. Pues bien, la identidad parece aludir a un reconocimiento por parte del cura de que él es el culpable de los males de Nucha, ya que ha sido el promotor del matrimonio del marqués y ha propiciado que la elección recayese en Nucha. Aunque parece muy sutil es posible que doña Emilia esté ya insinuando en este sueño sentimientos de don Julián, que veremos desarrollados al final de *La Madre Naturaleza*. Recordemos que al presionarle Gabriel para que convenza a su sobrina de que no entre en el convento, el cura pierde su serenidad habitual y con grandes signos de angustia grita: "¡Ojalá que la madre hubiese entrado en el convento también!"

El otro sueño de la novela, el de Perucho, es mucho más sencillo en su construcción. Parte de unos elementos reales: los gritos y resoplidos del ama que se acerca al grupo, su cuerpo pesado que cae sobre el niño se convierten en los bufidos de una fiera amenazante que se lanza sobre él. La pesadilla la provoca su sentimiento de culpabilidad por haber raptado a la Nené y el miedo de ser castigado se une al miedo de perderla.

La pesadilla de Perucho es importante formalmente porque permite acabar el capítulo sin cambiar el punto de vista del niño que ha mantenido a lo largo de todo el capítulo. No se cuenta el hallazgo de la Nené por parte del ama, sino cómo vivió Perucho ese encuentro que para él es pérdida.

En conclusión, podemos decir que los sueños son utilizados por doña Emilia para redondear la pintura de los caracteres, para añadir matices a su retrato y también, sobre todo, para desarrollar el punto de vista del personaje sobre su entorno. Después del sueño de Julián y del de Perucho al lector no le queda duda de cómo ven estos personajes el mundo que les rodea. Y esto lo consigue el autor partiendo de los conocimientos científicos de su época sobre los sueños y de intuiciones personales que sólo más tarde encontrarían una formulación científica.

Los Pazos, *novela social*

Para muchos críticos el tema central que unifica las novelas de los pazos es el de la decadencia de la aristocracia rural. Pattison lo pone en relación con la novela rusa, que doña Emilia estaba leyendo por las mismas fechas: "The theme of *Los Pazos* —the decline and fall of an aristocratic family owing to its isolation in the country— is common enough among the Russians". [63]

[63] W. T. Pattison, *Emilia Pardo Bazán,* ed. cit., p. 51.

La opinión de críticos como Mariano López —"El tema central de *Los Pazos de Ulloa* es la lenta degeneración de una mansión aristocrática sometida al imperio de los bajos instintos, sin que haya lugar para las cosas del espíritu, ni para nada que se refiera a la vida de la conciencia" [64]— recuerda la antigua interpretación del padre Blanco García que veía en la novela:

la descomposición de los antiguos organismos sociales (...) una decadencia lúgubre de la que no está ausente la poesía, pero la poesía del estrago y la desolación; se ve y se palpa el eclipse de una raza y como que se asiste a los funerales de la aristocracia histórica. [65]

Aun sin compartir la idea de que el tema central sea el de la decadencia de la aristocracia, me parece evidente que el aspecto social no puede dejarse de lado en un análisis de esta novela.

La postura crítica de la autora se refiere no sólo a la aristocracia, sino a muy diversos estamentos, grupos y aspectos de la vida decimonónica. A doña Emilia no le gusta criticar una clase social a la que pertenece; de pasada y a alfileretazos sueltos sí, pero convertirla en tema central de una novela no la seduce. Buena prueba de ello es el abandono de *El niño de Guzmán,* que quedó inconclusa y reducida a un mero esbozo novelesco. Nunca escribió la segunda parte anunciada, e incluso se nota que la primera está sin acabar. Aquella sociedad de los Noroña y de los Niño de Guzmán o los Zurita de los Canes estaba demasiado cerca de su propio mundo para que le gustase (o le compensase) escarbar en sus problemas. Otra cosa son los pazos, ésos pertenecen al mundo de la aldea y doña Emilia lo sentía lo bastante lejano como para detenerse en contar sus miserias.

[64] Artículo citado, p. 354.
[65] A. Blanco García, *Historia de la literatura española del siglo XIX,* t. II, Madrid, Saenz de Jubera hermanos, 1903, p. 547.

La crítica social de la Pardo Bazán no va nunca en un sentido moderno, democrático, de denuncia de privilegios o injusticias. Ella es aristócrata por nacimiento y por convicción y carece de talante democrático; muy al contrario, tiene "espíritu de clase" [66] y sus ideales reformistas se dirigen hacia una sociedad jerarquizada, paternalista que suple mediante la caridad las inevitables diferencias y las posibles injusticias.

El reproche fundamental que la Pardo Bazán hace a la aristocracia es el de haberse dejado arrebatar el papel rector en la vida social y política y la pérdida de las virtudes tradicionales de austeridad y nobleza de costumbres. Inutilidad y frivolidad serán las lacras que doña Emilia señale en la aristocracia ciudadana y a ellas hay que añadir la brutalidad como nota del mundo rural al que don Pedro Moscoso pertenece.

Aunque don Pedro no tiene título nobiliario —el de marqués no le pertenece ya— sí es un aristócrata, un "hidalgo campesino" y como tal es criticado. Su gran error, su "pecado" ha sido entregar el mundo de los pazos a Primitivo. Don Pedro es un bruto y un ignorante, pero lo que doña Emilia le critica, sobre todo, es no haber sabido ser "el señor". El otro representante en la novela de la aristocracia rural, Ramón Limioso, es un dechado de delicadeza y buenas maneras, "señor desde sus principios y no hecho a puñetazos como otros", pero, igual que don Pedro, aunque por distintas razones, incapaz de mantener en el presente el esplendor de sus antepasados. El estrado que se derrumba al ir a sentarse Nucha es símbolo del hundimiento de la grandeza de su casa, como la incuria y abandono del archivo lo es de la casa de Ulloa. El verdadero señor de los pazos es Primitivo, es a él a quien todos obedecen y don Pedro asiste impotente a esa usurpación de poder: sin su intervención no puede conseguir ni una burra mansa para que Nucha llegue sin peligro a los pazos.

---

[66] Blanco Amor exagera esta nota al examinar la sociedad de *Los Pazos de Ulloa*: "los de arriba son buenos, los de abajo son malos", artículo citado en la nota 15, p. 10.

Don Pedro se sabe engañado, explotado y burlado, pero acepta la situación a cambio de mantener un aparente y falso prestigio social: le gusta oírse llamar marqués y saber que nadie va a reclamar a la justicia si en un arrebato de ira le da una patada a un criado o le desgarra la oreja a su querida. Así se lo explica a Julián: "Las personas decentes, en las poblaciones, no se distinguen de los zapateros... Un zapatero que se hace millonario metiendo y sacando la lesna, se sube encima de cualquier señor, de los que lo somos de padres a hijos." A don Pedro no se le critica por pensar así, sino por haberse dejado arrebatar esos privilegios heredados, entre los cuales vemos todavía en la novela el de tomarse la justicia por la mano [67] y el de disponer para su servicio de la hija de un casero: recuérdese el enfrentamiento de don Pedro con Primitivo en el capítulo VII ("Fue un segundo, menos de un segundo tal vez, un espacio de tiempo inapreciable, lo que tardó en reponerse y en echarse a la cara su arma, apuntando a su vez al enemigo emboscado. Si el tiro de éste salía, *la bala se cruzaría casi con otra bala justiciera*"...), y el modo en que consigue un ama para criar a su hija; precisamente será este episodio el que dará lugar a las diatribas de Juncal.

Las ideas más avanzadas en cuanto a reivindicaciones sociales son expresadas por el médico y aparecen como utopías de una persona bien intencionada, aunque cegada por sus prejuicios anticlericales, que se estrellan ante el sentido común y las exigencias de la realidad. En la escena en que don Pedro sale en busca de una nodriza, provocando con su actitud la repulsa de Máximo Juncal, el cura, don Julián, piensa ante la filípica del médico lo mismo

---

[67] Uno de los ejemplos más flagrantes de la defensa de este privilegio lo encontramos en el relato "La mayorazga de Bouzas", donde doña Emilia cuenta complacida la ejemplar venganza que la hidalga, amparada en su prepotencia social, toma sobre su rival amorosa: hace que le corten las orejas a la costurerita que tiene amores con su marido. El brutal ataque queda impune y el cielo bendice con un hijo el hogar de la mayorazga.

que pensaba doña Emilia: que esas teorías más perjudican que benefician a los pobres:

> ¿Cuándo se convencerán estos señoritos de que un casero no es un esclavo? Así andan las cosas en España: mucho de revolución, de libertad, de derechos individuales... ¡Y al fin por todas partes la tiranía, el privilegio, el feudalismo! (...) Que yo necesito tu hija, ¡zas!, pues contra tu voluntad te la cojo. Que hace falta leche, una vaca humana, ¡zas!, si no quieres dar de mamar de grado a mi chiquillo le darás por la fuerza. Pero le estoy escandalizando a usted...
> —No, señor, no me escandalizo —contestó apaciblemente Julián—. Al contrario... Me dan ganas de reír, porque me hace gracia verle a usted tan sofocado. Mire usted qué más querrá la hija de Felipe que servir de ama de cría en esta casa. Bien mantenida, bien regalada, sin trabajar... Figúrese... (*Los Pazos,* cap. XVI).

Para el cura —y para doña Emilia— no cabe duda de que es mejor ser esclavo en una buena casa que independiente y pobre en la propia.

Las posturas más avanzadas a que llegó en cuestión de reformas sociales fueron las del socialismo católico que conoció en su viaje por Bélgica y que reflejó en sus crónicas *Por la Europa católica.* [68]

Aunque en la novela se critican por igual a los caciques representantes de conservadores —Barbacana— y liberales —Trampeta—, las simpatías de la autora se inclinan hacia el partido conservador, donde militan en la novela el

---

[68] La transición desde el neocatolicismo al socialismo cristiano ha sido estudiado por R. Hilton, que mira siempre con gran simpatía a la escritora. Véase "Doña Emilia Pardo Bazán, Neo-Catholicism and Christian Socialism", en *The Americas,* XI, núm. 1 (julio 1954), pp. 3-18, y "Pardo Bazán's Analysis of the Social Structure of Spain", en *Bulletin of Hispanic Studies,* XXIX, número 113 (enero-marzo 1952), 1-15, donde examina su visión de la sociedad, llegando a la conclusión de que se la puede considerar "the best expresion of the spirit of 98" (p. 1) y, sobre todo, considera a la escritora "a noble sou" (p. 15).

cura de Boán, el de Naya, Ramón Limioso y el propio
don Pedro. El relato, innecesariamente pormenorizado, de
la paliza que los tres primeros unidos al Tuerto propinan
a sus enemigos políticos cuando éstos celebran su victoria
electoral, me parece un claro indicio de las simpatías de
doña Emilia por los ideales carlistas y conservadores. Pese
a su alejamiento de la militancia carlista que profesa en
su juventud, [69] todavía en 1886 doña Emilia está convencida de la fuerza potencial de las ideas carlistas y conservadoras frente a las posturas republicanas que ella identifica
siempre con anarquía y desorden. A los carlistas les re-
prochaba el excesivo apego al pasado, la incapacidad para
adaptarse a los nuevos tiempos, el inmovilismo, que en la
novela están simbolizados por el pazo y la familia de los
Limioso, verdadera reliquia de otra época, ejemplo a un
tiempo de hospitalidad y nobles costumbres y de falta de
sentido práctico. La medida de su confianza en la fuerza
de las ideas conservadoras, la da el hecho de que, presen-
tándose don Pedro a las elecciones como candidato independiente apoyado por el partido conservador, sólo las
trampas de última hora del cacique liberal y la traición
de Primitivo le arrebatan una victoria segura.

Conectado con el tema del conservadurismo político y
religioso está el de la defensa del clero. Frente a una corriente muy fuerte de anticlericalismo en el siglo XIX, a la
Pardo Bazán le gusta pintar figuras de clérigos ejemplares por sus virtudes sacerdotales y humanas. El carácter
del sacramento se impone a las debilidades humanas de la
persona y en sus cuentos no faltan ejemplos de clérigos "pecadores" que se redimen con una acción heroica ("Las ce-
rezas", "La salvación de don Carmelo") o que se ganan
las simpatías del lector por su valentía y apasionamiento

---

[69] Sobre su evolución política, véase Ronald Hilton: "Doña
Emilia Pardo Bazán and the Carlist Movement", en *Modern Language Forum*, XXXVII (1952), 101-108; Carmen Bravo Villasante, *Vida y obra de E. Pardo Bazán*, Revista de Occidente, Madrid,
1962, capítulos XII y XVIII; Nelly Clemessy, obra citada, tomo II,
pp. 507-524.

en la defensa de sus ideales ("Nieto del Cid") o por la generosidad en el cumplimiento de los deberes de su ministerio ("La Deixada", "La ganadera", "El señor doctoral"). En sus novelas abundan también los clérigos, desde el canónigo don Vicente de *Pascual López* su primera novela, hasta *Carranza* y el anónimo capuchino que absuelve a Lina en la última, *Dulce Dueño,* pasando por figuras tan importantes en la trama novelesca como el padre Urtazu de *Un viaje de novios,* el padre Moreno de *Una cristiana* y *La prueba.* La postura de la autora es siempre la misma: defensa de la institución y comprensión para las debilidades humanas. En esa línea hay que situar a los clérigos de *Los Pazos*: el arcipreste de Loiro, el abad de Boán, don Eugenio de Naya, o todos esos innominados curas que embaulan los veintiséis platos de la comida tradicional del santo, están llenos de defectos y sus acciones son muchas veces censurables, pero no cabe duda de que la autora los mira con más simpatía que sentido crítico y que deja siempre a salvo la dignidad de su ministerio.

No falta tampoco en *Los Pazos* un tema muy habitual en la narrativa de la Pardo Bazán: la crítica de la vida provinciana. El viaje de don Pedro a Santiago le sirve para destacar los defectos que caracterizan la vida de las ciudades pequeñas: la murmuración, la envidia, la estrechez de mirar, reflejados en las tertulias del Casino donde se despelleja a todo el mundo, pero sobre todo a las mujeres:

> ... en las ciudades pequeñas, donde ningún suceso se olvida ni se borra, donde gira perpetuamente la conversación sobre los mismos asuntos, donde se abulta lo nimio y lo grave adquiere proporciones épicas, a menudo tiene una muchacha perdida la fama antes que la honra, y ligerezas insignificantes, glosadas y censuradas años y años, llevan a su autora con palma al sepulcro (cap. XI).

Con esas palabras podemos entrar en el tema del feminismo. Hay dos puntos de este tema en los que doña Emilia defendió posturas muy avanzadas para su época. Uno es el de la educación, el otro el de la desigualdad en cuestiones de moral sexual.

Ronald Hilton [70] ha hecho notar que el único elemento constante en el programa feminista de doña Emilia es su insistencia en la necesidad de la reforma de la educación, contrariamente a las posturas de las feministas de otros países europeos que buscaban, sobre todo, los derechos políticos de la mujer. Quizá ése fue su gran error, ya que sin derechos políticos la mujer no puede aspirar a variar su situación social y, en consecuencia, una educación que la condena a conseguir marido para subsistir, o a entrar en el claustro. El feminismo de doña Emilia chocaba con su conservadurismo social y por eso fue estéril. [71] En la novela este tema de la educación se insinúa en la pintura de la familia de don Manuel Pardo, preocupado por el porvenir de sus hijas, pero convencido de que la divina providencia resolverá el problema: "Las señoritas de la Lage —discurría don Manuel— deben casarse, y sería contrario al orden providencial que no apareciese tronco en que injertar dignamente los retoños de tan noble estirpe." Aunque el tono de crítica es evidente, doña Emilia no carga las tintas, sin duda porque se trata de una familia aristocrática. Cuando retrata a la burguesía la pintura es realmente caricaturesca y la burla mucho más hiriente. En el capítulo que trata de la crianza de Manolita la autora hace un comentario de pasada que demuestra la escasa estima en que tenía las labores domésticas, oponiéndose al tópico

---

[70] R. Hilton, "Emilia Pardo Bazán et le mouvement feministe en Espagne", en *Bulletin Hispanique,* LIV (1952), pp. 153-161; Carmen Bravo Villasante, obra citada, caps. XII y XIV; Teresa Cook, *El feminismo en la novela de la condesa de Pardo Bazán,* La Coruña, Diputación Provincial, 1976, y "Emilia Pardo Bazán y la educación como elemento primordial en la liberación de la mujer", en *Hispania,* 60, 2 (mayo 1977), pp. 259-265.

[71] Véase el prólogo y la selección de artículos feministas reunidos por Leda Schiavo bajo el título *La mujer española,* Editora Nacional, Madrid, 1981. Véase, también, Nelly Clemessy, obra citada, pp. 569-594.

de magnificar y enaltecer todo lo relacionado con la maternidad:

> Nucha (...) dedicóse a cuidar en persona de su tesoro, llevando la existencia atareada y minuciosa de las madres, en la cual es un acontecimiento que estén ahumadas las sopas, y un fracaso que se apague el brasero.

El tema de la desigualdad en cuestiones sexuales está sólo insinuado en *Los Pazos*. Mary Lee Bretz ve en el personaje de don Pedro "uno de los mejores y más tempranos estudios del machismo en la literatura castellana". [72] Retratos machistas anteriores no faltan en nuestra literatura, pero sí es verdad que don Pedro constituye un buen ejemplo y que doña Emilia se encarga de subrayarlo con un comentario explícito: "Entendía don Pedro el honor conyugal a la manera calderoniana española neta, indulgentísima para el esposo e implacable para la esposa" (cap. X). Nucha, por su parte, representa un perfecto ejemplo de lo que doña Emilia llamaba el "destino relativo" de las mujeres: el eje de su vida

> no es la dignidad y felicidad propias, sino la ajena del esposo e hijos, y si no hay hijos ni esposo, la del padre o el hermano, y cuando éstos faltaren, la de la entidad abstracta género masculino. [73]

Víctima de su formación y de la sociedad, Nucha no alcanza a comprender siquiera el porqué de su desgracia:

> Bien sabe Dios que no puse nada de mi parte para que Pedro se fijase en mí. Papá me aconsejó que, de todos modos, me casase con el primo... Yo seguí el consejo... Me propuse ser buena, quererle mucho, obedecerle, cuidar de mis hijos... Dígame usted, Julián, ¿he faltado en algo?

[72] Mary Lee Bretz, "Naturalismo y feminismo en Emilia Pardo Bazán", en *Papeles de Son Armadans,* 87, 261 (diciembre 1977), 195-219. La cita es de la p. 200.
[73] "La educación del hombre y de la mujer". Cito por la edición de Leda Schiavo, *La mujer española,* ed. cit., p. 75.

En la segunda parte de la novela, por boca de Gabriel Pardo, doña Emilia retoma el tema de la injusta descriminación que sufren las mujeres en todo lo relativo a moral sexual y el mismo personaje desarrollará aún más ampliamente estas ideas en *Insolación*:

> En el fondo, ningún confesor le dirá a usted que hay un pecado más para las hembras. Es decir, que la cosa queda reducida a las consecuencias positivas, exteriores... al criterio social (...) A nosotros nos enseñan lo contrario, que es vergonzoso para el hombre no tener aventuras, y que hasta queda humillado si las rehúye... De modo que lo mismo que a nosotros nos pone muy huecos, a ustedes las envilece. [74]

Estas posturas feministas, verdaderamente avanzadas para su época, basadas en ideas que los krausistas habían defendido en España y que ella conoció sin duda por su temprana relación con Giner de los Ríos, la escritora las aplicó a su propia vida —nunca se dejó medir por distinta vara que sus congéneres masculinos— las desarrolló en escritos y novelas, pero no las integró en una problemática política consecuente con ellas. Su conservadurismo social y político le impidió militar junto a los únicos que podían llevar a la práctica esas ideas y mejorar la educación y la vida de otras mujeres, menos privilegiadas que ella por nacimiento, instrucción e inteligencia.

Los Pazos de Ulloa *ante la crítica de su época*

Los Pazos de Ulloa tuvieron desde el momento de su aparición una buena acogida de público y crítica.

Dos veces se ocupa Clarín de esta novela y con espíritu bastante diferente. En la crítica de *La Ilustración Ibérica*, [75] aunque se pierde en divagaciones, queda patente

---

[74] *Obras completas*, ed. cit., t. I, p. 449.
[75] Clarín, *Los Pazos de Ulloa*, en *La Ilustración Ibérica*, 29 de enero y 5 de febrero de 1887.

desde el comienzo el tono elogioso y confiesa abiertamente: "bien se puede decir ahora sin ningún género de reservas: Emilia Pardo sabe escribir buenas novelas". Destaca la dimensión poética en las descripciones del entorno, cualidad que, a su juicio, hasta entonces había faltado a la escritora: "En *Los Pazos de Ulloa,* donde el escenario es, por decirlo así, el corral de un caserón de aldea, tal vez ni un momento abandona a la autora la visión de lo bello." Alaba también la "gracia original" en la pintura del cura enamorado y la de Perucho "creación tiernísima en la que han colaborado un pintor que imita bien a Murillo, un estilista émulo de los Goncourt… y una madre". Por el contrario, en la crítica recogida en *Nueva Campaña (1885-1886),*[76] predomina la actitud condenatoria que destaca los defectos y no las virtudes, a veces con evidente injusticia y falta de objetividad. Señala Clarín la contradicción de que siendo mujer, aristócrata y católica se meta a escribir sobre temas que requieren una libertad que ella no está dispuesta a tomarse, violentando de ese modo la obra artística: "Monja profesa podría ser y escribir como escribe y lo que escribe." E insistiendo en la distancia entre el tema y el tratamiento asegura: "no *quiere* enseñarnos su espíritu en las novelas y para ello se abstiene de penetrar en la sustancia de las cosas". Un poco antes ha dicho: "No veo ideas sentidas ni sentimientos reflexionados; no veo el alma de esta señora, que tanto tendrá que ver." Los únicos elogios de su crítica se refieren al estilo: "en el lenguaje y en el estilo se nota, con la maestría y corrección de siempre, más vigor y habilidad que nunca". La razón profunda del cambio de actitud de Clarín de una a otra crítica y de su progresivo encono contra doña Emilia nunca se ha explicado con claridad.

Lorenzo Benito de Endara es un buen ejemplo del entusiasmo que despertó la novela:[77] "Es lo cierto que he de-

[76] *Nueva campaña (1885-1886)*, Librería de Fernando Fe, Madrid, 1887, pp. 215-237.

[77] *Los Pazos de Ulloa*, en *La Revista Contemporánea,* 28 de febrero de 1887, pp. 393-404.

vorado el libro con verdadera ansia, y que el interés de la
narración me ha espoleado de tal modo, que sólo la imprescindible necesidad me hacía interrumpir su lectura."
Destaca la belleza de las descripciones de la tierra natal de
la autora y alaba la creación de personajes incluso secundarios, destacando el de Rita Pardo de la Lage, la mayor
de las hijas de don Manuel. Subraya el determinismo de la
novela, que considera eficacísimo, desde el punto de vista
artístico:

> ese determinismo del que usted reniega, le ha guiado para
> vencer las dificultades de ejecución (...) Las escenas que
> se suceden son todas lógicas y el desenlace natural, dadas
> las premisas. ¿Puede pedirse un determinismo mayor que
> ése? ¿ni un efecto artístico más completo? Confiese usted
> su pecado, déjese usted de escrúpulos monjiles, y ya que
> profesa usted el naturalismo, tenga usted el valor de pro-
> clamar las excelencias del procedimiento con todas sus
> exigencias necesarias.

Luis Vidart, [78] en unas notas sobre la historia y la novela en donde se refiere a varios novelistas contemporáneos, destaca el aspecto realista, de "documento" de la
obra y después de afirmar que es "la mejor de las novelas
que hasta ahora ha escrito la señora Pardo Bazán", añade:

> En *Los Pazos de Ulloa* todo es más que verídico, verda-
> dero, y es interesante y sentimental, sin caer en lo melo-
> dramático ni en la sensibilería. Además se nota en esta
> novela un visible adelanto de su autor en proporcionar,
> con justa medida, la parte descriptiva a las exigencias pro-
> pias de toda narración, evitando así la exuberancia que
> deslustra algún tanto el mérito de otras novelas suyas.

Pereda le comenta por carta a Galdós su opinión sobre
la novela:

---

[78] "La historia y la novela", en *Revista de España*, 1888, t. 121,
pp. 30-31 y 227.

Los Pazos me han parecido la mejor novela de la Pardo, con capítulos de una belleza indiscutible, sin que aparezca por toda la novela señal alguna de ese pujo de sectaria artificiosa del naturalismo convencional al uso, que tanto perjudica en otras. Así se lo he dicho, o dado a entender al escribirla. Lo que refuto por insoportable e indigerible es la autobiografía del principio; aquello, salvo la forma y el "argumento", es de una cursilería semiestúpida que tira de espaldas. Sobre estas páginas del libro no le he dicho ninguna palabra por temor a soltar una desvergüenza. [79]

Los "Apuntes autobiográficos" despertaron, en efecto, gran curiosidad y polémica y parece que, en muchos casos, atrajeron sobre sí toda la curiosidad del lector, sobre todo del colega, que limitan sus comentarios al prólogo. Así, en la correspondencia entre Menéndez y Pelayo y Valera no se comenta la novela, sino esas páginas introductorias que don Juan estima y que critica duramente don Marcelino: [80] "La Pardo Bazán me ha enviado, con una carta muy amable, su primer tomo de *Los Pazos de Ulloa*. Hasta ahora sólo he leído la autobiografía literaria que pone al principio y que está bien escrita y se lee con gusto." La carta está fechada en Bruselas, a 13 de noviembre de 1886, y se cruzó con otra de Menéndez, que decía: "Doña Emilia Pardo Bazán ha publicado el primer tomo de una nueva novela, que no he leído. Pero sí he leído unos apuntes autobiográficos con que la encabeza y que, a mi entender, rayan en los últimos términos de la pedantería." Una vez leída la carta de su amigo, insiste: "Veo que usted juzga con más indulgencia que yo la autobiografía literaria de la Pardo Bazán. Está bien escrita, como todo lo que ella hace, y se lee sin fastidio, pero revela en su autora una pedantería inocentísima."

[79] *Cartas a Galdós*, edición de Soledad Ortega, Revista de Occidente, Madrid, 1964, pp. 114-115.

[80] Obra citada en nota 9, pp. 314, 315 y 317.

Desde París alaba también los "Apuntes" Leopoldo García-Ramón [81] que, de paso, aprovecha la ocasión para romper una lanza en favor de la entrada de doña Emilia en la Academia: "la Academia Española, si fuere lo que debiera ser, coronaría su talento, no para lustre de la escritora, sino para honra de la Academia". La Pardo Bazán empezaba a ser una gloria nacional.

Un ejemplo de crítica que pretende ser equitativo por encima de rencillas personales o envidias de colegas, pero que aparece deformada por prejuicios ideológicos, es la del padre Blanco García. Años después de la aparición de la novela escribe:

> Quien fue capaz de concebir y planear tan hermoso asunto, lo hubiera sido de crear un poema novelesco, rayano en la epopeya, a poco que cercenara la raigambre de episodios inútiles, y bañara la luz ideal los personajes, en vez de embadurnarlos con masas de color (...) He omitido en la partida del *haber* los primores y maravillas de dicción, o más bien los doy por supuestos, tratándose de quien se trata; en el *debe* hay que sumar cierto desorden o desequilibrio de composición, y sobre todo los atrevimientos descriptivos y fraseológicos de ésos que no toleran los ojos ni los oídos de una persona bien educada, y que no autorizará nunca el ejemplo contrario de autores famosos. [82]

Hemos dejado para el final de este breve recuento de opiniones críticas la de Galdós, que aparece en un artículo fechado en abril 15 de 1887, donde comenta las conferencias de su amiga en el Ateneo de Madrid:

> La obra maestra de Emilia Pardo Bazán es *Los Pazos de Ulloa,* publicada este año, y en la cual todo es hermo-

---

[81] *La Revista Contemporánea,* 15 de diciembre de 1886. Aunque anuncia que hablará de *Los Pazos de Ulloa,* "más adelante", no aparece un comentario en todo el año siguiente.

[82] *Historia de la literatura española en el siglo XIX,* Sáenz de Jubera, Madrid, 1903, pp. 547-548.

so, los caracteres vivos, la acción sencilla y patética, el fondo de paisaje, el estilo. [83]

La opinión de que *Los Pazos* es la mejor obra de doña Emilia se ha mantenido mayoritariamente hasta hoy. No era ésta, sin embargo, la opinión de la autora que, ya anciana, con el escepticismo de quien está de vuelta de ambiciones y luchas por la gloria, lo manifestó así en una entrevista a Estévez Ortega. [84] Al preguntarle qué obra suya le gustaba más, contestó:

> Ninguna... Creo que todos los buenos escritores, además, le contestarán lo mismo (...) Pero, a mi juicio, la que está mejor hecha, artísticamente hablando, es *Bucólica*.

MARINA MAYORAL

[83] Recogido en *Arte y crítica,* Renacimiento, Madrid, 1923, pp. 203-206.
[84] *El alma de Galicia,* Editorial Mundo Latino, Madrid, s. a., pp. 27-35.

NOTICIA BIBLIOGRÁFICA

PRINCIPALES EDICIONES DE "LOS PAZOS DE ULLOA"

Los Pazos de Ulloa, novela original, precedida de unos Apuntes autobiográficos por Emilia Pardo Bazán, Daniel Cortezo y Cía. Editores, Barcelona, 1886, 2 vol., 8.º, 344 pp.

2.ª edición, *Obras Completas,* tomo III (en el interior, tomo II), Administración, Madrid, s.a. (1892. Se deduce por el anuncio del *Nuevo Teatro Crítico* que va en las páginas finales del volumen y dice: "Ha entrado en el segundo año esta publicación única en su género..."), Imprenta de la Cía. de Impresores y Libreros, 335 pp.

4.ª edición, *Obras Completas,* tomo III, Administración, R. Velasco, Impresor, Madrid, s.a. (1908. Se deduce de la lista de sus obras completas que se encuentra en las páginas finales. Va por el tomo 34, y el 35 salió en 1909), 355 pp., 19 cm.

Editorial Dédalo, Gráficas Diana, Madrid, s.a., 47 pp., 31,5 cm.

Obras Completas, vol. III, Biblioteca de la mujer, Imprenta Alrededor del Mundo, Madrid, s.a., 331 pp., 18,5 cm.

Editorial Pueyo, *Obras Completas,* tomo III, Imprenta La Perfección Poligráfica, Madrid, s.a., 335 pp., 18,5 cm.

Viuda de Pueyo, Cía. General de Artes Gráficas, Madrid, 1930, 8.º, 331 pp.

Compañía Iberoamericana de Publicaciones, Colección Los Grandes Autores Contemporáneos, Madrid, 1930, Cía. General de Artes Gráficas, 168 pp., 22 cm.

Emecé editores, López, Buenos Aires, 1943, 4.º, 220 pp., 18,5 cm.

10.ª edición, Ediciones María Rosa Urraca Pastor, Nacional de Artes Gráficas, Colección Grandes Novelistas, Barcelona, 3 de febrero de 1944, 450 pp.

Obras Completas, vol. I, Estudio preliminar, notas y prólogo de F. C. Sáinz de Robles, Aguilar, Madrid, 1947 y ss.

Nota preliminar de F. S. R., Ed. Aguilar, Col. Crisol, Madrid, 1948 y ss.

Novaro, México, 1958, 318 pp.

Las Américas, New York, 1961, 281 pp.

Alianza Editorial, El libro de bolsillo, Sección "Literatura", Madrid, 1966 y ss.

Editorial Bruguera, Libro Clásico Bruguera, Barcelona, 1967 y ss.

Introducción de A. Souto Alabarce, Porrúa, México, 1972 y ss.

En *Cuentos y Novelas de la Tierra,* tomo II, Introducción y notas de Marina Mayoral, Ed. Sálvora, Santiago de Compostela, 1984.

EDICIONES DUDOSAS

En los Catálogos de la Biblioteca Nacional se encuentra la ficha siguiente: *Los Pazos de Ulloa, Obras Completas,* tomo III (J. Cruzado-R. Velasco), 1910. Sin embargo, el libro al que corresponde esa ficha (signatura 5/5.719) es un volumen sin fecha de C.I.A.P. y Renacimiento, una 4.ª edición, posterior, sin duda, a 1915, ya que en el catálogo de la Editorial de ese año aparece *Los Pazos de Ulloa* al precio de 3,50 pts. y en el volumen de la Biblioteca Nacional el precio, impreso en la cuarta de cubierta, es de 5 pts. La fecha de 1910, que figura en la ficha, puede ser la del comienzo de la publicación de las obras de doña Emilia en la Editorial Renacimiento.

En The National Union Catalog figura también una edición de ese año: *Los Pazos de Ulloa,* novela, Madrid, Administración (1910), 331 pp., 19 cm. (Obras Completas, t. III). Tengo la sospecha de que el año no corresponde al volumen, pero no he podido comprobarlo como en el caso anterior. Resulta muy extraño que a los dos años de la cuarta edición aparezca otra más.

En el excelente estudio de Nelly Clemessy sobre doña Emilia (véase bibliografía) aparece, entre las ediciones de *Los Pazos,* una desconcertante: 3.ª edición, Renacimiento, Madrid, 1892 (O.C. III), 335 pp. La Editorial Renacimiento se crea a partir de la revista del mismo nombre, fundada en 1907 por Gregorio Martínez Sierra, y no empieza a funcionar como tal editorial antes de 1910. También me sorprende que aparezca una tercera edición en el mismo año que aparece la segunda.

TRADUCCIONES

Aunque doña Emilia, al final de su vida, en entrevista a Estévez Ortega (recogida en *El Alma de Galicia,* ed. Mundo Latino, Madrid, 1923), asegura que *Los Pazos* están traducidos "a más de diez idiomas", sólo he podido encontrar las siguientes traducciones:

Son of the Bondwoman, trad. Ethel Harriet Hearn, New York and London, Lane, 1908.
Le Chateau de Ulloa, trad. par A. Fortin, París, Hachette, 1910.
Il Castello di Ulloa, romanzo, trad. di Silvia Bacconi Giani, Firenze, 1925.
Signorotti di Galizia, Biblioteca Universale Rizoli, 1961.
Das Gut von Ulloa, Roman, Uners, von Paula Sacetman, Düsseldorf, 1946.

BIBLIOGRAFÍA SELECTA

A) Libros y estudios incluidos en libros

Baquero Goyanes, Mariano, *La novela naturalista española: Emilia Pardo Bazán,* Publicaciones de la Universidad de Murcia, 1955.
——, *Emilia Pardo Bazán,* Publicaciones españolas, Madrid, 1971.
——, Prólogo a la edición de *Un viaje de novios,* Textos hispánicos modernos, ed. Labor, Barcelona, 1971.
Barroso, Fernando, *El naturalismo en la Pardo Bazán,* col. Plaza Mayor Scholar, Editorial Playor, Madrid, 1973.
Blanco García, F., *La literatura española en el s. XIX,* Sáenz de Jubera, Madrid, 1903, t. II, cap. XXIX.
Bravo Villasante, Carmen, *Vida y obra de Emilia Pardo Bazán,* Revista de Occidente, Madrid, 1962.
Brown, Donald Fowler, *The Catholic Naturalism of Pardo Bazán,* The University of North Carolina Press, Chapel Hill, 1957.
Brown, M. Gordon, *La vida y las novelas de Emilia Pardo Bazán,* Madrid, 1940.
Clemessy, Nelly, *Emilia Pardo Bazán como novelista,* Fundación Universitaria Española, Madrid, 1981.
Cook, Teresa, *El feminismo en la novela de la Condesa de Pardo Bazán,* Publicaciones de la Diputación Provincial, La Coruña, 1976.
Entrambasaguas, Joaquín de, "Emilia Pardo Bazán, estudio y bibliografía", en *Las mejores novelas contemporáneas,* ed. Planeta, Barcelona, 1958.

110   BIBLIOGRAFÍA SELECTA

Eoff, Sherman H., *El pensamiento moderno y la novela española*, ed. Seix Barral, Barcelona, 1965.

González López, Emilio, *Emilia Pardo Bazán, novelista de Galicia*, Hispanic Institute in the United States, New York, 1944.

González Torres, Rafael, *Los cuentos de Emilia Pardo Bazán*, Florentia Publishers, Boston, 1977.

Hemingway, Maurice, *Emilia Pardo Bazán: the making of a novelist*, Cambridge University Press, 1983.

Kirby, Harry Lee, Introducción y prólogos a *Obras Completas* de E. Pardo Bazán, t. III, ed. Aguilar, Madrid, 1973.

Martín, Elvira, *Tres mujeres gallegas del siglo XIX: Concepción Arenal, Rosalía de Castro, Emilia Pardo Bazán*, ed. Aedos, Barcelona, 1977 (2.ª ed.).

Oller, Narciso, *Memoriès Literàries*, ed. Aedos, Barcelona, 1962.

Osborne, Robert S., *Emilia Pardo Bazán, su vida y sus obras*, ediciones De Andrea, México, 1964.

Paredes Núñez, Juan, *Los cuentos de Emilia Pardo Bazán*, Universidad de Granada, 1979.

——, *La realidad gallega en los cuentos de Emilia Pardo Bazán (1851-1921)*, Ediciós do Castro, La Coruña, 1983.

——, Estudio preliminar a la selección de *Cuentos*, ed. Taurus, 1985.

Pattison, Walter T., *El naturalismo español, historia externa de un movimiento literario*, ed. Gredos, Madrid, 1965.

——, *Emilia Pardo Bazán*, Twayne Publishers, New York, 1971.

Pérez Gutiérrez, Francisco, *El problema religioso en la generación de 1968*, Taurus, Madrid, 1975.

Sainz de Robles, Federico Carlos, Estudio preliminar a las *Obras Completas de E. Pardo Bazán*, y prólogos a cada una de las novelas y a los cuentos, tomos I y II, Aguilar, Madrid, 1947.

Schiavo, Leda, Introducción a *La mujer española*, de E. Pardo Bazán, Editora Nacional, Madrid, 1981.

Sobejano, Gonzalo, *Nietzsche en España*, Editorial Gredos, Madrid, 1967.

Souto Alabarce, A., Introducción a *Los Pazos de Ulloa*, Editorial Porrúa, México, 1974.

Torre, Guillermo de, "Emilia Pardo Bazán y la cuestión del naturalismo", en *Del 98 al Barroco*, Editorial Gredos, Madrid, 1969.

Torrente Ballester, Gonzalo, *Panorama de la literatura española contemporánea*, Ediciones Guadarrama, Madrid, 1965.

Varela Jácome, Benito, *Estructuras novelísticas de E. Pardo Bazán*, Instituto Padre Sarmiento, Santiago de Compostela, 1973.

——, Introducción a *La Tribuna*, ed. Cátedra, Madrid, 1975.

Zuleta, Emilia de, "Emilia Pardo Bazán", en *Historia de la crítica española contemporánea*, Editorial Gredos, Madrid, 1966.

B) ARTÍCULOS

Alas, Leopoldo (Clarín), "Los Pazos de Ulloa", *La Ilustración Ibérica*, núms. 213 y 214, 29 de enero y 5 de febrero de 1978.

——, "Los Pazos de Ulloa", en *Nueva Campaña (1885-86)*, Madrid, Librería de Fernando Fe, 1887, pp. 215-237.

Blanco Amor, José, "Romanticismo y espíritu de clase en *Los Pazos de Ulloa*", *Cuadernos Hispanoamericanos*, L, 148 (abril 1962), 5-12.

Bretz, Mary Lee, "Naturalismo y feminismo en Emilia Pardo Bazán", *Papeles de Son Armadans*, 87, 261 (dic. 1977), 195-219.

Clemessy, Nelly, "A propos de *Los Pazos de Ulloa*", *Annales de l'Université de Besançon*, núm. 223, 1979, 47-61.

Cook, Teresa, "Emilia Pardo Bazán y la educación como elemento primordial en la liberación de la mujer", *Hispania*, 60, 2 (mayo 1977), 259-65.

Davis, Gifford: "The Critical Reception of Naturalism in Spain before *La cuestión palpitante*", *Hispanic Review*, XXII, 2 (abril 1954), 97-108.

——, "Catholicism and Naturalism: Pardo Bazán's Reply to Zola", *Modern Language Notes*, 90, 2 (marzo 1975), 282-87.

——, "The Literary Relations of Clarín and Emilia Pardo Bazán", *Hispanic Review*, 39 (1971), 378-94.

——, "Pardo Bazán, Juan Valera and Literary Fashion", *Romance Notes*, 11 (1969-70), 315-21.

DeCoster, Cyrus C., "Humor in *Los Pazos de Ulloa* and *La Madre Naturaleza*", en *Homenaje a Rodríguez Moñino*, I, Editorial Castalia, Madrid, 1966, 125-32.

——, "Maupassant's *Une vie* and Pardo Bazán's *Los Pazos de Ulloa*: a Possible Case of Influence", *Hispania*, 56, 3 (septiembre 1973), 587-92.

Endara, Lorenzo Benito de, "*Los Pazos de Ulloa*: carta a doña Emilia Pardo Bazán", *La Revista Contemporánea*, 28-II-1887, pp. 393-404.

Faus, Pilar, "Epistolario E. Pardo Bazán-Augusto González de Linares (1876-1878)", *Boletín de la Biblioteca Menéndez y Pelayo*, LX, 1984, 271-310.

Feal Deibe, Carlos, "Naturalismo y antinaturalismo en *Los Pazos de Ulloa*", *Bulletin of Hispanic Studies*, 48 (1971), 314-27.

Gerli, E. Michael, "Apropos of Naturalism and Regionalism in *Los Pazos de Ulloa*", *South Atlantic Bulletin*, tomo 42 (1977), 55-60.

García Ramón, Leopoldo, "*Los Pazos de Ulloa*", *La Revista Contemporánea*, 10 de mayo de 1887, T. 66.

Giles, Mary E., "Color Adjetives in Pardo Bazan's Novels", *Romance Notes*, 10 (1968-69), 54-58.

——, "Descriptive Conventions in Pereda, Pardo Bazán and Palacio Valdés", *Hispania*, L, 2 (mayo 1967), 285-91.

——, "Impressionist Techniques in Descriptions by E. Pardo Bazán", *Hispanic Review*, XXX, 4 (octubre 1962), 304-16.

——, "Pardo Bazán's Two Styles", *Hispania*, 48, 3 (1965), 456-62.

Gooch, Anthony, "Análisis psico-semántico de un personaje de *Los Pazos de Ulloa* y *La Madre Naturaleza* de E. Pardo Bazán: Julián", en *En torno a Pemán*, Diputación Provincial de Cádiz, 1974, 443-68.

Hemingway, Maurice, "Grace, Nature, Naturalism, and Pardo Bazán", *Forum for Modern Languaje Studies*, XVI, 4 (octubre 1980), 341-49.

Hilton, Ronald, "Doña Emilia Pardo Bazán and the Carlist Movement", *Modern Language Forum*, XXXVII (1952), 101-108.

——, "Doña Emilia Pardo Bazán, Neo-Catholicism and Christian Socialism", *The Americas*, XI (1954), 5-18.

——, "Emilia Pardo Bazán et le mouvement féministe en Espagne", *Bulletin Hispanique*, LIV (1952), 153-64.

——, "Pardo Bazán's analysis of the Social Structure of Spain", *Bulletin of Hispanic Studies,* 29, 113 (enero-marzo 1952), 1-15.

Kirby, Harry Lee Jr., "Pardo Bazán, Darwinism, and *La Madre Naturaleza*", *Hispania,* XLVII, 4 (diciembre 1964), 733-37.

López, Mariano, "Naturalismo y espiritualismo en *Los Pazos de Ulloa*", *Revista de Estudios Hispánicos,* 12, 3 (octubre 1978), 353-71.

Lott, Robert E., "Observations on the Narrative Method, the Psychology, and the Style of *Los Pazos de Ulloa*", *Hispania,* LII, 1 (marzo 1969), 3-12.

Mazzeo, Guido E., "La voluntad ajena en *Los Pazos de Ulloa* y *La Regenta*", *Duquesne Hispanic Review,* 4-5 (1965-66), 153-61.

Rodríguez, Alfredo, y Newell Morgan, "A Calderonian Resonance in *Los Pazos de Ulloa*", *Romance Notes,* XIX, 1 (1978), 33-37.

—— y J. Guttmann: "The Stylistic Use of French Sexual Expressions in Pardo Bazán's *Los Pazos de Ulloa*", en *Perspectivas de la novela,* Albatros, Valencia, 1979, pp. 55-58.

Schiavo, Leda, "Emilia Pardo Bazán y Francisco Giner de los Ríos", *Insula,* XXX, 346 (septiembre 1975), 1, 14.

Stanton, Edward, "*Los Pazos de Ulloa* y la pintura", *Papeles de Son Armadans,* 58 (1970), 279-88.

Thompson, Currie Kerr, "The Use Function of Dreaming in Four Novels by Emilia Pardo Bazán", *Hispania,* 59, 4 (diciembre 1976), 856-62.

Varela Jácome, Benito, "Emilia Pardo Bazán, Rosalía Castro y Murguía", *Cuadernos de Estudios Gallegos,* VI, 20 (1951), 405-29.

Vidart, Luis, "*Los Pazos de Ulloa*", *La Revista de España,* 1888, t. CXXI, pp. 30-31.

Villanueva, Darío: "*Los Pazos de Ulloa,* el naturalismo y Henry James", *Hispanic Review,* vol. 52, núm. 2 (Spring 1984), 121-139.

NOTA PREVIA

L A presente edición reproduce la primera que se hizo de *Los Pazos de Ulloa,* la de Daniel Cortezo y Cía., Barcelona, 1886, en 2 volúmenes.

En 1891 empiezan a editarse las *Obras completas* de doña Emilia, que se anuncian en el primer volumen de la serie —el de *La cuestión palpitante*— como "edición corregida y revisada por la autora".

He preferido el texto de la primera edición por razones que considero importante explicar con cierto detenimiento:

Clarín, en su crítica a la novela, recogida en *Nueva Campaña (1885-1868),* hace notar que el libro de doña Emilia inaugura una nueva colección, la de "Novelistas Españoles Contemporáneos" y que la intención de Cortezo era la de publicar en tomos "que no sean de lujo, pero sí decentes, de papel bueno y de impresión esmerada, las novelas que vayan escribiendo *los mejores novelistas españoles".* Aunque Clarín parece algo molesto por la pretensión —y deja entrever que a él no le han invitado a colaborar—, elogia el propósito de los editores y asegura que han empezado "con buen pie". Este buen pie hay que aplicarlo no sólo a la calidad de la obra sino a su impresión, que, en efecto, es cuidadosa.

Dudo mucho que en el año 1891, doña Emilia, metida de lleno en la edición del *Nuevo teatro crítico,* que escribe en su totalidad ella sola, al tiempo que prepara nuevas obras —en 1891 publica *La piedra angular,* en 1892, *Los franciscanos y Colón, Polémicas y estudios literarios* y

Cuentos de Marineda—, revisara y corrigiera muy cuidadosamente la nueva edición de *Los Pazos de Ulloa.*

La segunda edición tiene laísmos, vicio del lenguaje raro en un escritor gallego y que no recuerdo haber visto en las cartas manuscritas de la Pardo Bazán. Algunos son demasiado flagrantes para que no le saltaran a la vista:

"A ésta la quise dar un abrazo" (cap. IX).

"Si la miran o no la miran, si la dicen o no la dicen" (cap. X).

"Allí se le reunió el otro anillo que en la iglesia la ciñeron" (cap. XI).

"Su pulso desasentado la hizo verter el Pajarete" (cap. XI).

"... Se emboscaba a la entrada de la capilla para ver salir a la nena y hacerla mil garatusas" (cap. XXIV).

Hay también cambios de "lo" por "le" que son raros en doña Emilia:

"No, no era Dios, sino el pecado, en figura de Sabel, quien lo arrojaba del paraíso." Segunda edición: "le arrojaba" (cap. VIII).

"El afecto con que lo trataba Nucha." Segunda edición: "le trataba" (cap. XXIII).

"Creer que Dios se los envía (los padecimientos) para probarla." Segunda edición: "les envía" (cap. XXVII).

Algunos cambios van en contra de lo que es norma general de la novela. Así, la sustitución de la frase coloquial "yo qué quiere que *le* haga", que transparenta la estructura sintáctica del gallego en el uso del pronombre personal de dativo ('que quere que eu *lle* faga') por la simple "yo qué quiere que haga" mucho menos caracterizadora del hablante (cap. III). En la misma línea está el cambio de la palabra "lar", gallega y castellana, por la palabra "llar" asturiana o santanderina, que, o es errata, o no tiene por qué aparecer en la novela.

Hay erratas en la segunda edición que parecen obra de un corrector, atento a la exactitud de la palabra, pero no al sentido que tiene en el texto. Por ejemplo: en el desván de la casa de la Lage, las chicas encuentran, entre mil cachivaches, prendas de vestir femeninas: "escofietas y ridículos, bordados de abalorios" (cap. XI), es decir, tocados para el pelo y bolsitos de mano, llamados "ridículos" (de 'reticulus', hechos de red), con bordados de abalorios. Pues bien, en la segunda edición, una mano, probablemente masculina, los convierte en "ridículos bordados de abalorios". De igual forma, el grado de parentesco entre don Pedro y sus primas, "grado prohibido, pero dispensable" a la hora de pensar en matrimonio, se convierte, en la segunda edición, en "indispensable" (cap. IX).

Los cambios de puntuación de la segunda edición han sido el aspecto más problemático y menos claro en el cotejo de las dos ediciones. En la segunda se añaden muchas comas y se suprimen muchas también. Los dos puntos, tan habituales del estilo de la escritora, se transforman con frecuencia en punto y coma, y el paso contrario es también abundante. He intentado encontrar la ley que rige estos cambios y no he podido dar con ella. Lo único seguro es que la segunda edición regulariza el uso de la coma en aquellos casos en que es preceptiva, es decir, cuando no obedece a motivaciones artísticas, personales; por ejemplo, en frases del tipo: "Sí, señor". "No, señor". "Y, sin embargo,". "Y, por último,". También se generaliza, con pocas excepciones, el uso de la coma ante gerundio: "el marqués se bajó, recogiendo del suelo un libro delgadísimo" (cap. III). "Una de las habilidades de don Gabriel fue hacer partijas con su hermana, cogiéndole mañosamente casi toda su legítima" (cap. IV). En todos los otros casos es muy difícil adivinar a qué se debe el cambio de puntuación y cuál de las dos versiones es más acertada. Vamos a verlo con algunos ejemplos.

Lo habitual en el estilo de doña Emilia es subrayar una circunstancia mediante la pausa que marca una coma. Por ejemplo:

"... en el hombro izquierdo descansaba una escopeta moderna, de dos cañones" (cap. I).

"... y el niño fue a sentarse en el borde del lar, para engullirlo sosegadamente" (cap. II).

En la segunda edición se añaden comas que pueden parecer innecesarias y hasta incorrectas, pero que podrían ser de mano de doña Emilia, dado su gusto de subrayar de ese modo las circunstancias de la acción o las cualidades de un objeto. A este tipo pertenecen los ejemplos siguientes:

"... el marqués había aupado al mocoso, que sería realmente una preciosidad (,) a no estar tan sucio" (cap. II).

"Durmió como un santiño (,) y ya anda corriendo por la huerta" (cap. III).

Necesarias o no, esas comas de la segunda edición responden al modo habitual de puntuar de la autora. Pero con mucha mayor frecuencia nos encontramos con que este tipo de comas han sido suprimidas en la segunda edición. Es decir, el cambio va en sentido contrario al rasgo estilístico de la autora que antes hemos señalado. Así podemos verlo en los ejemplos siguientes, en los que he transcrito entre paréntesis la coma que desaparece en la segunda edición:

"... aquella entonación vehemente y sombría que adoptaba al hablar de sus propios asuntos (,) por insignificantes que fuesen" (cap. IV).

"... entre el estaño y el barro vidriado descollaba algún *talavera* legítimo, capaz de volver loco a un coleccionista (,) de los muchos que ahora se consagran a la arcana ciencia de los pucheros" (cap. VI).

"... un zapatero que se hace millonario metiendo y sacando la lesna, se sube encima de cualquier señor (,) de los que lo somos de padres a hijos" (cap. VII).

"... pudiera escribirse la historia de las costumbres y ocupaciones de la nobleza gallega (,) desde un par de siglos acá" (cap. XI).

"La colocación de sus manos (,) extendidas sobre el vientre como para protegerlo, completaba la analogía con las pinturas de tan tierno asunto" (cap. XVI).

"... el zumbar de los oídos y el ruido de péndulo gigante de las arterias (,) próximas a romperse" (cap. XVII).

"Bizcaba más (,) por habérsele debilitado mucho aquellos días el nervio óptico" (cap. XVIII).

Los cambios de coma a punto y coma parecen deberse a un deseo de hacer más larga la pausa, y, en ocasiones, de romper una enumeración demasiado larga, pero con frecuencia son discutibles. Los ejemplos siguientes llevan sólo una coma en la primera edición:

"... tenía el pescuezo y rostro quemados del sol; pero por venir despechugado y sombrero en mano, se advertía la blancura de la piel" (cap. I).
"Le ruborizó el encuentro; pero hizo la vista gorda" (cap. XII).
"Hace poco parece que le echó mano la justicia; pero Barbacana se empeñó en librarlo..." (cap. XVI).

Muy confusos son también los cambios de punto y coma a dos puntos y viceversa. En casos similares encontramos soluciones opuestas:

Primera edición: "La mesa en desorden (...) y el suelo lleno de huesos arrojados por los comensales menos pulcros, indicaban la terminación del festín; Julián hubiera dado algo bueno por poder retirarse..." (cap. VI).
Segunda edición: "... indicaban la terminación del festín: Julián...".
Un poco más adelante, en ese mismo capítulo se produce un cambio que contradice al anterior:

Primera edición: "... algunos clérigos se alzaron también, anunciando que iban a *echar completas*: otros se escurrieron en compañía del médico".
Segunda edición: "... *echar completas;* otros se escurrieron...".
Un ejemplo más de estos cambios anárquicos. Seguimos en el capítulo VI:

Primera edición: "Usted bien lo sabe, Eugenio; lo sabe mejor que yo...".

Segunda edición: "Usted bien lo sabe, Eugenio: lo sabe mejor que yo...".

Y con criterio opuesto:

Primera edición: "Se lo juraría si fuese lícito jurar: bien sabe Dios que...".
Segunda edición: "Se lo juraría si fuese lícito jurar; bien sabe Dios que...".

Si los cambios de puntuación nos parecen en muchos casos arbitrarios, lo mismo hay que decir de los que se refieren a palabras o frases. Hay que suponer que son obra de doña Emilia, pero su sentido y su oportunidad no se ven claros. La mayoría de ellos parece obedecer a criterios de corrección y precisión y no estéticos, por lo cual cabe la posibilidad de que hayan sido sugeridos por un corrector purista. De este tipo son los cambios en la persona del verbo para concordar con un sujeto múltiple:

"... se presentó en él una gavilla de veinte hombres enmascarados o tiznados de carbón, que maniató y amordazó a la criada, hizo echarse boca abajo a Fray Venancio..." (cap. IV).
En la segunda edición los verbos pasan a plural para concertar con "hombres" y no con "gavilla": "maniataron (...) amordazaron (...)".

Otro ejemplo del mismo tipo:

"Hacíale gracia su propia desvergüenza, sus instintos truhanescos, su afán por apandar huevos y fruta, su avidez al coger las monedas..." (cap. XIV).
En la segunda edición el verbo pasa a plural para concertar con el sujeto múltiple: "Hacíanle gracia...".

Un punto interesante es el del cambio de orden de las palabras en la frase, la anteposición o posposición de una respecto a las otras. En algún caso se ve claramente que se trata de precisar el sentido de la expresión, por ejem-

plo: "... hoy la idea sola de marchar le producía..." pasa
a ser "... la sola idea de...". Pero creo que en la mayoría
de los casos hay un propósito estético, la búsqueda de un
ritmo distinto de la frase, de una mayor eufonía quizá.
Lo que ya no creo es que el intento sea un éxito siempre,
ni mucho menos. En nota a pie de página se señalan todos
los cambios, de modo que el lector interesado en el tema
podrá juzgar por sí mismo en cada caso, comparando las
dos versiones, analizando la frase no sólo en sí misma, sino
en relación con las que le preceden y siguen.

No siempre la primera versión me parece la más lo-
grada. Hay casos en que la variante de la segunda edición
mejora claramente el texto. Se ve en la autora un deseo de
precisión, de buscar la expresión más adecuada que la lleva
a veces a matizar muy sutilmente. Así sucede cuando comenta las murmuraciones del casino y dice en la primera
edición:

"A menudo tiene una muchacha perdida la fama antes
que la honra, y ligerezas insignificantes, glosadas y censuradas años y años, llevan a su autora con palma al sepulcro" (cap. X).

En la segunda edición sustituye "honra" por "virtud"
y "autora" por "doncella", consiguiendo una frase mucho
más rotunda y precisa.

Al hablar de las ocupaciones de Nucha tras el nacimiento de su hija, dice que llevaba "la existencia atareada y
minuciosa de las madres, en la cual es un acontecimiento
que estén ahumadas las sopas y un fracaso que se apague
el brasero" (cap. XVIII). En la segunda edición sustituye
"atareada" por "cominera", que creo que expresa mucho
mejor su idea acerca de esa clase de vida.

Otras veces me parece que el cambio le hace perder expresividad. Así sucede en el capítulo VIII cuando el marqués divisa entre la maleza el cañón de la escopeta de
Primitivo, que apunta a las espaldas de don Julián. En la
primera edición dice que apuntaba "tan diestramente que
de fijo no se perdería el tiro". La segunda matiza y dice

que apuntaba "tan recto que...". Sin duda, la última es
una expresión más objetiva, más plástica, responde a lo
que sería la visión del personaje que observa el cañón dirigido hacia la espalda del otro. Pero la expresión "tan
diestramente" revela mejor los sentimientos internos del
marqués, que sabe a quién pertenece la escopeta y, por
ello y no por la rectitud del cañón, que no va a fallar el
tiro.

Hay variantes de la segunda edición que parecen deberse
al deseo de emplear palabras y frases corrientes, de uso
común, frente a las de carácter más culto o menos habitual
de la primera. Así sustituye "cazata" por "cacería" (capítulo XXI), "abrirse de risa" por "descalzarse de risa"
(cap. XXI), un cuento "descomunal" por la mentira "más
gorda" (cap. XXI), "¡Dios le alumbre!" pasa a "¡Dios
le ilumine!" (cap. XVI). En el capítulo V, don Julián, ofen-
dido y asustado por los avances de Sabel "no quería verle
ni la sombra en la puerta", mientras que en la segunda
edición "no quería verla ni en pintura". De igual forma
don Manuel Pardo pasa de hablar "para su chaleco" a hacerlo "entre sí" (cap. IX).

Resumiendo, pues, las razones que me han llevado a
preferir la primera edición, concluiré que no creo que los
cambios de puntuación se deban a mano de la autora en la
mayoría de los casos, y en cuanto a las variantes de palabras y frases, muy pocas veces el cambio mejora la primera versión.

Por lo que se refiere a la ortografía he adaptado el texto
a las normas actuales, suprimiendo los acentos de los monosílabos: á, é, ó, dió, vió, fué, etc.; he unido los compuestos: padre nuestro, gloria patri... y he regularizado el uso
de las mayúsculas.

En cuanto a las notas a pie de página he distinguido dos
grandes grupos: con asterisco y con número.

Se señalan con asterisco las variantes de la segunda edición que se refieren a cambios de palabras o frases y al
orden de éstas en el discurso. Me ha parecido interesante
que un lector especializado pueda comparar las dos versiones, y, por otra parte, al distinguirlas con una marca de

las notas explicativas, que llevan número, el lector a quien no le interesen puede prescindir de ellas.

Las notas que van numeradas obedecen a distintos motivos. Unas han intentado aclarar o precisar detalles históricos, sociológicos o culturales y, al mismo tiempo, señalar la postura de la autora ante esos hechos. Otras obedecen a un gusto personal, quizá importuno, de comentar aspectos de técnica narrativa. Para éstas he tenido en cuenta la opinión de mis alumnos, estudiantes de Literatura Española de la Universidad Complutense que, en repetidas ocasiones, me han manifestado su deseo de ver señalados en el texto estos aspectos. Espero que esas notas no rompan para el lector normal el placer de la lectura y sean, en cambio, de utilidad a las personas que deben comentar aspectos formales.

Para las notas del vocabulario —tan rico, tan culto, con tantos arcaísmos— he seguido el criterio de anotar sólo las palabras de origen gallego o las que son de uso muy restringido, como "alpendres", "esconce", "agnación", "escofieta", "dulleta", "escusón", "ecúleo"...

Se ha eliminado —no sin dolor— de esta edición, los preciosos "Apuntes autobiográficos", que servían de prólogo a la primera y que enriquecían y alargaban en noventa y dos páginas la extensión de la novela.

Una edición crítica es un trabajo sin fondo y sin fin. Yo no doy hoy por concluida mi tarea. Espero que sucesivas ediciones me permitirán completar aquellos puntos oscuros del texto, aquellas alusiones que el paso de cien años han convertido en enigmas. Y si no lo hago, otros lo harán, sin duda. Contrariamente a la creación literaria, siempre individual, la investigación tiene una grata dimensión colectiva, de equipo. Quede, pues, aquí, ahora esta primera aproximación crítica a *Los Pazos de Ulloa*.

M. M.

NOVELISTAS ESPAÑOLES CONTEMPORÁNEOS

LOS

PAZOS DE ULLOA

Novela original, precedida de unos

APÚNTES AUTOBIOGRÁFICOS

POR

EMILIA PARDO BAZÁN

TOMO I

BARCELONA

DANIEL CORTEZO Y C.ª - EDITORES

CALLE DE PALLARS (Salón de S. Juan)

1886

I

Por más que el jinete trataba de sofrenarlo agarrándose con todas sus fuerzas a la única rienda de cordel y susurrando palabrillas calmantes y mansas, el peludo rocín seguía empeñándose en bajar la cuesta a un trote cochinero que descuadernaba los intestinos, cuando no a trancos desigualísimos de loco galope. Y era pendiente de veras aquel repecho del camino real de Santiago a Orense, en términos que los viandantes, al pasarlo, sacudían la cabeza murmurando que tenía bastante más declive del no sé cuántos por ciento marcado por la ley, y que sin duda al llevar la carretera en semejante dirección, ya sabrían los ingenieros lo que se pescaban, y alguna quinta de personaje político, alguna influencia electoral de grueso calibre debía de andar cerca.

Iba el jinete colorado, no como un pimiento, sino como una fresa, encendimiento propio de personas linfáticas.[1] Por ser joven y de miembros delicados, y por no tener pelo de barba, pareciera un niño, a no desmentir la presunción sus trazas sacerdotales. Aunque cubierto de amarillo polvo que levantaba el trote del jaco, bien se advertía que el traje del mozo era de paño negro liso, cortado con

[1] La incorporación de rasgos fisiológicos a la descripción de personajes es rasgo propio de la escuela naturalista. También lo es el detalle de los guantes despellejados que veremos en seguida y supone una visión muy cercana del objeto por parte del narrador.

la flojedad y poca gracia que distingue a las prendas de ropa de seglar vestidas por clérigos. Los guantes, despellejados ya por la tosca brida, eran asimismo negros y nuevecitos, igual que el hongo, que llevaba calado hasta las cejas, por temor a que los zarandeos de la trotada se lo hiciesen saltar al suelo, que sería el mayor compromiso del mundo. Bajo el cuello del desairado levitín asomaba un dedo de alzacuello, bordado de cuentas de abalorio. Demostraba el jinete escasa maestría hípica: inclinado sobre el arzón, con las piernas encogidas y a dos dedos de salir despedido por las orejas, leíase en su rostro tanto miedo al cuartago como si fuese algún corcel indómito rebosando fiereza y bríos.

Al acabarse el repecho, volvió el jaco a la sosegada andadura habitual, y pudo el jinete enderezarse sobre el aparejo redondo, cuya anchura inconmensurable le había descoyuntado los huesos todos de la región sacro-ilíaca. [2] Respiró, quitose el sombrero y recibió en la frente sudorosa el aire frío de la tarde. Caían ya oblicuamente los rayos del sol en los zarzales y setos, y un peón caminero, en mangas de camisa, pues tenía su chaqueta colocada sobre un mojón de granito, daba lánguidos azadonazos en las hierbecillas nacidas al borde de la cuneta. Tiró el jinete del ramal para detener a su cabalgadura, y ésta, que se había dejado en la cuesta abajo las ganas de trotar, paró inmediatamente. El peón alzó la cabeza, y la placa dorada de su sombrero relució un instante.

—¿Tendrá usted la bondad de decirme si falta mucho para la casa del señor marqués de Ulloa?

—¿Para los Pazos de Ulloa? —contestó el peón repitiendo la pregunta.

—Eso es.

—Los Pazos de Ulloa están allí —murmuró extendiendo la mano para señalar a un punto en el horizonte—.

---

[2] La utilización del término anatómico exacto es muy típico del estilo de la Pardo Bazán y no tanto por influencia del naturalismo como por un gusto e inclinación peculiar de la autora a los estudios de Medicina.

Si la bestia anda bien, el camino que queda pronto se pasa... Ahora tiene que seguir hasta aquel pinar ¿ve? y luego le cumple torcer a mano izquierda, y luego le cumple a mano derecha por un atajito, hasta el crucero... En el crucero ya no tiene pérdida, porque se ven los Pazos, una *construción* muy grandísima...

—Pero... ¿como cuánto faltará? —preguntó con inquietud el clérigo.

Meneó el peón la tostada cabeza.

—Un bocadito, un bocadito... [3]

Y sin más explicaciones, emprendió otra vez su desmayada faena, manejando el azadón lo mismo que si pesase cuatro arrobas.

Se resignó el viajero a continuar ignorando las leguas de que se compone un *bocadito,* y taloneó al rocín. El pinar no estaba muy distante, y por el centro de su sombría masa serpeaba una trocha angostísima, en la cual se colaron montura y jinete. El sendero, sepultado en las oscuras profundidades del pinar, era casi impracticable; pero el jaco, que no desmentía las aptitudes especiales de la raza caballar gallega para andar por mal piso, avanzaba con suma precaución, cabizbajo, tanteando con el casco, para sortear cautelosamente las zanjas producidas por la llanta de los carros, los pedruscos, los troncos de pino cortados y atravesados donde hacían menos falta. Adelantaban poco a poco, y ya salían de las estrecheces a senda más desahogada, abierta entre pinos nuevos y montes poblados de aliaga, sin haber tropezado con una sola heredad labradía, un plantío de coles que revelase la vida humana. De pronto los cascos del caballo cesaron de resonar y se hundieron en blanda alfombra: era una camada de estiércol, tendida, según costumbre del país, ante la

---

[3] La expresión gallega "un bocadiño" se usa para indicar tiempo además de cantidad. La traducción castellana que hace el paisano es, pues, incorrecta, ya que "un bocadito" no se usa en castellano con el mismo sentido. La incorrección lingüística y la imprecisión le sirven a la autora para dar "color local" al relato.

casucha de un labrador. A la puerta una mujer daba de
mamar a una criatura. El jinete se detuvo.

—Señora, ¿sabe si voy bien para la casa del marqués
de Ulloa?

—Va bien, va...

—Y... ¿falta mucho?

Enarcamiento de cejas, mirada entre apática y curiosa,
respuesta ambigua en dialecto: [4]

—La carrerita de un can... [4]

—¡Estamos frescos! —pensó el viajero, que si no acertaba a calcular lo que anda un can en una carrera, barrun-
taba que debe ser bastante para un caballo. En fin, en
llegando al crucero vería los Pazos de Ulloa... Todo se
le volvía buscar el atajo, a la derecha... Ni señales. La
vereda, ensanchándose, se internaba por tierra montaño-
sa, salpicada de manchones de robledal y algún que otro
castaño todavía cargado de fruta: a derecha e izquierda,
matorrales de brezo crecían desparramados y oscuros. Experimentaba el jinete indefinible malestar, disculpable en
quien, nacido y criado en un pueblo tranquilo y soñoliento, se halla por vez primera frente a frente con la ruda
y majestuosa soledad de la naturaleza, y recuerda historias de viajeros robados, de gentes asesinadas en sitios
desiertos.

—¡Qué país de lobos! —dijo para sí, tétricamente im-
presionado.

Alegrósele el alma con la vista del atajo, que a su derecha se columbraba, estrecho y pendiente, entre un doble
vallado de piedra, límite de dos montes. Bajaba fiándose
en la maña del jaco para evitar tropezones, cuando divisó
casi al alcance de su mano algo que le hizo estremecerse:
una cruz de madera, pintada de negro con filetes blancos,
medio caída ya sobre el murallón que la sustentaba. El
clérigo sabía que estas cruces señalan el lugar donde un
hombre pereció de muerte violenta; y, persignándose, rezó

---

[4] De nuevo el labriego traduce literalmente la expresión gallega
"a carreiriña de un can", que significa una distancia que el hablante considera corta.

un padrenuestro, mientras el caballo, sin duda por olfatear el rastro de algún zorro, temblaba levemente empinando las orejas, y adoptaba un trotecillo medroso que en breve le condujo a una encrucijada. Entre el marco que le formaban las ramas de un castaño colosal, erguíase el crucero.

Tosco, de piedra común, tan mal labrado que a primera vista parecía monumento románico, por más que en realidad sólo contaba un siglo de fecha, siendo obra de algún cantero con pujos de escultor, el crucero, en tal sitio y a tal hora, y bajo el dosel natural del magnífico árbol, era poético y hermoso. El jinete, tranquilizado y lleno de devoción, pronunció descubriéndose: "Adorámoste Cristo, y bendecímoste, pues por tu Santísima Cruz redimiste al mundo", y de paso que rezaba, su mirada buscaba a lo lejos los Pazos de Ulloa, que debían de ser aquel gran edificio cuadrilongo, con torres, allá en el fondo del valle. Poco duró la contemplación, y a punto estuvo el clérigo de besar la tierra, merced a la huida que pegó el rocín, con las orejas enhiestas, loco de terror. El caso no era para menos: a cortísima distancia habían retumbado dos tiros.

Quedóse el jinete frío de espanto, agarrado al arzón, sin atreverse ni a registrar la maleza para averiguar dónde estarían ocultos los agresores: mas su angustia fue corta, porque ya del ribazo situado a espaldas del crucero descendía un grupo de tres hombres, antecedido por otros tantos canes perdigueros, cuya presencia bastaba para demostrar que las escopetas de sus amos no amenazaban sino a las alimañas monteses.

El cazador que venía delante representaba ventiocho o treinta años: alto y bien barbado, tenía el pescuezo y rostro quemados del sol, pero por venir despechugado y sombrero en mano, se advertía la blancura de la piel no expuesta a la intemperie, en la frente y en la tabla de pecho, cuyos diámetros indicaban complexión robusta, supuesto que confirmaba la isleta de vello rizado que dividía ambas tetillas. Protegían sus piernas recias polainas de cuero, abrochadas con hebillaje hasta el muslo; sobre

la ingle derecha flotaba la red de bramante de un repleto
morral, y en el hombro izquierdo descansaba una escopeta
moderna, de dos cañones. El segundo cazador parecía
hombre de edad madura y condición baja, criado o colono: ni hebillas en las polainas, ni más morral que un
saco de grosera estopa; el pelo cortado al rape, la escopeta de pistón, viejísima y atada con cuerdas; y en el
rostro, afeitado y enjuto y de enérgicas facciones rectilí-
neas, una expresión de encubierta sagacidad, de astucia
salvaje, más propia de un piel roja que de un europeo.
Por lo que hace al tercer cazador, sorprendióse el jinete
al notar que era un sacerdote: ¿En qué se le conocía?
No ciertamente en la tonsura, borrada por una selva de
pelo gris y cerdoso, ni tampoco en la rasuración, pues los
duros cañones de su azulada barba contarían un mes de
antigüedad; menos aún en el alzacuello, que no traía,
ni en la ropa, que era semejante a la de sus compañeros
de caza, con el aditamento de unas botas de montar, de
charol de vaca muy descaradas y cortadas por las arrugas.
Y no obstante trascendía a clérigo, revelándose el sello
formidable de la ordenación, que ni aun las llamas del
infierno consiguen cancelar, en no sé qué expresión de la
fisonomía, en el aire y posturas del cuerpo, en el mirar,
en el andar, en todo. No cabía duda: era un sacerdote.

Aproximóse al grupo el jinete, y repitió la consabida
pregunta:

—¿Pueden ustedes decirme si voy bien para casa del
señor marqués de Ulloa?

El cazador alto se volvió hacia los demás, con familiaridad y dominio.

—¡Qué casualidad! —exclamó—. Aquí tenemos al forastero... Tú, Primitivo... Pues te cayó la lotería: mañana pensaba yo enviarte a Cebre a buscar al señor...
Y usted, señor abad de Ulloa... ¡ya tiene usted aquí quien
le ayude a arreglar la parroquia!

Como el jinete permanecía indeciso, el cazador añadió:

—¿Supongo que es usted el recomendado de mi tío, el
señor de la Lage?

—Servidor y capellán... —respondió gozoso el eclesiástico, tratando de echar pie a tierra, ardua operación en que le auxilió el abad—. ¿Y usted... —exclamó, encarándose con su interlocutor— es el señor marqués?

—¿Cómo queda el tío? ¿Usted... a caballo desde Cebre, eh? —repuso éste evasivamente, mientras el capellán le miraba con interés rayano en viva curiosidad. No hay duda que así, varonilmente desaliñado, húmeda la piel de transpiración ligera, terciada la escopeta al hombro, era un cacho de buen mozo el marqués;[5] y sin embargo, despedía su arrogante persona cierto tufillo bravío y montaraz, y lo duro de su mirada contrastaba con lo afable y llano de su acogida.

El capellán, muy respetuoso, se deshacía en explicaciones.

—Sí, señor; justamente... En Cebre he dejado la diligencia y me dieron esta caballería, que tiene unos arreos, que vaya todo por Dios... El señor de la Lage, tan bueno, y con el humor aquel de siempre... Hace reír a las piedras... Y guapote, para su edad... Estoy reparando que si fuese su señor papá de usted, no se le parecería más... Las señoritas, muy bien, muy contentas y muy saludables... Del señorito, que está en Segovia, buenas noticias. Y antes que se me olvide...

Buscó en el bolsillo interior de su levitón, y fue sacando un pañuelo muy planchado y doblado, un *Semanario* chico, y por último una cartera de tafilete negro, cerrada con elástico, de la cual extrajo una carta que entregó al marqués. Los perros de caza, despeados y anhelantes de

---

[5] Expresiones de este tipo escandalizaron en su época y le valieron a doña Emilia el reproche de que pretendía escribir como un hombre. Creo que en este caso obedece a un deseo de libertad expresiva que va más allá de lo literario. En *Insolación,* por boca de su personaje Asís, hace la Pardo Bazán una defensa del derecho de las mujeres a decir libremente lo que piensan sobre la belleza o el atractivo masculino: "Señor, ¿por qué no han de tener las mujeres derecho a encontrar guapos a los hombres que lo sean, y por qué han de mirar mal que lo manifiesten (aunque para manifestarlo dijesen tantas majaderías como los chulos del café Suizo? Si no lo decimos lo pensamos, y no hay nada más peligroso que lo reprimido y oculto, lo que se queda dentro."

fatiga, se habían sentado al pie del crucero; el abad picaba con la uña una tagarnina para liar un pitillo, cuyo papel sostenía adherido por una punta al borde de los labios; Primitivo, descansando la culata de la escopeta en el suelo, y en el cañón de la escopeta la barba, clavaba sus ojuelos negros en el recién venido, con pertinacia escrutadora. El sol se ponía lentamente en medio de la tranquilidad otoñal del paisaje. De improviso el marqués soltó una carcajada. Era su risa, como suya, vigorosa y pujante, y, más que comunicativa, despótica.

—El tío —exclamó, doblando la carta— siempre tan guasón y tan célebre... Dice que aquí me manda un santo para que me predique y me convierta... No parece sino que tiene uno pecados: ¿eh, señor abad? ¿Qué dice usted a esto? ¿Verdad que ni uno?

—Ya se sabe, ya se sabe —masculló el abad con voz bronca...—. Aquí todos conservamos la inocencia bautismal.

Y al decirlo, miraba al recién llegado al través de sus erizadas y salvajinas cejas, como el veterano al inexperto recluta, sintiendo allá en su interior profundo desdén hacia el curita barbilindo, con cara de niña, donde sólo era sacerdotal la severidad del rubio entrecejo y la compostura * ascética de las facciones.

—¿Y usted se llama Julián Alvarez? —interrogó el marqués.

—Para servir a usted muchos años.

—¿Y no acertaba usted con los Pazos?

—Me costaba trabajo el acertar. Aquí los paisanos no le sacan a uno de dudas, ni le dicen categóricamente las distancias. De modo que...

—Pues ahora ya no se perderá usted. ¿Quiere montar otra vez?

—¡Señor! No faltaba más.

—Primitivo —ordenó el marqués— coge del ramal a esa bestia.

Y echó a andar, dialogando con el capellán que le se-

* la expresión.

guía. Primitivo, obediente, se quedó rezagado, y lo mismo el abad, que encendía su pitillo con un mixto de cartón. El cazador se arrimó al cura.

—¿Y qué le parece del rapaz, diga? ¿Verdad que no mete respeto?

—¡Boh!... Ahora se estila ordenar *miquitrefes*... Y luego mucho de alzacuellitos, guantecitos, perejiles con escarola... ¡Si yo fuera el arzobispo, ya les daría el demontre de los guantes!

II

Era noche cerrada, sin luna, cuando desembocaron en el soto, tras el cual se eleva la ancha mole de los Pazos de Ulloa. No consentía la oscuridad distinguir más que sus imponentes proporciones, escondiéndose las líneas y detalles en la negrura del ambiente. Ninguna luz brillaba en el vasto edificio, y la gran puerta central parecía cerrada a piedra y lodo. Dirigióse el marqués a un postigo lateral, muy bajo, donde al punto apareció una mujer corpulenta, alumbrando con un candil. Después de cruzar corredores sombríos, penetraron todos en una especie de sótano con piso terrizo y bóveda de piedra, que, a juzgar por las hileras de cubas adosadas a sus paredes, debía de ser bodega; y desde allí llegaron presto a la espaciosa cocina, alumbrada por la claridad del fuego que ardía en el hogar, consumiendo lo que se llama arcaicamente un mediano monte de leña y no es sino varios gruesos cepos de roble, avivados, de tiempo en tiempo, con rama menuda. Adornaban la elevada campana de la chimenea ristras de chorizos y morcillas, con algún jamón de añadidura, y a un lado y a otro sendos bancos brindaban asiento cómodo para calentarse oyendo hervir el negro *pote,* que, pendiente de los llares, ofrecía a los ósculos de la llama su insensible vientre de hierro.

A tiempo que la comitiva entraba en la cocina, hallábase acurrucada junto al pote una vieja, que sólo pudo Julián Álvarez distinguir un instante —con greñas blancas y rudas como cerro que le caían sobre los ojos, y cara

136

rojiza al reflejo del fuego—; pues no bien advirtió que
venía gente, levantóse más aprisa de lo que permitían sus
años, y murmurando en voz quejumbrosa y humilde:
"Buenas *nochiñas* nos dé Dios", se desvaneció como una
sombra, sin que nadie pudiese notar por dónde. El marqués se encaró con la moza.

—¿No tengo dicho que no quiero aquí pendones?

Y ella contestó apaciblemente, colgando el candil en
la pilastra de la chimenea:

—No hacía mal... me ayudaba a pelar castañas.

Tal vez iba el marqués a echar la casa abajo, si Primitivo, con mayor imperio y enojo que su amo mismo, no
terciase en la cuestión, reprendiendo a la muchacha.

—¿Qué estás *parolando* [6] ahí...? Mejor te fuera tener
la comida lista. ¿A ver cómo nos la das corriendito?
Menéate, despabílate.

En el esconce[7] de la cocina, una mesa de roble dene-
grida por el uso, mostraba extendido un mantel grosero,
manchado de vino y grasa. Primitivo, después de soltar
en un rincón la escopeta, vaciaba su morral, del cual salieron dos perdigones y una liebre muerta, con los ojos
empañados y el pelaje maculado de sangraza. Apartó la
muchacha el botín a un lado, y fue colocando platos de
peltre, cubiertos de antigua y maciza plata, un mollete
enorme en el centro de la mesa y un jarro de vino pro-
porcionado al pan: luego se dio prisa a revolver y desta-
par tarteras, y tomó del vasar una sopera magna. De nuevo la increpó airadamente el marqués.

—¿Y los perros, vamos a ver? ¿Y los perros?

Como si también los perros comprendiesen su derecho
a ser atendidos antes que nadie, acudieron desde el rincón más oscuro, y olvidando el cansancio, exhalaban fa-
mélicos bostezos, meneando la cola y levantando * el
partido hocico. Julián creyó al pronto que se había aumen-

---

[6] Del gallego "parolar", 'charlar, dar palique'.
[7] Rincón o ángulo.
* husmeando con.

tado el número de canes, tres antes y cuatro ahora; pero al entrar el grupo canino en el círculo de viva luz que proyectaba el fuego, advirtió que lo que tomaba por otro perro no era sino un rapazuelo de tres a cuatro años, cuyo vestido, compuesto de chaquetón acastañado y calzones de blanca estopa, podía desde lejos equivocarse con la piel bicolor de los perdigueros, en quienes parecía vivir el chiquillo en la mejor inteligencia y más estrecha fraternidad. [8] Primitivo y la moza disponían en cubetas de palo el festín de los animales, entresacado de lo mejor y más grueso del pote; y el marqués —que vigilaba la operación— no dándose por satisfecho, escudriñó con una cuchara de hierro las profundidades del caldo, hasta sacar a luz tres gruesas tajadas de cerdo, que fue distribuyendo en las cubetas. Lanzaban los perros alaridos entrecortados, de interrogación y deseo, sin atreverse aún a tomar posesión de la pitanza; a una voz de Primitivo, sumieron de golpe el hocico en ella, oyéndose el batir de sus apresuradas mandíbulas y el chasqueo de su lengua glotona. El chiquillo gateaba por entre las patas de los perdigueros, que, convertidos en fieras por el primer impulso del hambre no saciada todavía, le miraban de reojo, regañando los dientes y exhalando ronquidos amenazadores: de pronto la criatura, incitada por el tasajo que sobrenadaba en la cubeta de la perra Chula, tendió la mano para cogerlo, y la perra, torciendo la cabeza, lanzó una feroz dentellada, que por fortuna sólo alcanzó la manga del chico, obligándole a refugiarse más que de prisa, asustado y lloriqueando, entre las sayas de la moza, ya ocupada en servir caldo a los racionales. Julián, que empezaba a descalzar-

---

[8] La animalización en las descripciones de personas es un rasgo muy típico de la escuela naturalista. Recuérdese que en *La Tribuna* se compara a Chinto a un moscardón "por su andar torpe y desmañado, análogo al de un moscardón cuando tiene las patas untadas de almíbar" y a una compañera de Amparo le llaman "la Comadreja" y comenta la voz narradora: "mote felicísimo que da exacta idea de su figura y movimientos".

se los guantes, se compadeció del chiquillo, y, bajándose, le tomó en brazos, pudiendo ver que a pesar de la mugre, la roña, el miedo y el llanto, era el más hermoso angelote del mundo.

—¡Pobre! —murmuró cariñosamente—. ¿Te ha mordido la perra? ¿Te hizo sangre? ¿Dónde te duele, me lo dices? Calla, que vamos a reñirle a la perra nosotros. ¡Pícara, malvada!

Reparó el capellán que estas palabras suyas produjeron singular efecto en el marqués. Se contrajo su fisonomía: sus cejas se fruncieron, y arrancándole a Julián el chiquillo, con brusco movimiento le sentó en sus rodillas, palpándole las manos, a ver si las tenía mordidas o lastimadas. Seguro ya de que sólo el chaquetón había padecido, soltó la risa.

—¡Farsante! —gritó—. Ni siquiera te ha tocado la Chula. ¿Y tú, para qué vas a meterte con ella? Un día te come media nalga, y después lagrimitas. ¡A callarse y a reírse ahora mismo! ¿En qué se conocen los valientes?

Diciendo así, colmaba de vino su vaso, y se lo presentaba al niño que, cogiéndolo sin vacilar, lo apuró de un sorbo. El marqués aplaudió:

—¡Retebién! ¡Viva la gente templada!

—No, lo que es el rapaz... el rapaz sale de punta —murmuró el abad de Ulloa.

—¿Y no le hará daño tanto vino? —objetó Julián, que sería incapaz de bebérselo él.

—¡Daño! Sí, ¡buen daño nos dé Dios! —respondió el marqués, con no sé qué inflexiones de orgullo en el acento—. Déle usted otros tres, y ya verá... ¿Quiere usted que hagamos la prueba?

—Los chupa, los chupa —afirmó el abad.

—No señor, no señor... Es capaz de morirse el pequeño... He oído que el vino es un veneno para las criaturas... Lo que tendrá será hambre.

—Sabel, que coma el chiquillo —ordenó imperiosamente el marqués, dirigiéndose a la criada. Ésta, silenciosa e inmóvil durante la anterior escena, sacó un repleto cuenco de caldo, y el niño fue a sentarse en el borde del lar, * para engullirlo sosegadamente.

En la mesa, los comensales mascaban con buen ánimo. Al caldo, espeso y harinoso, siguió un cocido sólido, donde abundaba el puerco: los días de caza, el imprescindible puchero se tomaba de noche, pues al monte no había medio de llevarlo. Una fuente de chorizos y huevos fritos desencadenó la sed, ya alborotada con la sal del cerdo. El marqués dio al codo a Primitivo.

—Tráenos un par de botellitas... Del del año cincuenta y nueve.

Y volviéndose hacia Julián, dijo muy obsequioso:

—Va usted a beber del mejor ** *tostado* que por aquí se produce... Es de la casa de Molende: se corre que tienen un secreto para que, sin perder el gusto de la pasa, empalague menos y se parezca al mejor Jerez... Cuanto más va, más gana: no es como los de otras bodegas, que se vuelven azúcar.

—Es cosa de gusto —aseveró el abad, rebañando con una miga de pan lo que restaba de yema en su plato.

—Yo —declaró tímidamente Julián— poco entiendo de vinos... Casi no bebo sino agua.

Y al ver brillar bajo las cejas hirsutas del abad una mirada compasiva de puro desdeñosa, rectificó:

—Es decir... con el café, ciertos días señalados, no me disgusta el anisete.

—El vino alegra el corazón... El que no bebe, no es hombre —pronunció el abad sentenciosamente.

Primitivo volvía ya de su excursión, empuñando en cada mano una botella cubierta de polvo y telarañas. A falta de tirabuzón, se descorcharon con un cuchillo, y a un tiempo se llenaron los vasos chicos traídos *ad hoc*. Primitivo empinaba el codo con sumo desparpajo, bromeando con el abad y el señorito. Sabel, por su parte, a medida que el banquete se prolongaba y el licor calentaba las cabezas, servía con familiaridad mayor, apoyándose en la

* llar.
** el mejor.

mesa para reír algún chiste, de los que hacían bajar los
ojos a Julián, bisoño en materia de sobremesas de cazadores, Lo cierto es que Julián bajaba la vista, no tanto
por lo que oía, como por no ver a Sabel, cuyo aspecto,
desde el primer instante, le había desagradado de extraño
modo, a pesar o quizás a causa de que Sabel era un
buen pedazo de lozanísima carne. [9] Sus ojos azules, húmedos y sumisos, su color animado, su pelo castaño que
se rizaba en conchas paralelas y caía en dos trenzas hasta
más abajo del talle, embellecían mucho a la muchacha y
disimulaban sus defectos, lo pomuloso de su cara, lo to-
zudo y bajo de su frente, lo sensual de su respingada
y abierta nariz. Por no mirar a Sabel, Julián se fijaba
en el chiquillo, que envalentonado con aquella ojeada
simpática, fue poco a poco deslizándose hasta llegar a
introducirse entre las rodillas del capellán. Instalado allí,
alzó su cara desvergonzada y risueña, y tirando a Julián
del chaleco, murmuró en tono suplicante:

—¿Me lo da?

Todo el mundo se reía a carcajadas: el capellán no
comprendía.

—¿Qué pide? —preguntó.

—¿Qué ha de pedir? —respondió el marqués festivamente—. ¡El vino, hombre! ¡El vaso de tostado!

—¡*Mama*! —exclamó el abad.

Antes que Julián se resolviese a dar al niño su vaso
casi lleno, el marqués había aupado al mocoso, que sería
realmente una preciosidad a no estar tan sucio. Parecíase
a Sabel, y aún se le aventajaba en la claridad y alegría
de sus ojos celestes, en lo abundante del pelo ensortijado,
y especialmente en el correcto diseño de las facciones.
Sus manitas, morenas y hoyosas, se tendían hacia el vino
color de topacio; el marqués se lo acercó a la boca, di-

---

[9] Obsérvese la similitud con la descripción del marqués: don
Pedro era "un cacho de buen mozo", Sabel "un buen pedazo de
lozanísima carne". Hay un desenfado en esas expresiones que no
es casual. La Pardo Bazán evitaba el estilo pudoroso y pacato que
en la época se consideraba femenino.

virtiéndose un rato en quitárselo cuando ya el rapaz creía
ser dueño de él. Por fin consiguió el niño atrapar el vaso,
y en un decir Jesús trasegó el contenido, relamiéndose.

—¡Éste no se anda con requisitos! —exclamó el abad.

—¡Quiá! —confirmó el marqués—. ¡Si es un veterano! ¿A que te zampas otro vaso, Perucho?

Las pupilas del angelote rechispeaban; sus mejillas despedían lumbre, y dilataba la clásica naricilla con inocente
concupiscencia de Baco niño. El abad, guiñando picarescamente el ojo izquierdo, escanciole otro vaso, que él
tomó a dos manos y se embocó sin perder gota; en seguida soltó la risa; y, antes de acabar el redoble de su carcajada báquica, dejó caer la cabeza, muy descolorido, en
el pecho del marqués.

—¿Lo ven ustedes? —gritó Julián angustiadísimo—.
Es muy chiquito para beber así, y va a ponerse malo.
Estas cosas no son para criaturas.

—¡Bah! —intervino Primitivo—. ¿Piensa que el rapaz
no puede con lo que tiene dentro? ¡Con eso y con otro
tanto! Y si no, verá.

A su vez tomó en brazos al niño y, mojando en agua
fresca los dedos, se los pasó por las sienes. Perucho abrió
los párpados, miró alrededor con asombro, y su cara se
sonroseó.

—¿Qué tal? —le preguntó Primitivo—. ¿Hay ánimos
para otra *pinguita* [10] de tostado?

Volvióse Perucho hacia la botella y luego, como instintivamente, dijo *que no* con la cabeza, sacudiendo la po-
blada zalea [11] de sus rizos. No era Primitivo hombre de
darse por vencido tan fácilmente: sepultó la mano en el
bolsillo del pantalón y sacó una moneda de cobre.

—De ese modo... —refunfuñó el abad.

—No seas bárbaro, Primitivo —murmuró el marqués
entre placentero y grave.

---

[10] Del gallego "pinga", 'gota'.

[11] Zalea es el cuero de la oveja curtido con toda su lana. La
metáfora refuerza la primera imagen que hemos tenido de Perucho: el niño es como un animalito más entre los perros.

—¡Por Dios y por la Virgen! —imploró Julián—. ¡Van a matar a esa criatura! Hombre, no se empeñe en emborrachar al niño: es un pecado, un pecado tan grande como otra cualquiera. ¡No se pueden presenciar ciertas cosas!

Al protestar, Julián se había incorporado, encendido de indignación, echando a un lado su mansedumbre y timidez congénita. Primitivo, de pie también, mas sin soltar a Perucho, miró al capellán fría y socarronamente, con el desdén de los tenaces por los que se exaltan un momento. Y metiendo en la mano del niño la moneda de cobre y entre sus labios la botella destapada y terciada aún de vino, la inclinó, la mantuvo así hasta que todo el licor pasó al estómago de Perucho. Retirada la botella, los ojos del niño se cerraron, se aflojaron sus brazos, y no ya descolorido, sino con la palidez de la muerte en el rostro, hubiera caído redondo sobre la mesa, a no sostenerlo Primitivo. El marqués, un tanto serio, empezó a inundar de agua fría la frente y los pulsos del niño: Sabel se acercó, y ayudó también a la aspersión; todo inútil: lo que es por esta vez, Perucho *la tenía*.

—Como un pellejo —gruñó el abad.

—Como una cuba —murmuró el marqués—. A la cama con él en seguida. Que duerma y mañana estará más fresco que una lechuga. Esto no es nada.

Sabel se alejó cargada con el niño, cuyas piernas se balanceaban inertes, a cada movimiento de su madre. La cena se acabó menos bulliciosa de lo que empezara: Primitivo hablaba poco, y Julián había enmudecido por completo. Cuando terminó el convite y se pensó en dormir, reapareció Sabel armada de un velón de aceite, de tres mecheros, con el cual fue alumbrando por la ancha escalera de piedra que conducía al piso alto, y ascendía a la torre en rápido caracol. Era grande la habitación destinada a Julián, y la luz del velón apenas disipaba las tinieblas, de entre las cuales no se destacaba más que la blancura del lecho. A la puerta del cuarto se despidió el marqués, deseándole buenas noches y añadiendo con brusca cordialidad:

—Mañana tendrá usted su equipaje... Ya irán a Cebre por él... Ea, descansar, mientras yo echo de casa al abad de Ulloa... Está un poco... ¿eh? ¡Dificulto que no se caiga en el camino y no pase la noche al abrigo de un vallado!

Solo ya, sacó Julián de entre la camisa y el chaleco una estampa grabada, con marco de lentejuela, que representaba a la Virgen del Carmen, y la colocó de pie sobre la mesa donde Sabel acababa de depositar el velón. Arrodillóse, y rezó la media corona,[12] contando por los dedos de la mano cada diez. Pero el molimiento del cuerpo le hacía apetecer las gruesas y frescas sábanas, y omitió la letanía, los actos de fe y algún padrenuestro. Desnudóse honestamente, colocando la ropa en una silla a medida que se la quitaba, y apagó el velón antes de echarse. Entonces empezaron a danzar en su fantasía los sucesos todos de la jornada: el caballejo que estuvo a punto de hacerle besar el suelo, la cruz negra que le causó escalofríos, pero sobre todo la cena, la bulla, el niño borracho. Juzgando a las gentes con quienes había trabado conocimiento en pocas horas, se le figuraba Sabel provocativa, Primitivo insolente, el abad de Ulloa sobrado bebedor y nimiamente amigo de la caza, los perros excesivamente atendidos, y en cuanto al marqués... En cuanto al marqués, Julián recordaba unas palabras del señor de la Lage:

—Encontrará usted a mi sobrino bastante adocenado... La aldea, cuando se cría uno en ella y no sale de allí jamás, envilece, empobrece y embrutece.

Y casi al punto mismo en que acudió a su memoria tan severo dictamen, arrepintióse el capellán, sintiendo cierta penosa inquietud que no podía vencer. ¿Quién le mandaba formar juicios temerarios? Él venía allí para decir misa, y ayudar al marqués en la administración, no para fallar acerca de su conducta y su carácter... Conque... a dormir...

---

[12] Diez misterios, en lugar de los quince del rosario completo.

III

Despertó Julián cuando entraba de lleno en la habitación un sol de otoño dorado y apacible. Mientras se vestía, examinaba la estancia con algún detenimiento. Era vastísima, sin cielo raso; alumbrábanla tres ventanas guarnecidas de anchos poyos y de vidrieras faltosas de vidrios cuanto abastecidas de remiendos de papel pegados con obleas. Los muebles no pecaban de suntuosos ni de abundantes, y en todos los rincones permanecían señales evidentes de los hábitos del último inquilino, hoy abad de Ulloa, y antes capellán del marqués: puntas de cigarros adheridas al piso, dos pares de botas inservibles en un rincón, sobre la mesa un paquete de pólvora y en un poyo varios objetos cinegéticos, jaulas para codornices, *gayolas*, collares de perros, una piel de conejo mal curtida y peor oliente. Amén de estas reliquias, entre las vigas pendían pálidas telarañas, y por todas partes descansaba tranquilamente el polvo, enseñoreado allí desde tiempo inmemorial.

Miraba Julián las huellas de la incuria de su antecesor, y sin querer acusarle, ni tratarle en sus adentros de cochino, el caso es que tanta porquería y rusticidad le infundía grandes deseos de primor y limpieza, una aspiración a la pulcritud en la vida como a la pureza en el alma. Julián pertenecía a la falange de los pacatos, que tienen la virtud espantadiza, con repulgos de monja y pudores de doncella intacta. No habiéndose descosido jamás de las faldas de su madre sino para asistir a cátedra en

145

el Seminario, sabía de la vida lo que enseñan los libros
piadosos. Los demás seminaristas le llamaban *San Julián,*
añadiendo que sólo le faltaba la palomita en la mano.
Ignoraba cuándo pudo venirle la vocación: tal vez su
madre, ama de llaves de los señores de la Lage, mujer
que pasaba por beatona, le empujó suavemente, desde la
más tierna edad, hacia la Iglesia, y él se dejó llevar de
buen grado. Lo cierto es que de niño jugaba a cantar
misa, y de grande no paró hasta conseguirlo. La continencia le fue fácil, casi insensible, por lo mismo que la
guardó incólume, pues sienten los moralistas que es más
hacedero no pecar una vez que pecar una sola. A Julián
le ayudaba en su triunfo, amén de la gracia de Dios que
él solicitaba muy de veras, la endeblez de su temperamento linfático-nervioso, [13] puramente femenino, sin ardores ni rebeldías, propenso a la ternura, dulce y benigno
como las propias malvas, pero no exento, en ocasiones,
de esas energías súbitas que también se observan en la
mujer, el ser que posee menos fuerza en estado normal,
y más cantidad de ella desarrolla en las crisis convulsi-
vas. Julián, por su compostura y hábitos de pulcritud
—aprendidos de su madre, que le sahumaba toda la ropa
con espliego y le ponía entre cada par de calcetines una
manzana camuesa— cogió fama de seminarista *pollo,* má-
xime cuando averiguaron que se lavaba mucho manos y
cara. En efecto era así, y a no mediar ciertas ideas de
devota pudicia, él extendería las abluciones frecuentes al
resto del cuerpo, que procuraba traer lo aseado posible.

---

[13] La teoría que explica la conducta por el predominio de determinados humores del cuerpo se remonta a Hipócrates. En el
siglo XIX se puso de moda la Frenología del doctor Gall que pretendía explicar las características de la personalidad mediante
el estudio de las circunvoluciones cerebrales y su reflejo en el
cráneo (carta craneal del doctor Gall). El naturalismo acentuó la
importancia de la fisiología sobre los procesos psicológicos o espirituales. Para la Pardo Bazán esto es algo fundamental: sin negar
la libertad, ni la gracia, el personaje de don Julián se explica y
se entiende desde esa concepción naturalista: es casto sin esfuerzo
y ama platónicamente sin sentir pulsiones sexuales porque su fisiología le predispone a este tipo de vivencias.

El primer día de su estancia en los Pazos bien necesitaba chapuzarse un poco, atendido * el polvo de la carretera que traía adherido a la piel; pero sin duda el actual abad de Ulloa consideraba artículo de lujo los enseres de tocador, pues no vio Julián por allí más que una palangana de hojalata, ** a la cual servía de palanganero el poyo. Ni jarra, ni toalla, ni jabón, ni cubo. Quedóse parado delante de la palangana, en mangas de camisa y sin saber qué hacer, hasta que, convencido de la imposibilidad de refrescarse con agua, quiso al menos tomar un baño de aire, y abrió la vidriera.

Lo que abarcaba la vista *** le dejó encantado. El valle ascendía en suave pendiente, extendiendo ante los Pazos toda la lozanía de su ladera más feraz. Viñas, castañares, campos de maíz granados o ya segados, y tupidas robledas, se escalonaban, subían trepando hasta un montecillo, cuya falda gris parecía, al sol, de un blanco plomizo. Al pie mismo de la torre, el huerto de los Pazos se asemejaba **** a verde alfombra con cenefas amarillentas, en cuyo centro se engastaba la luna de un gran espejo, que no era sino la superficie del estanque. El aire, oxigenado y regenerador, penetraba en los pulmones de Julián, que sintió disiparse inmediatamente parte del vago terror que le infundía la gran casa solariega y lo que de sus moradores había visto. Como para renovarlo, entreoyó detrás de sí rumor de pisadas cautelosas, y al volverse vio a Sabel, que le presentaba con una mano platillo y jícara, con la otra, ***** en plato de peltre, un púlpito [14] de agua fresca y una servilleta gorda muy doblada encima. Venía la moza arremangada hasta el codo, con el pelo alborotado, seco y volandero, del calor de la cama sin duda: y a la luz del día se notaba más la frescura de

---

    * quitándose.
   ** hoja de lata.
  *** su vista.
 **** semejaba a.
***** y con la otra.

[14] Aparece registrado con el sentido de "vaso grande" en el *Vocabulario andaluz,* de A. Alcalá Venceslada, Madrid, 1951.

su tez, muy blanca y como infiltrada de sangre. Julián se apresuró a ponerse el levitín, murmurando:

—Otra vez haga el favor de dar dos golpes en la puerta antes de entrar... Conforme estoy a pie,* pudo cuadrar que estuviese en la cama todavía... o vistiéndome.

Miróle Sabel de hito en hito, sin turbarse, y exclamó:

—Disimule, señor... Yo no sabía... El que no sabe, hace como el que no ve.

—Bien, bien... Yo quería decir misa antes de tomar el chocolate.

—Hoy no podrá, porque tiene la llave de la capilla el señor abad de Ulloa, y Dios sabe hasta qué horas dormirá, ni si habrá quien vaya allá por ella.

Julián contuvo un suspiro. ¡Dos días ya sin misar! Cabalmente desde que era presbítero se había redoblado su fervor religioso, y sentía el entusiasmo juvenil del nuevo misacantano, conmovido aún por la impresión de la augusta investidura; de suerte que celebraba el sacrificio esmerándose en perfilar la menor ceremonia, temblando cuando alzaba, anonadándose cuando consumía, siempre con recogimiento indecible. En fin, si no había remedio...

—Ponga el chocolate ahí —dijo a Sabel.

Mientras la moza ejecutaba esta orden, Julián alzaba los ojos al techo y los bajaba al piso, y tosía, tratando de buscar una fórmula, un modo discreto de explicarse.

—¿Hace mucho que no duerme en este cuarto el señor abad?

—Poco... Hará dos semanas que bajó a la parroquia.

—Ah... Por eso... Esto está algo... sucio, ¿no le parece? Sería bueno barrer... y pasar también la escoba por entre las vigas.

Sabel se encogió de hombros.

—El señor abad no me mandó nunca que le barriese el cuarto.

—Pues, francamente, la limpieza es una cosa que a todo el mundo gusta.

* levantado.

—Sí, señor, ya se sabe… No pase cuidado, que yo lo arreglaré muy arregladito.

Lo pronunció con tanta sumisión, que Julián a su vez quiso mostrarle un poco de caritativo interés.

—¿Y el niño? —preguntó—. ¿No le hizo mal lo de ayer?

—No señor… Durmió como un santiño y ya anda corriendo por la huerta. ¿Ve? Allí está.

Mirando por la abierta ventana, y haciéndose una pantalla con la mano, Julián divisó a Perucho, que sin sombrero, con la cabeza al sol, arrojaba piedras al estanque.

—Lo que no sucede en un año sucede en un día, Sabel —advirtió gravemente el capellán—. No debe consentir que le emborrachen al chiquillo: ¡es un vicio muy feo, hasta en los grandes, cuanto más en un inocente así! ¿Para qué le aguanta a Primitivo que le dé tanta bebida? Es obligación de usted el impedirlo.

Sabel fijaba pesadamente en Julián sus azules pupilas, siendo imposible discernir en ellas el menor relámpago de inteligencia o de convencimiento. Al fin articuló con pausa:

—Yo qué quiere que le haga… * No me voy a reponer contra mi señor padre.

Julián calló un momento atónito. ¡De modo que quien había embriagado a la criatura era su propio abuelo! No supo replicar nada oportuno, ni siquiera lanzar una exclamación de censura. Llevóse la taza a la boca para encubrir la turbación, y Sabel, creyendo terminado el coloquio, se retiraba despacio, cuando el capellán le dirigió una pregunta más.

—¿El señor marqués anda ya levantado?

—Sí, señor… Debe estar por la huerta o por los alpendres. [15]

—Haga el favor de llevarme allí —dijo Julián levantándose y limpiándose apresuradamente los labios sin desdoblar la servilleta.

---

* yo qué quiere que haga.
[15] Cobertizos.

Antes de dar con el marqués, recorrieron el capellán y su guía casi toda la huerta. * Aquella vasta extensión de terreno debía de haber sido ** en otro tiempo cultivada con primor y engalanada con los adornos de la jardinería simétrica y geométrica cuya moda nos vino de Francia. De todo lo cual apenas quedaban vestigios: las armas de la casa, trazadas con mirto en el suelo, eran ahora intrincado matorral de bojes, donde ni la vista más lince distinguiría rastro de los lobos, pinos, torres almenadas, roeles y otros emblemas que campeaban en el preclaro blasón de los Ulloas: y sin embargo, persistía en la confusa masa no sé qué aire de cosa plantada adrede y con arte. El borde de piedra del estanque estaba semiderruido, y las gruesas bolas de granito que lo guarnecían andaban rodando por la hierba, verdosa de musgo, esparcidas aquí y acullá como gigantescos proyectiles en algún desierto campo de batalla. Obstruido por el limo, el estanque parecía charca fangosa, acrecentando el aspecto de descuido y abandono de la huerta, donde los que ayer fueron cenadores y bancos rústicos se habían convertido en rincones poblados de maleza, y los tablares de hortaliza en sembrados de maíz, a cuya orilla, como tenaz reminiscencia del pasado, crecían libres, espinosos y altísimos, algunos rosales de variedad selecta, que iban a besar con sus ramas más altas la copa del ciruelo o peral, que tenían enfrente. Por entre estos residuos de pasada grandeza andaba el último vástago de los Ulloas, con las manos en los bolsillos, silbando distraídamente como quien no sabe qué hacer del tiempo. La presencia de Julián le dio la solución del problema. Señorito y capellán emparejaron, y alabando la hermosura del día, acabaron de visitar el huerto al pormenor, y aun alargaron el paseo hasta el soto y los robledales que limitaban, hacia la parte norte, la extensa posesión del marqués. Julián abría mucho los ojos, deseando que por ellos le entrase de sopetón toda la ciencia rústica, a fin de entender bien

* todo el huerto.
** había sido.

las explicaciones relativas a la calidad del terreno o el
desarrollo del arbolado: pero, acostumbrado a la vida
claustral del Seminario y de la metrópoli compostelana,
la naturaleza le parecía difícil de comprender, y casi le
infundía temor por la vital impetuosidad que sentía pal-
pitar en ella, en el espesor de los matorrales, en el áspero
vigor de los troncos, en la fertilidad de los frutales, en
la picante pureza del aire libre. Exclamó con desconsuelo
sincerísimo:

—Yo confieso la verdad, señorito... De estas cosas de
aldea, no entiendo jota.

—Vamos a ver la casa —indicó el señor de Ulloa—.
Es la más grande del país —añadió con orgullo.

Mudaron de rumbo, dirigiéndose al enorme caserón,
donde penetraron por la puerta que daba al huerto, y
habiendo recorrido el claustro formado por arcadas de
sillería, cruzaron varios salones con destartalado mueblaje, sin vidrios en las vidrieras, cuyas descoloridas pinturas maltrataba * la humedad, no siendo más clemente
la polilla con el maderamen del piso. Pararon en una
habitación relativamente chica, con ventana de reja, donde las negras vigas del techo semejaban remotísimas, y
asombraban la vista grandes estanterías de castaño sin
barnizar, que en vez de cristales tenían enrejado de alambre grueso. Decoraba tan tétrica pieza una mesa-escrito-
rio, y sobre ella un tintero de cuerno, un viejísimo bade
de suela, no sé cuántas plumas de ganso y una caja de
obleas vacía. [16]

---

* maltratara.

[16] La palabra "bade" con "b" se encuentra también en *La piedra
angular* en el sentido de 'carpeta de escritorio': "Moragas firmó,
rubricó, secó en el bade, y tendió la hoja al enfermo" (p. 17 de
la Editorial de Renacimiento de 1891). Está también documentada
con esta grafía y sentido en la novela de José María Goy, *Susarón*
(Madrid, 1920, p. 334): "Encima de una sucia y tosca mesa, llenos de polvo, veíase un enorme bade roto, un tintero, salvadera,
plumas..."

La forma con uve ha sido la que ha pasado al *Diccionario de
la RAE* y está documentada desde Gracián y Torres Villarroel,

Las estanterías entreabiertas dejaban asomar legajos y protocolos en abundancia; por el suelo, en las dos sillas de baqueta, [17] encima de la mesa, en el alféizar mismo de la enrejada ventana, había más papeles, más legajos, amarillentos, vetustos, carcomidos, arrugados y rotos; tanta papelería exhalaba un olor a humedad, a rancio, que cosquilleaba en la garganta desagradablemente. El marqués de Ulloa, deteniéndose en el umbral y con cierta expresión solemne, pronunció:

—El archivo de la casa.

Desocupó en seguida las sillas de cuero, y explicó muy acalorado que aquello estaba revueltísimo —aclaración de todo punto innecesaria— y que semejante desorden se debía al descuido de un fray Venancio, administrador de su padre, y del actual abad de Ulloa, en cuyas manos pecadoras había venido el archivo a parar en lo que Julián veía...

—Pues así no puede * seguir —exclamaba el capellán...— ¡Papeles de importancia tratados de este modo! Hasta es muy fácil que alguno se pierda.

—¡Naturalmente! Dios sabe los desperfectos que ya me habrán causado, y cómo andará todo, porque yo ni mirarlo quiero... Esto es lo que usted ve: ¡un desastre, una perdición! ¡Mire usted... mire usted lo que tiene ahí a sus pies! ¡Debajo de una bota!

Julián levantó el pie muy asustado, y el marqués se bajó recogiendo del suelo un libro delgadísimo, encuadernado en badana verde, del cual pendía rodado sello de plomo. Tomólo Julián con respeto, y al abrirlo, sobre

---

tanto en el sentido de 'cartera para llevar libros' como en la de 'cartapacio' o 'carpeta de escritorio'.

En cuanto a las obleas, eran trocitos de goma arábiga, generalmente de forma circular, en láminas, que se usaban para cerrar las cartas.

[17] La palabra se ha mantenido con b en todas las ediciones que conozco, pero es un error ortográfico, ya que en el mismo texto puede verse que se trata de sillas de cuero; por tanto, de "vaqueta", 'cuero de ternera curtido y adobado' (Dic. de la RAE).

* no se puede.

la primer hoja de vitela,[18] se destacó una soberbia miniatura heráldica, de colores vivos y frescos a despecho de los años.

—¡Una ejecutoria de nobleza! —declaró el señorito gravemente.

Por medio de su pañuelo doblado, la limpiaba Julián del moho, tocándola con manos delicadas. Desde niño le había enseñado su madre a reverenciar la sangre ilustre, y aquel pergamino escrito con tinta roja, miniado, dorado, le parecía cosa muy veneranda, digna de compasión por haber sido pisoteada, hollada bajo la suela de sus botas. Como el señorito permanecía serio, de codos en la mesa, las manos cruzadas bajo la barba, otras palabras del señor de la Lage acudieron a la memoria del capellán: "Todo eso de la casa de mi sobrino debe de ser un desbarajuste... haría usted una obra de caridad * si lo arreglase un poco." La verdad es que él no entendía gran cosa de papelotes; pero con buena voluntad y cachaza...

—Señorito —murmuró— ¿y por qué no nos dedicamos a ordenar esto como Dios manda? Entre usted y yo, mal sería que no acertásemos. Mire usted; primero apartamos lo moderno de lo antiguo; de lo que esté muy estropeado se podría hacer sacar copia; lo roto se pega con cuidadito con unas tiras de papel transparente...

El proyecto le pareció al señorito de perlas. Convinieron en ponerse al trabajo desde la mañana siguiente. Quiso la desgracia que al otro día Primitivo descubriese en un maizal próximo un bando entero de perdices entretenido en comerse la espiga madura. Y el marqués se terció la carabina y dejó para siempre jamás amén a su capellán bregar con los documentos.

[18] Es un pergamino hecho con piel de vaca o ternera muy pelada, estirada y pulida.
* obra de caridad.

IV

Y el capellán lidió con ellos a brazo partido, sin tregua, tres o cuatro horas todas las mañanas. [19] Primero limpió, sacudió, planchó sirviéndose de la palma de la mano,
pegó papelitos de cigarro a fin de juntar los pedazos
rotos de alguna escritura. Parecíala estar desempolvando,
encolando y poniendo en orden la misma casa de Ulloa,
que iba a salir de sus manos hecha una plata. La tarea,
en apariencia fácil, no dejaba de ser enfadosa para el
aseado presbítero: le sofocaba una atmósfera de mohosa
humedad; cuando alzaba un montón de papeles deposi-
tado desde tiempo inmemorial en el suelo, caía a veces
la mitad de los documentos hecha añicos por el diente
menudo e incansable del ratón; las polillas, que parecen
polvo organizado y volante, agitaban sus alas y se le
metían por entre la ropa; las correderas, perseguidas en
sus más secretos asilos, salían ciegas de furor o de miedo,
obligándole, no sin gran repugnancia, a despachurrarlas

[19] Esta forma de empezar el capítulo con una conjunción copu-
lativa que empalma con la frase final del capítulo precedente es
en doña Emilia, recuerdo de sus lecturas de los clásicos españoles, concretamente de *Don Quijote,* del que dice en los "Apuntes
autobiográficos" que cuando era niña se sabía de memoria capítulos enteros (recuérdese que el capítulo III acaba con la frase:
... "le dejó ir en buena hora", y el IV empieza diciendo: "La del
alba sería cuando don Quijote salió de la venta..." Que la misma construcción se encuentre en los capítulos III y IV de los
Pazos quizá no sea casual).

con los tacones, tapándose los oídos para no percibir el *¡chac!* estremecedor que produce el cuerpo estrujado del insecto; las arañas, columpiando su hidrópica panza sobre sus descomunales zancos, solían ser más listas y refugiarse prontísimamente en los rincones oscuros, adonde las guía misterioso instinto estratégico. De tanto asqueroso bicho, tal vez el que más repugnaba a Julián era una especie de lombriz o gusano de humedad, frío y negro, que se encontraba siempre inmóvil y hecho una rosca debajo de los papeles, y al tocarlo producía la sensación de un trozo de hielo blando y pegajoso.[20]

Al cabo, a fuerza de paciencia y resolución, triunfó Julián en su batalla con aquellas alimañas impertinentes, y en los estantes, ya despejados, fueron alineándose los documentos, ocupando, por efecto milagroso del buen orden, la mitad menos que antes, y cabiendo donde no cupieron jamás. Tres o cuatro ejecutorias, todas con su colgante de plomo, quedaron apartadas, envueltas en paños limpios. Todo estaba arreglado ya, excepto un tramo de la estantería donde Julián columbró los lomos oscuros, fileteados de oro, de algunos libros antiguos. Era la biblioteca de un Ulloa, un Ulloa de principios del siglo: Julián extendió la mano, cogió un tomo al azar, lo abrió, leyó la portada... "La Henriada, poema francés, puesto en verso español: su autor el señor de Voltaire..."[21]

---

[20] Este tipo de descripciones, donde no se escatiman los detalles desagradables y donde se encuentra, incluso, cierta complacencia, cierta morosidad por parte del narrador, que parece recrearse en ellas, fue lo que el público identificó con la escuela naturalista. La Pardo Bazán, en este aspecto, se consideraba discípula del realismo español y no de Zola, cuyos excesos criticó. En *La cuestión palpitante*, decía: "el toque está en saber detenerse a tiempo en las lindes del terreno vedado por la decencia artística".

[21] Francisco María Arouet, Voltaire (1694-1778), fue conocido en España, sobre todo, por sus obras teatrales y poéticas, como la citada *Henriada*, poema épico sobre la figura del monarca Enrique IV. Sus obras filosóficas se leyeron mucho menos, pero fue muy combatido por la Iglesia Católica que no estableció distinción entre unas y otras.

Volvió a su sitio el volumen, con los labios contraídos
y los ojos bajos, como siempre que algo le hería o escan-
dalizaba: no era en extremo intolerante, pero lo que es
a Voltaire, de buena gana le haría lo que a las cucara-
chas: no obstante, limitóse a condenar la biblioteca, a
no pasar ni un mal paño por el lomo de los libros: de
suerte que polillas, gusanos y arañas, acosadas en todas
partes, hallaron refugio a la sombra del risueño Arouet
y su enemigo el sentimental Juan Jacobo, [22] que también
dormía allí sosegadamente desde los años de 1816.

No era tortas y pan pintado la limpieza material del
archivo; sin embargo, la verdadera obra de romanos fue
la clasificación. ¡Aquí te quiero! parecían decir los papelotes así que Julián intentaba distinguirlos. * Un embro-
llo, una madeja sin cabo, un laberinto sin hilo conductor.
No existía faro que pudiese guiar por el piélago insondable: ni libros becerros, ni estados, ni nada. Los únicos
documentos que encontró fueron dos cuadernos mugrien-
tos y apestando a tabaco, donde su antecesor el abad de
Ulloa apuntaba los nombres de los pagadores y arrenda-
tarios de la casa, y al margen, con un signo inteligible
para él solo, o con palabras más enigmáticas aún, el
balance de sus pagos. Los unos tenían una cruz, los otros
un garabato, los de más allá una llamada, y los menos,
las frases *no paga, pagará, va pagando, ya pagó* ¿Qué sig-
nificaban pues el garabato y la cruz? Misterio insondable.
En una misma página se mezclaban gastos e ingresos:
aquí aparecía Fulano como deudor insolvente, y dos renglones más abajo, como acreedor por jornales. Julián
sacó del libro del abad una jaqueca tremebunda. Bendijo
la memoria de fray Venancio, que, más radical, no dejara

---

[22] Juan Jacobo Rousseau (1712-1778). En la España de la ilustración fue muy leído, sobre todo, su *Emilio*, que, a pesar de haber sido incluido en el índice de libros prohibidos, se difundió
mucho. Sus ideas sobre la inocencia y la bondad natural del
hombre (contrarias al dogma del pecado original) impregnaron,
además de la literatura, la filosofía y la pedagogía de los siglos XVIII y XIX.
* separarlos.

Retrato de doña Emilia Pardo Bazán. Oleo de Vaamonde.

Doña Emilia Pardo Bazán en su gabinete de trabajo, en una fotografía de principios de siglo.

ni rastro de cuentas, ni el menor comprobante de su larga gestión.

Había puesto Julián manos a la obra con sumo celo, creyendo no le sería imposible orientarse en semejante caos de papeles. Se desojaba para entender la letra antigua y las enrevesadas rúbricas de las escrituras; quería al menos separar lo correspondiente a cada uno de los tres o cuatro principales partidos de renta con que contaba la casa; y se asombraba de que para cobrar tan poco dinero, tan mezquinas cantidades de centeno y trigo, se necesitase tanto fárrago de procedimientos, * tanta documentación indigesta. Perdíase en un dédalo de foros y subforos, prorrateos, censos, pensiones, vinculaciones, cartas dotales, diezmos, tercios, pleitecillos menudos, de atrasos, y pleitazos gordos, de partijas. A cada paso se le confundía más en la cabeza toda aquella papelería trasconejada; si las obras de reparación, como poner carpetas de papel fuerte y blanco a las escrituras que se deshacían de puro viejas le eran ya fáciles, no así el conocimiento científico de los malditos papelotes, ** indescifrables para quien no tuviese lecciones *** y práctica. Ya desalentado, se lo confesó al marqués.

—Señorito, yo no salgo del paso... Aquí convenía un abogado, una persona entendida.

—Sí, sí, hace mucho tiempo que lo pienso yo también... Es indispensable tomar mano en eso, porque la documentación debe andar perdida... ¿Cómo la ha encontrado usted? ¿Hecha una lástima? Apuesto **** a que sí.

Dijo esto el marqués con aquella entonación vehemente y sombría que adoptaba al tratar de sus propios asuntos, por insignificantes que fuesen; y mientras hablaba, entretenía las manos ciñendo su collar de cascabeles a la Chula, con la cual iba a salir a matar unas codornices.

---

    * papelotes.
  ** papelorios.
 *** inteligencia.
**** apuesto que

—Sí, señor —murmuró Julián…— No está nada bien, no… Pero la persona acostumbrada a estas cosas, se desenreda en ellas en un soplo… Y tiene que venir pronto quien sea, porque los papeles no ganan así.

La verdad era que el archivo había producido en el alma de Julián la misma impresión que toda la casa: la de una ruina, ruina vasta y amenazadora, que representaba algo grande en lo pasado, pero en la actualidad se desmoronaba a toda prisa. Era esto en Julián aprensión no razonada, que se transformaría en convicción, si conociese bien algunos antecedentes de familia del marqués. [23]

Don Pedro Moscoso de Cabreira y Pardo de la Lage quedó huérfano de padre muy niño aún. A no ser por semejante desgracia, acaso hubiera tenido carrera: los Moscosos conservaban, desde el abuelo afrancesado, enciclopedista y francmasón que se permitía leer al *señor de Voltaire,* cierta tradición de cultura trasañeja, medio extinguida ya, pero suficiente todavía para empujar a un Moscoso a los bancos del aula. En los Pardos de la Lage era al contrario axiomático que más vale asno vivo que doctor muerto. Vivían entonces los Pardos en su casa solariega, no muy distante de la de Ulloa: al enviudar la madre de don Pedro, el mayorazgo de la Lage iba a casarse en Santiago con una señorita de distinción, trasladando sus reales al pueblo; y don Gabriel, el segundón, se vino a los Pazos de Ulloa, para acompañar a su hermana, según decía, y servirle de amparo; en realidad, afirmaban los maldicientes, para disfrutar a su talante las rentas del cuñado difunto. Lo cierto es que don Gabriel en poco tiempo asumió el mando de la casa: él descubrió y propuso para administrador a aquel bendito exclaustrado fray Venancio, medio chocho desde la exclaustración, medio idiota de nacimiento ya, a cuya sombra pudo manejar a su gusto la hacienda del sobrino, des-

[23] A partir de aquí la voz narradora inicia un salto atrás para contar los antecedentes del actual propietario de los *Pazos,* con técnica de narrador omnisciente: Don Pedro Moscoso de Cabreira y Pardo de la Lage quedó huérfano de padre…"

empeñando la tutela. Una de las habilidades de don Gabriel fue hacer partijas con su hermana cogiéndole mañosamente casi toda su legítima, despojo a que asintió la pobre señora, absolutamente inepta en materia de negocios, hábil sólo para ahorrar el dinero que guardaba con sórdida avaricia, y que tuvo la imprudente niñería de ir poniendo en onzas de oro, de las más antiguas, de premio. Cortos eran los réditos del caudal de Moscoso que no se deslizaban de entre los dedos temblones de fray Venancio a las robustas palmas del tutor; pero si lograban pasar a las de doña Micaela, ya no salían de allí sino en forma de peluconas, [24] camino de cierto escondrijo misterioso, acerca del cual iba poco a poco formándose una leyenda en el país. Mientras la madre atesoraba, don Gabriel educaba al sobrino a su imagen y semejanza, llevándolo consigo a ferias, cazatas, franca-chelas rústicas, y acaso distracciones menos inocentes, y enseñándole, como decían allí, a cazar la perdiz blanca; y el chico adoraba en aquel tío jovial, vigoroso y resuelto, diestro en los ejercicios corporales, groseramente chistoso, como todos los de la Lage, en las sobremesas; especie de señor feudal acatado en el país, que enseñaba prácticamente al heredero de los Ulloas el desprecio de la humanidad y el abuso de la fuerza. Un día que tío y sobrino se deportaban, según costumbre, a cuatro o seis leguas de distancia de los Pazos, habiéndose llevado consigo al criado y al mozo de cuadra, a las cuatro de la tarde y estando abiertas todas las puertas del caserón solariego, se presentó en él una gavilla de veinte hombres enmascarados o tiznados de carbón, que maniató y amordazó * a la criada, hizo ** echarse boca abajo a fray Venancio, y apoderándose de doña Micaela, le intimó *** que enseñase el escondrijo de las onzas: y como la señora

[24] Se llamaban así a las onzas de oro acuñadas con el busto de los reyes de la casa de Borbón, hasta Carlos IV, inclusive.
 * maniataron y amordazaron.
 ** hicieron.
 *** intimaron.

se negase, después de abofetearla, empezaron a mecharla
con la punta de una navaja, mientras unos cuantos proponían que se calentase aceite para freírle los pies. Así que
le acribillaron un brazo y un pecho, pidió compasión y descubrió, debajo de un arca enorme, el famoso escondrijo,
trampa hábilmente disimulada por medio de una tabla
igual a las demás del piso, pero que subía y bajaba a
voluntad. Recogieron los ladrones las hermosas medallas,
apoderándose también de la plata labrada que hallaron a
mano, y se retiraron de los Pazos a las seis, antes que
anocheciese del todo. Algún labrador o jornalero les vio
salir; pero ¿qué había de hacer? Eran veinte, bien armados con escopetas, pistolas y trabucos. [25]

Fray Venancio, que sólo había recibido tal cual puntapié o puñada despreciativa, no necesitó más pasaporte para irse al otro mundo, de puro miedo, en una semana;
la señora se apresuró menos; pero, como suele decirse, no
levantó cabeza, y de allí a pocos meses, una apoplegía
serosa le impidió seguir guardando onzas en un agujero
mejor disimulado. Del robo se habló largo tiempo en el
país, y corrieron rumores muy extraños: se afirmó que
los criminales no eran bandidos de profesión, sino gentes
conocidas y acomodadas, algunas de las cuales desempeñaban cargo público, y entre ellas se contaban personas
relacionadas de antiguo con la familia de Ulloa, que por
lo tanto estaban al corriente de las costumbres de la casa,
de los días en que se quedaba sin hombres y de la insaciable constancia de doña Micaela en recoger y conservar
la más valiosa moneda de oro. Fuese lo que fuese, la justicia no descubrió a los autores del delito, y don Pedro
quedó en breve sin otro pariente que su tío Gabriel. Éste
buscó para el sitio de fray Venancio a un sacerdote brusco, gran cazador, incapaz de morirse de miedo ante los
ladrones. Desde tiempo atrás les ayudaba en sus expedi

[25] Episodios de esta clase eran frecuentes en la realidad y en
ellos se inspiró con frecuencia doña Emilia. Recuérdense sus
cuentos: "Inútil", "Nieto del Cid", "Nuestro señor de las barbas"...

ciones cinegéticas Primitivo, la mejor escopeta furtiva del país, la puntería más certera, y el padre de la moza más guapa que se encontraba en diez leguas a la redonda. El fallecimiento de doña Micaela permitió que hija y padre se instalasen en los Pazos, ella a título de criada, él a título de... montero mayor, diríamos hace siglos; hoy no hay nombre adecuado para el empleo. Don Gabriel los tenía muy a raya a entrambos, olfateando en Primitivo un riesgo serio para su influencia: pero tres o cuatro años después de la muerte de su hermana, don Gabriel sufrió ataques de gota que pusieron en peligro su vida, y entonces se divulgó lo que ya se susurraba acerca de su casamiento secreto con la hija del carcelero de Cebre. El hidalgo se trasladó a vivir, mejor dicho a rabiar, en la villita; otorgó testamento legando a tres hijos que tenía sus bienes y caudal, sin dejar al sobrino don Pedro ni el reloj en memoria; y habiéndosele subido la gota al corazón, entregó su alma a Dios de malísima gana; con lo cual hallóse el último de los Moscosos dueño de sí por completo. [26]

Gracias a todas estas vicisitudes, socaliñas y pellizcos, la casa de Ulloa, a pesar de poseer dos o tres decentes núcleos de renta, estaba enmarañada y desangrada: era lo que presumía Julián: una ruina. Dada la complicación de red, la subdivisión atomística que caracteriza a la propiedad gallega, un poco de descuido o mala administración basta para minar los cimientos de la más importante fortuna territorial. La necesidad de pagar ciertos censos atrasados y sus intereses había sido causa de que la casa se gravase con una hipoteca no muy cuantiosa; pero la hipoteca es como el cáncer: empieza atacando un punto del organismo y acaba por inficionarlo todo. Con motivo de los susodichos censos, el señorito buscó asiduamente las onzas del nuevo escondrijo de su madre: tiempo perdido; o la señora no había atesorado más desde el robo

[26] Aquí se cierra la vuelta atrás. En el párrafo siguiente la voz narradora vuelve al presente, empalmando el relato donde lo había dejado: la impresión de ruina que tiene el capellán a la vista del archivo.

o lo había ocultado tan bien, que no diera con ello el mismo diablo.

La vista de la tal hipoteca contristó a Julián, pues el buen clérigo empezaba a sentir la adhesión especial de los capellanes por las casas nobles en que entran; pero más le llenó de confusión encontrar entre los papelotes la documentación relativa a un pleitecillo de partijas, sostenido por don Alberto Moscoso, padre de don Pedro, con... ¡el marqués de Ulloa!

Porque ya es hora de decir que el marqués de Ulloa auténtico y legal, el que consta en la *Guía de forasteros,* [27] se paseaba tranquilamente en carretela por la Castellana, durante el invierno de 1866 a 1867, [28] mientras Julián exterminaba correderas en el archivo de los Pazos. Bien ajeno estaría él de que el título de nobleza por cuya carta de sucesión había pagado religiosamente su impuesto de *lanzas y medias anatas,* [29] lo disfrutaba gratis un pariente suyo, en un rincón de Galicia. Verdad que al legítimo marqués de Ulloa, que era Grande de España de primera clase, duque de algo, marqués tres veces y conde dos lo menos, nadie le conocía en Madrid sino por el ducado, por aquello de que baza mayor quita menor, aun cuando el título de Ulloa, radicado en el claro solar de Cabreira de Portugal, pudiese ganar en antigüedad y estimación a los más eminentes. Al pasar a una rama colateral la hacienda de los Pazos de Ulloa, fue el marquesado a don-

[27] Era una publicación de la época de carácter oficial que salía anualmente y contenía los nombres de las personas que ejercían cargos públicos o dignidades importantes del Estado.

[28] La escritora nos da con esta referencia la fecha interna del comienzo de la novela con toda precisión: el invierno de 1866-1867, es decir, veinte años justos antes de la fecha de redacción y publicación, que es 1886.

[29] Se llamaba "lanza" al servicio en dinero que pagaban al rey los grandes de España y títulos nobiliarios en lugar de los soldados con que debían asistirle en campaña. La "media anata" era en principio la cantidad que se pagaba al ingreso en cualquier beneficio y equivalía a la mitad de lo que producía en un año. Después pasó a significar la cantidad que se pagaba por los títulos honoríficos.

de correspondía por rigurosa agnación; [30] pero los aldeanos, que no entienden de agnaciones, hechos a que los Pazos de Ulloa diesen nombre al título, siguieron llamando marqueses a los dueños de la gran huronera. Los señores de los Pazos no protestaban: eran marqueses por derecho consuetudinario: y cuando un labrador, en un camino hondo, se descubría respetuosamente ante don Pedro, murmurando: "Vaya usía muy dichoso, señor marqués", don Pedro sentía un cosquilleo grato en la epidermis de la vanidad, y contestaba con voz sonora: "Felices tardes."

[30] *Agnación*: orden de sucesión en las vinculaciones.

V

Del famoso arreglo del archivo sacó Julián los pies fríos
y la cabeza caliente: él bien quisiera despabilarse, aplicar
prácticamente las nociones adquiridas acerca del estado
de la casa, para empezar a ejercer con inteligencia sus
funciones de administrador; mas no acertaba, no podía;
su inexperiencia en cosas rurales y jurídicas se traslucía
a cada paso. Trataba de estudiar el mecanismo interior de
los Pazos: tomábase el trabajo de ir a los establos, a las
cuadras, de enterarse de los cultivos, de visitar la granera,
el horno, los hórreos, las eras, las bodegas, los alpendres,
cada dependencia y cada rincón; de preguntar para qué
servía esto y aquello y lo de más allá, y cuánto costaba
y a cómo se vendía; labor inútil, pues olfateando por todas partes abusos y desórdenes, no conseguía nunca, por
su carencia de malicia y de gramática parda, poner el
dedo sobre ellos y remediarlos. El señorito no le acompañaba en semejantes excursiones: harto tenía que hacer con
ferias, caza y visitas a gentes de Cebre o del señorío montañés: de suerte que el guía de Julián era Primitivo. Guía
pesimista si los hay. Cada reforma que Julián quería plan-
tear, la calificaba de imposible, encogiéndose de hombros;
cada superfluidad que intentaba suprimir, la declaraba el
cazador indispensable al buen servicio de la casa. Ante el
celo de Julián surgían montones de dificultades menudas,
impidiéndole realizar ninguna modificación útil. Y lo más
alarmante era observar la encubierta, pero real omnipo-
tencia de Primitivo. Mozos, colonos, jornaleros y hasta el

164

ganado en los establos parecía estarle supeditado y propicio: el respeto adulador con que trataban al señorito, el saludo, mitad desdeñoso y mitad indiferente que dirigían al capellán, se convertían en sumisión absoluta hacia Primitivo, no manifestada por fórmulas exteriores, sino por el acatamiento instantáneo de su voluntad, indicada a veces con sólo el mirar directo y frío de sus ojuelos sin pestañas. Y Julián se sentía humillado en presencia de un hombre que mandaba allí como indiscutible autócrata, desde su ambiguo puesto de criado con ribetes de mayordomo. Sentía pesar sobre su alma la ojeada escrutadora de Primitivo que avizoraba sus menores actos, y estudiaba su rostro, sin duda para averiguar el lado vulnerable de aquel presbítero, sobrio, desinteresado, que apartaba los ojos de las jornaleras garridas. Tal vez la filosofía de Primitivo era que no hay hombre sin vicio, y no había de ser Julián la excepción.

Corría entre tanto el invierno, y el capellán se habituaba a la vida campestre. El aire vivo y puro le abría el apetito: no sentía ya las efusiones de devoción que al principio, y sí una especie de caridad humana que le llevaba a interesarse en lo que veía a su alrededor, especialmente los niños y los irracionales, con quienes desahogaba su instintiva ternura. Aumentábase su compasión hacia Perucho, el rapaz embriagado por su propio abuelo; le dolía verle revolcarse constantemente en el lodo del patio, pasarse el día hundido en el estiércol de las cuadras, jugando con los becerros, mamando del pezón de las vacas leche caliente o durmiendo en el pesebre, entre la hierba destinada al pienso de la borrica,[31] y determinó consagrar algunas horas de las largas noches de invierno a enseñar al chiquillo el abecedario, la doctrina y los números. Para realizarlo se acomodaba en la vasta mesa, no lejos del fuego del hogar, cebado por Sabel con gruesos troncos, y recogiendo al niño en sus rodillas, a la luz del triple mechero del velón, le iba guiando paciente-

---

[31] Creo que la insistencia de doña Emilia en esa imagen animalizada del niño se puede calificar de naturalista.

mente el dedo sobre el silabario, repitiendo la monótona salmodia por donde empieza el saber: *be-a bá, be-e, bé, be-i, bí...* El chico se deshacía en bostezos enormes, en muecas risibles, en momos de llanto, en chillidos de estornino preso; se acorazaba, se defendía contra la ciencia de todas las maneras imaginables, pateando, gruñendo, escondiendo la cara, escurriéndose, al menor descuido del profesor, para ocultarse en cualquier rincón o volverse al tibio abrigo del establo.

En aquel tiempo frío, la cocina se convertía en tertulia, casi exclusivamente compuesta de mujeres. Descalzas y pisando de lado, como recelosas, iban entrando algunas, con la cabeza resguardada por una especie de mandilón de picote: [32] muchas gemían de gusto al acercarse a la deleitable llama; otras, tomando de la cintura el huso y el copo de lino, hilaban después de haberse calentado las manos, o sacando del bolsillo castañas, las ponían a asar entre el rescoldo, y todas, empezando por cuchichear bajito, acababan por charlotear como urracas. Era Sabel la reina de aquella pequeña corte: sofocada por la llama, con los brazos arremangados, los ojos húmedos, recibía el incienso de las adulaciones, hundía el cucharón de hierro en el pote, llenaba cuencos de caldo, y al punto una mujer desaparecía del círculo, refugiábase en la esquina o en un banco, donde se la oía mascar ansiosamente, soplar el hirviente bodrio y lengüetear contra la cuchara. Noches había en que no se daba la moza punto de reposo en colmar tazas, ni las mujeres en entrar, comer y marcharse

---

[32] Ni en castellano ni en gallego encuentro documentada la voz "mandilón" como prenda de abrigo para la cabeza. Creo que se está refiriendo al "mantelo" ordinario, de tela basta, que era un delantal que cubría toda la falda y que podía remangarse para proteger la cabeza del frío o la lluvia. En la primera escena de *La Madre Naturaleza*, Manolita y Perucho se protegen así de la lluvia remangándose ella "las faldas". En cuanto a la voz "picote" creo que la autora la usa en la acepción gallega que recogen los diccionarios de Carré Alvarellos y Franco Grande: tejido hecho de lino y lana, y no en la castellana que aparece en el *Diccionario de la RAE*: tela de pelo de cabra, o de seda.

para dejar a otras el sitio: allí desfilaba sin duda, como en mesón barato, la parroquia entera. Al salir cogían aparte a Sabel: y si el capellán no estuviese tan distraído con su rebelde alumno, vería algún trozo de tocino, pan o *lacón* rápidamente escondido en un justillo, o algún chorizo cortando con prontitud de las ristras pendientes en la chimenea, que no menos velozmente pasaba a las faltriqueras. La última tertuliana que se quedaba, la que secreteaba más tiempo y más íntimamente con Sabel, era la vieja de las greñas de estopa, entrevista por Julián la noche de su llegada a los Pazos. Era imponente la fealdad de la bruja: tenía las cejas canas, y de perfil le sobresalían, como también las cerdas de un lunar; el fuego hacía resaltar la blancura del pelo, el color atezado del rostro y el enorme *bocio* o papera que deformaba su garganta del modo más repulsivo. Mientras hablaba con la frescachona Sabel, la fantasía de un artista podía evocar los cuadros de tentaciones de San Antonio en que aparecen juntas una asquerosa hechicera y una mujer hermosa y sensual, con pezuña de cabra. [33]

Sin explicarse el por qué, empezó a desagradar a Julián la tertulia y las familiaridades de Sabel, que se le arrimaba continuamente, a pretexto de buscar en el cajón de la mesa un cuchillo, una taza, cualquier objeto indispensable. Cuando la aldeana fijaba en él sus ojos azules, anegados en caliente humedad, el capellán experimentaba malestar violento, comparable sólo al que le causaban los de Primitivo, que a menudo sorprendía clavados a hurtadillas en su rostro. Ignorando en qué fundar sus recelos, creía Julián que meditaban alguna asechanza. Era Pri-

<hr>

[33] Creo que doña Emilia ha mezclado en su recuerdo dos temas pictóricos diferentes: uno el de la joven con la vieja Celestina, que sin duda ha visto en los grabados de Goya; el otro tema es el de las tentaciones de San Antonio, en el que aparece junto al santo una joven hermosa con atributos demoníacos, que pueden ser pata de cabra o garra de ave o cuernos. Este último tema es frecuente en pinturas y, sobre todo, grabados de la escuela flamenca y alemana: Lucas van Leyden, Gossaert, Nikolau Manuel Deutsch...

mitivo, salvo tal cual momentáneo acceso de brusca y sel-
vática alegría, hombre taciturno, a cuya faz de bronce
asomaban rara vez los sentimientos; y con todo eso, Julián
se juzgaba blanco de hostilidad encubierta por parte del
cazador; en rigor, ni hostilidad podía llamarse; más bien
tenía algo de observación y acecho, la espera tranquila
de una res, a quien, sin odiarla, se desea cazar cuanto
antes. Semejante actitud no podía definirse, ni expresarse
apenas. Julián se refugió en su cuarto, adonde hizo subir,
medio arrastro,* al niño, para la lección acostumbrada.
Así como así, el invierno había pasado y el calor de la
lareira [34] no era apetecible ya.

En su habitación pudo el capellán notar mejor que en
la cocina la escandalosa suciedad del angelote. Media pulgada de roña le cubría la piel, y en cuanto al cabello,
dormían en él capas geológicas, estratificaciones en que
entraba tierra, guijarros menudos, toda suerte de cuerpos
extraños. Julián cogió a viva fuerza al niño, lo arrastró
hacia la palangana,** que ya tenía bien abastecida de jarras, toallas y jabón. Empezó a frotar. ¡María Santísima
y qué primer agua la que salió de aquella empecatada carita! Lejía pura, de la más turbia y espesa. Para el pelo
fue preciso emplear aceite, pomada, agua a chorros, un
batidor de gruesas púas que desbrozase la virgen selva.
Al paso que adelantaba la faena, iban saliendo a luz las
bellísimas facciones, dignas del cincel antiguo, coloreadas
con la pátina del sol y del aire, y los bucles, libres de
estorbos, se colocaban artísticamente como en una testa
de Cupido y descubrían su matiz castaño dorado, que acababa de entonar la figura. ¡Era pasmoso lo bonito que
había hecho Dios a aquel muñeco!

---

* arrastra.
[34] Es el sitio de la cocina donde se enciende el fuego para
hacer la comida. Generalmente, está formada por una piedra
grande o varias más pequeñas ensambladas. Alrededor queda un
espacio amplio donde se sientan en invierno las personas. Suele
estar cubierto por la campana de la chimenea, pero no siempre
es así.
** el aguamanil (…) abastecido.

Todos los días, que gritase o que se resignase el chiqui-llo, Julián lo lavaba así antes de la lección. Por aquel * respeto que profesaba a la carne humana no se atrevía a bañarle el cuerpo, medida bien necesaria en verdad. Pero con los lavatorios y el carácter bondadoso de Julián, el diablillo iba tomándose demasiadas confianzas y no dejaba cosa a vida en el cuarto. Su desaplicación, mayor a cada instante, desesperaba al pobre presbítero: la tinta le servía a Perucho para meter en ella la mano toda y plantarla después sobre el silabario; la pluma, para arran-carle las barbas y romperle el pico cazando moscas en los vidrios; el papel, para rasgarlo en tiritas o hacer con él cucuruchos; las arenillas, para volcarlas sobre la mesa y figurar con ellas montes y collados, donde se complacía en producir cataclismos hundiendo el dedo de golpe. Ade-más, revolvía la cómoda de Julián, deshacía la cama brin-cando encima, y un día llegó al extremo de prender fuego a las botas de su profesor, llenándolas de fósforos encen-didos.

Bien aguantaría Julián estas diabluras con la esperanza de sacar algo en limpio de semejante hereje; pero se com-plicaron con otra cosa bastante más desagradable: las idas y venidas frecuentes de Sabel por su habitación. Siempre encontraba la moza algún pretexto para subir: que se le había olvidado recoger el servicio del chocolate, que se le había *esquecido* [35] mudar la toalla. Y se endio-saba, y tardaba un buen rato en bajar, entreniéndose en arreglar cosas que no estaban revueltas, o poniéndose de pechos en la ventana, muy risueña y campechanota, alar-deando de una confianza que Julián, cada día más reser-vado, no autorizaba en modo alguno.

Una mañana entró Sabel a la hora de costumbre con las jarras de agua para las abluciones del presbítero, que, al recibirlas, no pudo menos de reparar, en una rápida

---

* el.
[35] En gallego "olvidado". Reproduce el narrador la expresión utilizada por Sabel para justificar su presencia en la habitación del cura.

ojeada, cómo la moza venía en justillo y enaguas, con la camisa entreabierta, el pelo destrenzado y descalzos un pie y pierna blanquísimos, pues Sabel, que se calzaba siempre y no hacía más que la labor de cocina, y ésa con mucha ayuda de criadas de campo y comadres, no tenía la piel curtida, ni deformados los miembros. Julián retrocedió, y la jarra tembló en su mano, vertiéndose un chorro de agua por el piso.

—Cúbrase usted, mujer —murmuró con voz sofocada por la vergüenza—. No me traiga nunca el agua cuando esté así... Ése no es modo de presentarse a la gente.

—Me estaba peinando y pensé que me llamaba... —respondió ella sin alterarse, sin cruzar siquiera las palmas sobre el escote.

—Aunque la llamase no era regular venir en ese traje... Otra vez que se esté peinando, que me suba el agua Cristobo o la chica del ganado... o cualquiera...

Y al pronunciar estas palabras, volvíase de espaldas para no ver más a Sabel, que se retiraba lentamente.

Desde aquel punto y hora, Julián se desvió de la muchacha como de un animal dañino e impúdico; no obstante, aún le parecía poco caritativo atribuir a malos fines su desaliño indecoroso, prefiriendo achacarlo a ignorancia y rudeza. Pero ella se había propuesto demostrar lo contrario. Poco tiempo iba transcurrido desde la severa reprimenda, cuando una tarde, mientras Julián leía tranquilamente la *Guía de Pecadores,* [36] sintió entrar a Sabel y notó, sin levantar la cabeza, que algo arreglaba en el cuarto. De pronto oyó un golpe, como caída de persona contra algún mueble, y vio a la moza recostada en la cama, despidiendo lastimeros ayes y hondos suspiros. Se quejaba de una *aflición,* una cosa repentina, y Julián, turbado pero compadecido, acudió a empapar una toalla para humedecerle las sienes, y a fin de ejecutarlo se acercó a la acongojada enferma. Apenas se inclinó hacia ella, pudo —a pesar de su poca experiencia y ninguna mali-

---

[36] Obra de Fray Luis de Granada (1504-1588) de carácter ascético.

cia— convencerse de que el supuesto ataque no era sino bellaquería grandísima y sinvergüenza calificada. Una ola de sangre encendió a Julián hasta el cogote: sintió la cólera repentina, ciega, que rarísima vez fustigaba su linfa, y señalando a la puerta exclamó:

—Se me va usted de aquí ahora mismo o la echo a empellones..., ¿entiende usted? No me vuelve a usted a cruzar esa puerta... Todo, todo lo que necesite, me lo traerá Cristobo... ¡Largo inmediatamente!

Retiróse la moza cabizbaja y mohína, como quien acaba de sufrir pesado chasco. Julián, por su parte, quedó tembloroso, agitado, descontento de sí mismo, cual suelen los pacíficos cuando ceden a un arrebato de ira: hasta sentía dolor físico en el epigastrio. A no dudarlo, se había excedido; debió dirigir a aquella mujer una exhortación fervorosa en vez de * palabras de menosprecio. Su obligación de sacerdote era enseñar, corregir, perdonar, no pisotear a la gente como a los bichos del archivo. Al cabo Sabel tenía un alma, redimida por la sangre de Cristo igual que otra cualquiera. Pero ¿quién reflexiona, quién se modera ante tal descaro? Hay un movimiento que llaman los escolásticos *primo primis:* fatal e inevitable. Así se consolaba el capellán. De todos modos, era triste cosa tener que vivir con aquella mala hembra, no más púdica que las vacas. ¿Cómo podía haber mujeres así? Julián recordaba a su madre, tan modosa, siempre con los ojos bajos y la voz almibarada y suave, con su *casabé*[37] abrochado hasta la nuez, sobre el cual, para mayor recato, caía liso, sin arrugas, un pañuelito de seda negra. ¡Qué mujeres! ¡Qué mujeres se encuentran por el mundo!

Desde el funesto lance tuvo Julián que barrerse el cuarto y subirse el agua, porque ni Cristobo ni las criadas hicieron caso de sus órdenes, y a Sabel no quería verle ni

---

* y no de.

[37] Era una especie de blusa, holgada, de manga larga, levemente ceñida a la cintura y que caía sobre la falda. Solía emplearse para estar en casa y era prenda que no resaltaba, precisamente, los encantos femeninos.

la sombra en la puerta. * Lo que más extrañeza y susto le causó fue observar que Primitivo, después del suceso, no se recataba ya para mirarle con fijeza terrible, midiéndole con una ojeada que equivalía a una declaración de guerra. Julián no podía dudar que estorbaba en los Pazos ¿por qué? A veces meditaba en ello interrumpiendo la lectura de fray Luis de Granada y de los seis libros de San Juan Crisóstomo sobre el sacerdocio; pero al poco rato, descorazonado por tanta mezquina contrariedad, desesperado de ser útil jamás a la casa de Ulloa, se enfrascaba nuevamente en sus ** páginas místicas.

* no quería verla ni en pintura.
** las.

VI

De los párrocos de las inmediaciones, con ninguno había hecho Julián tan buenas migas como con don Eugenio, el de Naya. El abad de Ulloa, al cual veía con más frecuencia, no le era simpático por su desmedida afición al jarro y a la escopeta; y al abad de Ulloa, en cambio, le exasperaba Julián, a quien solía apodar *mariquitas;* porque para el abad de Ulloa, la última de las degradaciones en que podía caer un hombre era beber agua, lavarse con jabón de olor y cortarse las uñas; tratándose de un sacerdote, el abad ponía estos delitos en parangón con la simonía. "Afeminaciones, afeminaciones", gruñía entre dientes, convencidísimo de que la virtud en el sacerdote, para ser de ley, ha de presentarse bronca, montuna y cerril; aparte de que un clérigo no pierde, *ipso facto,* los fueros de hombre, y el hombre debe oler a bravío desde una legua. Con los demás curas de las parroquias cercanas tampoco frisaba mucho Julián: así es que, con idado a las funciones de iglesia, acostumbraba retirarse an pronto como se acababan las ceremonias, sin aceptar jamás la comida que era su complemento indispensable. Pero cuando don Eugenio le invitó con alegre cordialidad a pasar en Naya el *día del patrón,* aceptó de buen grado, comprometiéndose a *no faltarle.*

Según lo convenido, subió a Naya la víspera, rehusando la montura que le ofrecía don Pedro. ¡Para legua y media escasa! ¡Y con una tarde hermosísima! Apoyándose en un palo, dando tiempo a que anocheciese, deteniéndose a cada rato para recrearse mirando el paisaje, no tardó mucho en llegar al cerro que domina el caserío de Naya, tan oportunamente que vino a caer en medio del baile que, al son de la gaita, bombo y tamboril, a la luz de los *fachones* [38] de paja de centeno encendidos y agitados alegremente, preludiaba a los regocijos patronales. Poco tardaron los bailarines en bajar hacia la rectoral, cantando y *atruxando* [39] como locos, y con ellos descendió Julián.

El cura esperaba en la portalada misma: recogidas las mangas de su chaqueta, levantaba en alto un jarro de vino, y la criada sostenía la bandeja con vasos. Detúvose el grupo; el gaitero, vestido de pana azul, en actitud de cansancio, dejando desinflarse la gaita, cuyo *punteiro* caía sobre los rojos flecos del roncón, [40] se limpiaba la frente sudorosa con un pañuelo de seda, y los reflejos de la paja ardiendo y de las luces que alumbraban la casa del cura permitían distinguir su cara guapota, de correctas facciones, realzada por arrogantes patillas castañas. Cuando le sirvieron el vino, el rústico artista dijo cortésmente: "¡A la salud del señor abade y la compaña!", y, después de echárselo al coleto, aún murmuró con mucha política, pasándose el revés de la mano por la boca: "De hoy en veinte años, señor abade." Las libaciones consecutivas no fueron acompañadas de más fórmulas de atención.

Disfrutaba el párroco de Naya de una rectoral espaciosa, alborozada a la sazón con los preparativos de la fiesta, y asistía impávido a los preliminares del saco y ruina de

---

[38] Hachones de paja utilizados para alumbrar por los caminos en las noches oscuras o, como aquí, para iluminar el baile.

[39] "Atruxar" o, más correctamente, "aturuxar" consiste en lanzar gritos guturales, muy agudos y sostenidos ("aturuxos"). Tienen siempre un carácter festivo, alegre.

[40] La gaita gallega consta de un fuelle, llamado "fol", al que van unidos tres tubos de madera de boj: el "soplete", por el cual se sopla y se llena de aire el fuelle, el "punteiro" con los agujeros donde pulsa el tañedor, y el "roncón", más grueso y largo, que produce un sonido continuado y forma el bajo del instrumento. Este último va adornado con flecos.

su despensa, bodega, leñera y huerto. Era don Eugenio joven y alegre como unas pascuas, y su condición, más que de padre de almas, de pilluelo revoltoso y ladino; pero bajo la corteza infantil se escondía singular don de gentes y conocimiento de la vida práctica. Sociable y tolerante, había logrado no tener un solo enemigo entre sus compañeros. Le conceptuaban un *rapaz* inofensivo.

Tras el pocillo de aromoso chocolate dio a Julián la mejor cama y habitación que poseía, y le despertó cuando la gaita floreaba la alborada, rayando ésta apenas en los cielos. Fueron juntos los dos clérigos a revisar el decorado de los altares, compuestos ya para la misa solemne. Julián pasaba la revista con especial devoción, puesto que el patrón de Naya era el suyo mismo, el bienaventurado San Julián, que allí estaba en el altar mayor con su carita inocentona, su estática sonrisilla, su chupa y calzón corto, su paloma blanca en la diestra y la siniestra delicadamente apoyada en la chorrera de la camisola. [41] La imagen modesta, la iglesia desmantelada y sin más adorno que algún rizado cirio y humildes flores aldeanas puestas en toscos cacharros de loza, todo excitaba en Julián tierna piedad, la efusión que le hacía tanto provecho, ablandándole y desentumeciéndole el espíritu. Iban llegando ya los curas de las inmediaciones, y en el atrio, tapizado de hierba, se oía al gaitero templar prolijamente el instrumento, mientras en la iglesia el hinojo, esparcido por las losas y pisado por los que iban entrando, despedía olor campestre y fresquísimo. La procesión se organizaba; San Julián había descendido del altar mayor; la cruz y los

[41] Debe de tratarse de la imagen del San Julián llamado el Hospitalario, caballero y penitente, al que se representaba vestido con ropajes de época y con un halcón en la mano (que en muchas imágenes parece una paloma). Aunque sus compañeros de seminario llamaban al capellán "san Julián" no hay ninguna similitud entre la vida del santo, casado y aventurero, y la del tímido curita. DeCoster cree que la elección de este nombre, tan poco habitual en Galicia, por parte de la autora, se debe a una influencia inconsciente de *Une vie*, de Maupassant, cuyo protagonista se llama así (véase Bibliografía selecta).

estandartes oscilaban sobre el remolino de gentes amontonadas ya en la estrecha nave, y los mozos, vestidos de fiesta, con su pañuelo de seda en la cabeza en forma de *burelete,* se ofrecían a llevar las insignias sacras. Después de dar dos vueltas por el atrio y de detenerse breves instantes frente al crucero, el santo volvió a entrar en la iglesia, y fue *pujado,* con sus andas, a una mesilla al lado del altar mayor muy engalanada, y cubierta con antigua colcha de damasco carmesí. La misa empezó, regocijada y rústica, en armonía con los demás festejos. Más de una docena de curas la cantaban a voz en cuello, y el desvencijado incensario iba y venía, con retintín de cadenillas viejas, soltando un humo espeso y aromático, entre cuya envoltura algodonosa parecía suavizarse el desentono del *introito,* la aspereza de las broncas laringes eclesiásticas. El gaitero, prodigando todos sus recursos artísticos, acompañaba con el *punteiro* desmangado de la gaita y haciendo oficios de clarinete. Cuando tenía que sonar entera la orquesta, mangaba otra vez el *punteiro* en el *fol;* así podía acompañar la elevación de la hostia con una solemne marcha real, y el postcomunio con una muñeira de las más recientes y brincadoras, que, ya terminada la misa, repetía en el vestíbulo, donde tandas de mozos y mozas se desquitaban, bailando a su sabor, de la compostura guardada por espacio de una hora en la iglesia. Y el baile en el atrio lleno de luz, el templo sembrado de hojas de hinojo y espadaña que magullaron los pisotones, alumbrado, más que por los cirios, por el sol que puerta y ventanas dejaban entrar a torrentes, los curas jadeantes, pero satisfechos y habladores, el santo tan currutaco y lindo, muy risueño en sus andas, con una pierna casi en el aire para empezar un minueto y la cándida palomita pronta a abrir las alas, todo era alegre, terrenal, nada inspiraba la augusta melancolía que suele imperar en las ceremonias religiosas. Julián se sentía tan muchacho y contento como el santo bendito, y salía ya a gozar el aire libre, acompañado de don Eugenio, cuando en el corro de los bailadores distinguió a Sabel, lujosamente vestida de domingo, girando

con las demás mozas, al compás de la gaita. Esta vista le
aguó un tanto la fiesta.

Era a semejante hora la rectoral de Naya un infierno
culinario, si es que los hay. Allí se reunían una tía y dos
primas de don Eugenio —a quienes por ser muchachas
y frescas no quería el párroco tener consigo a diario en
la rectoral—; el ama, viejecilla llorona, estorbosa e inútil,
que andaba dando vueltas como un palomino atontado,
y otra ama bien distinta, de rompe y rasga, la del cura
de Cebre, que en sus mocedades había servido a un canónigo compostelano, y era célebre en el país por su destreza en batir mantequillas y asar capones. Esta fornida
guisandera, un tanto bigotuda, alta de pecho y de ademán
brioso, había vuelto la casa de arriba abajo en pocas horas, barriéndola desde la víspera a grandes y furibundos
escobazos, retirando al desván los trastos viejos, empezando a poner en marcha el formidable ejército de guisos,
echando a remojo los lacones y garbanzos y revistando, con
rápida ojeada de general en jefe, la hidrópica despensa,
atestada de dádivas de feligreses; cabritos, pollos, angui-
las, truchas, pichones, ollas de vino, manteca y miel, perdices, liebres y conejos, chorizos y morcillas. Conocido
ya el estado de las provisiones, ordenó las maniobras del
ejército: las viejas se dedicaron a desplumar aves, las mozas a fregar y dejar como el oro peroles, cazos y sartenes,
y un par de mozancones de la aldea, uno de ellos idiota
de oficio, a desollar reses y limpiar piezas de caza.

Si se encontrase allí algún maestro de la escuela pictó-
rica flamenca, de los que han derramado la poesía del
arte sobre la prosa de la vida doméstica y material, ¡con
cuánto placer vería el espectáculo de la gran cocina, la
hermosa actividad del fuego de leño que acariciaba la
panza reluciente de los peroles, los gruesos brazos del
ama confundidos con la carne no menos rolliza y sanguínea del asado que aderezaba, las rojas mejillas de las
muchachas entretenidas en retozar con el idiota, como
ninfas con un sátiro atado, arrojándole entre el cuero
y la camisa puñados de arroz y cucuruchos de pimiento!
Y momentos después, cuando el gaitero y los demás músi-

cos vinieron a reclamar su *parva* o desayuno, el guiso de intestinos de castrón, hígado y bofes, llamado en el país *mataburrillo*. [42] ¡cuán digna de su pincel encontraría la escena de rozagante apetito, de expansión del estómago, de carrillos hinchados y tragos de mosto despabilados al vuelo, que allí se representó entre bromas y risotadas!

¿Y qué valía todo ello en comparación del festín homérico preparado en la sala de la rectoral? Media docena de tablas tendidas sobre otros tantos cestos ayudaban a ensanchar la mesa cuotidiana; por encima dos limpios manteles de lamanisco [43] sostenían grandes jarros rebosando tinto añejo; y haciéndoles frente, en una esquina del aposento, esperaban turno ventrudas ollas henchidas del mismo líquido. La vajilla era mezclada, y entre el estaño y barro vidriado descollaba algún *talavera* legítimo, capaz de volver loco a un coleccionista, de los muchos que ahora se consagran a la arcana ciencia de los pucheros. Ante la mesa y sus apéndices, no sin mil cumplimientos y ceremonias, fueron tomando asiento los padres curas, porfiando bastante para ceder los asientos de preferencia, que al cabo tocaron al obeso Arcipreste de Loiro —la persona más respetable en años y dignidad de todo el clero circunvecino, que no había asistido a la ceremonia por no ahogarse con las apreturas del gentío en la misa— y a Julián, en quien don Eugenio honraba a la ilustre casa de Ulloa.

Sentóse Julián avergonzado, y su confusión subió de punto durante la comida. Por ser nuevo en el país y ha-

---

[42] La escritora suele explicar en el texto mismo el significado de las palabras gallegas que emplea, así "parva", que, en efecto, es el desayuno o una comida ligera que se toma por la mañana. La palabra mataburrillo, sin embargo, no es gallega, parece una metáfora popular formada sobre el castellano "batiburrillo", 'mezcla de cosas que no casan bien'. Vendría a significar 'guiso pesado, capaz de matar a los mismos burros'; no parece descabellado, dada su composición: tripas de cerdo castrado, hígado y pulmones.

[43] Por "lamanisco" o "alamanisco" se designa en Galicia una tela de tipo adamascado que se utiliza, sobre todo, para manteles.

ber rehusado siempre quedarse a comer en las fiestas, era blanco de todas las miradas. Y la mesa estaba imponente. La rodeaban unos quince curas y sobre ocho seglares, entre ellos el médico, notario y juez de Cebre, el señorito de Limioso, el sobrino del cura de Boán y el famosísimo cacique conocido por el apodo de *Barbacana,* que, apoyándose en el partido moderado a la sazón en el poder, imperaba en el distrito y llevaba casi anulada la influencia de su rival el cacique *Trampeta,* protegido por los unionistas y mal visto por el clero. [44] En suma, allí se juntaba lo más granado de la comarca, faltando sólo el marqués de Ulloa, que vendría de fijo a los postres. La monumental sopa de pan rehogada en grasa, con chorizo, garbanzos y huevos cocidos cortados en ruedas, circulaba ya en gigantescos tarterones, y se comía en silencio, jugando bien las quijadas. De vez en cuando se atrevía algún cura a soltar frases de encomio a la habilidad de la guisandera; y el anfitrión, observando con disimulo quiénes de los convidados andaban remisos en mascar, les instaba a que se animasen, afirmando que era preciso aprovecharse de la sopa y del cocido, pues apenas había otra cosa. Creyéndolo así Julián, y no pareciéndole cortés desairar a su huésped, cargó la mano en la sopa y el cocido. Grande fue su terror cuando empezó a desfilar interminable serie de platos, los veintiséis tradicionales en la comida del patrón de Naya, no la más abundante que se servía en el arciprestazgo, pues Loiro se le aventajaba mucho.

Para llegar al número prefijado no había recurrido la guisandera a los artificios con que la cocina francesa disfraza los manjares bautizándolos con nombres nuevos o adornándolos con arambeles y engañifas. No, señor: en aquellas regiones vírgenes no se conocía, loado sea Dios, ninguna salsa o pebre de origen gabacho, y todo

[44] Doña Emilia se está refiriendo a la etapa de gobierno que va de julio de 1866 a marzo de 1867, en la que Narváez, tras los sucesivos fracasos de O'Donnell (de La Unión Liberal) para frenar los intentos revolucionarios, gobierna como déspota militar, con González Brabo como hombre fuerte.

era neto, varonil y clásico, como la olla. ¿Veintitrés platos? Pronto se hace la lista: pollos asados, fritos, en pepitoria, estofados, con guisantes, con cebollas, con patatas y con huevos; aplíquese el mismo sistema a la carne, al puerco, al pescado y al cabrito. Así, sin calentarse los cascos, presenta cualquiera veintiséis variados manjares. [45]

¡Y cómo se burlaría la guisandera si por arte de magia apareciese allí un cocinero francés empeñado en redactar un *menú*, en reducirse a cuatro o seis principios, en alternar los fuertes con los ligeros y en conceder honroso puesto a la legumbre! ¡Legumbres a mí!, diría el ama del cura de Cebre, riéndose con toda su alma y todas sus caderas también. ¡Legumbres el día del patrón! Son buenas para los cerdos.

Ahíto y mareado, Julián no tenía fuerzas sino para rechazar con la mano las fuentes que no cesaban de circular pasándoselas los convidados unos a otros: a bien que ya le observaban menos, pues la conversación se calentaba. El médico de Cebre, atrabiliario, magro y disputador; el notario, coloradote y barbudo, osaban decir chistes, referir anécdotas; el sobrino del cura de Boán, estudiante de derecho, muy enamorado de condición, hablaba de mujeres, ponderaba la gracia de las señoritas de Molende y la lozanía de una panadera de Cebre, muy nombrada en el país; los curas al pronto no tomaron parte, y como Julián bajase la vista, algunos comensales, después de observarse de reojo, se hicieron los desentendidos. Mas duró poco la reserva; al ir vaciándose los jarros y desocupándose las fuentes, nadie quiso estar callado y empezaron las bromas a echar chispas.

Máximo Juncal, el médico, recién salido de las aulas compostelanas, soltó varias puntadas sobre política, y tam-

---

[45] Estas comidas pantagruélicas aparecen con frecuencia en la obra de la escritora. Recuérdese el cuento "El Xeste", donde el protagonista muere a consecuencia de una indigestión monumental. Los excesos gastronómicos de este tipo son propios de pueblos tradicionalmente mal alimentados, con hambre crónica (véase D. García Sabell, *Notas para una antropología del hombre gallego*, Editorial Península, Madrid, 1966).

bién malignas pullas referentes al grave escándalo que a la sazón traía muy preocupados a los revolucionarios de provincia: Sor Patrocinio, [46] sus manejos, su influencia en Palacio. Alborotáronse dos o tres curas, y el cacique *Barbacana,* con suma gravedad, volviendo hacia Juncal su barba florida y luenga, díjole desdeñosamente una verdad como un templo: que "muchos hablaban de lo que no entendían", a lo cual el médico replicó, vertiendo bilis por ojos y labios, "que pronto iba a llegar el día de la gran barredura, que luego se armaría el tiberio del siglo, y que los neos [47] irían a contarlo a casa de su padre Judas Iscariote".

Afortunadamente profirió estos tremendos vaticinios a un tiempo que la mayor parte de los párrocos se hallaban enzarzados en la discusión teológica, indispensable complemento de todo convite patronal. Liados en ella, no prestó atención a lo que el médico decía ninguno de los que podía volvérselas al cuerpo: ni el bronco abad de Ulloa, ni el belicoso de Boán, ni el Arcipreste, que siendo más sordo que una tapia, resolvía las discusiones políticas a gritos, alzando el índice de la mano derecha como para invocar la cólera del cielo. En aquel punto y hora, mientras corrían las fuentes de arroz con leche, canela y azúcar y se agotaban las copas de *tostado,* llegaba a su período álgido la disputa, y se entreoían argumentos, proposiciones, objeciones y silogismos.

—*Nego majorem...*
—*Probo minorem...*

[46] Rafaela Quiroga (1811-1891), que entró en religión con el nombre de Sor María de los Dolores y Patrocinio, se le llamó también "la monja de las llagas", porque, según se decía, tenía en su cuerpo los estigmas de la Pasión. Muy intrigante en política, aseguró haber tenido revelaciones que demostraban la ilegitimidad de Isabel II. Más tarde, se retractó y llegó a ser consejera de la reina, sobre la que ejercía gran influencia.

[47] El partido neocatólico se desarrolló a partir de 1856, tras el bienio liberal; representaba un intento de convertir la unidad católica del país en una realidad política e intelectual. Cándido Nocedal fue uno de sus dirigentes políticos y el padre Claret, confesor de la reina, uno de sus destacados apóstoles.

—Eh... Boán, que con mucho disimulo me están echando abajo la gracia...

—Compadre, cuidado... Si adelanta usted un poquito más nos vamos a encontrar con el libre albedrío perdido.

—Cebre, mira que vas por mal camino: ¡mira que te marchas con Pelagio! [48]

—Yo a San Agustín me agarro, y no lo suelto.

—Esa proposición puede admitirse *simpliciter,* pero tomándola en otro sentido ...no cuela.

—Citaré autoridades, todas las que se me pidan; ¿a que no me citas tú ni media docena? A ver.

—Es sentir común de la Iglesia desde los primeros Concilios.

—Es punto opinable, ¡quoniam! A mí no me vengas a asustar tú con Concilios ni Concilias.

—¿Querrás saber más que Santo Tomás?

—¿Y tú querrás ponerte contra el Doctor de la gracia? [49]

—¡Nadie es capaz de rebatirme esto! Señores... la gracia...

—¡Qué nos despeñamos de vez! ¡Esto es herejía formal; es pelagianismo puro!

—¿Qué entiendes tú, qué entiendes tú?... Lo que tú censures, que me lo claven...

—Que diga el señor Arcipreste... Vamos a aventurar algo a que no me deja mal el señor Arcipreste.

El Arcipreste era respetado más por su edad que por su ciencia teológica; y se sosegó un tanto el formidable barullo cuando se incorporó difícilmente, con ambas manos puestas tras los oídos, vertiendo sangre por la cara, a fin de dirimir, si cabía lograrlo, la contienda. Pero un incidente distrajo los ánimos: el señorito de Ulloa entraba seguido de dos perros perdigueros, cuyos cascabeles acompañaban su aparición con jubiloso repique. Venía, según

[48] Pelagio es un hereje del siglo v que negaba que el pecado de Adán se hubiera transmitido a sus descendientes. Obsérvese cómo los curas se llaman entre sí por los nombres de sus parroquias y cómo la Pardo Bazán consigue reproducir verosímilmente una discusión teológica de sobremesa sin decir en realidad nada.

[49] San Agustín.

su promesa, a tomar una copa a los postres, y la tomó de pie, porque le aguardaba un bando de perdices allá en la montaña.

Hízosele muy cortés recibimiento, y los que no pudieron agasajarle a él agasajaron a la "Chula" y al "Turco", que iban apoyando la cabeza en todas las rodillas, lamiendo aquí un plato y zampándose un bizcocho allá. El señorito de Limioso se levantó resuelto a acompañar al de Ulloa en la excursión cinegética, para lo cual tenía prevenido lo necesario, pues rara vez salía del Pazo de Limioso sin echarse la escopeta al hombro y el morral a la cintura.

Cuando partieron los dos hidalgos, ya se había calmado la efervescencia de la discusión sobre la gracia, y el médico, en voz baja, le recitaba al notario ciertos sonetos satírico-políticos que entonces corrían bajo el nombre de *belenes*. [50] Celebrábalos el notario, particularmente cuando el médico recalcaba los versos esmaltados de alusiones verdes y picantes. La mesa, en desorden, manchada de salsas, ensangrentada de vino tinto, y el suelo lleno de huesos arrojados por los comensales menos pulcros, indicaban la terminación del festín; Julián hubiera dado algo bueno por poderse retirar; sentíase cansado, mortificado por la repugnancia que le inspiraban las cosas exclusivamente materiales; pero no se atrevía a interrumpir la sobremesa, y menos ahora que se entregaban al deleite de encender algún pitillo y murmurar de las personas más señaladas en el país. Se trataba del señorito de Ulloa, de su habilidad para *tumbar* perdices, y sin que Julián adivinase la causa, se pasó inmediatamente a hablar de Sabel, a quien todos habían visto por la mañana en el corro de baile; se encomió su palmito, y al mismo tiempo se dirigieron a Julián señas y guiños, como si la conversación se

---

[50] *El Belén* es un librito que reúne las composiciones —predominantemente satíricas— de la tertulia literaria del marqués de Molíns, con motivo de la Nochebuena de 1857. Se editó en 1886, llevaba un prólogo de Pedro Antonio de Alarcón y participaban conocidos escritores de la época junto a otros hoy olvidados. De ahí, probablemente, procede el nombre de "belenes".

relacionase con él. El capellán bajaba la vista según costumbre y fingía doblar la servilleta; mas de improviso, sintiendo uno de aquellos chispazos de cólera repentina y momentánea que no era dueño de refrenar, tosió, miró en derredor y soltó unas cuantas asperezas y severidades que hicieron enmudecer a la asamblea. Don Eugenio, al ver aguada la sobremesa, optó por levantarse, proponiendo a Julián que saliesen a tomar el fresco en la huerta. Algunos clérigos se alzaron también, anunciando que iban a *echar completas*. [51] Otros se escurrieron en compañía del médico, el notario, el juez y Barbacana, a menear los naipes hasta la noche.

Refugiáronse al huerto el cura de Naya y Julián, pasando por la cocina, donde la algazara de los criados, primas del cura, cocineras y músicos era formidable, y los jarros se evaporaban y la comilona amenazaba durar hasta el sol puesto. El huerto, en cambio, permanecía en su tranquilo y poético sosiego primaveral, con una brisa fresquita que columpiaba las últimas flores de los perales y cerezos y acariciaba el recio follaje de las higueras, a cuya sombra, en un ribazo de mullida grama, se tendieron ambos presbíteros, no sin que don Eugenio, sacando un pañuelo de algodón a cuadros, se tapase con él la cabeza para resguardarla de las importunidades de alguna mosca precoz. A Julián todavía le duraba el sofoco, la llamarada de indignación; pero ya le pesaba, de su corta paciencia, * y resolvía ser más sufrido en lo venidero. Aunque, bien mirado...

—¿Quiere *escotar* un sueño? —preguntó el de Naya al verle tan cabizbajo y mustio.

—No; lo que yo quería, Eugenio, era pedirle que me dispensase el enfado que tomé allá en la mesa... Conozco que soy a veces así... un poco vivo... y luego hay conver-

---

[51] Se llama "Completas" a la última parte del oficio divino con la que se acaban las horas canónicas que empiezan con los maitines. La expresión "echar completas" en vez de "rezar..." era, y aún es hoy, habitual entre los clérigos.

* de su impaciencia.

saciones que me sacan de tino, sin poderlo remediar. Usted póngase en mi caso.

—Pongo, pongo... Pero a mí me están embromando también a cada rato con las primas... y hay que aguantar, que no lo hacen con mala intención; es por reírse un poco.

—Hay bromas de bromas, y a mí me parecen delicadas para un sacerdote las que tocan a la honestidad y a la pureza. Si aguanta uno por respetos humanos esos dichos, acaso pensarán que ya tiene medio perdida la vergüenza para los hechos. Y ¿qué sé yo si alguno, no digo de los sacerdotes, no quiero hacerles tal ofensa, pero de los seglares, creerá que en efecto...?

El de Naya aprobó con la cabeza como quien reconoce la fuerza de una observación; pero, al mismo tiempo, la sonrisa con que lucía la desigual dentadura era suave e irónica protesta contra tanta rigidez.

—Hay que tomar el mundo según viene —murmuró filosóficamente...—. Ser bueno es lo que importa; porque ¿quién va a tapar las bocas de los demás? Cada uno habla lo que le parece y gasta las guasas que quiere... En teniendo la conciencia tranquila...

—No señor, no señor, poco a poco —replicó acaloradamente Julián—. No sólo estamos obligados a ser buenos, sino a parecerlo, y aún es peor en un sacerdote, si me apuran, el mal ejemplo y el escándalo, que el mismo pecado. Usted bien lo sabe, Eugenio; lo sabe mejor que yo, porque tiene cura de almas.

—También usted se apura ahí por una chanza, por una tontería, lo mismo que si ya todo el mundo le señalase con el dedo... Se necesita una vara de correa para vivir entre gentes... A este paso no le arriendo la ganancia, porque no va a sacar para disgustos.

Caviloso y cejijunto, había cogido Julián un palito que andaba por el suelo y se entretenía en clavarlo en la hierba. Levantó la cabeza de pronto.

—Eugenio, ¿es mi amigo?

—Siempre, hombre, siempre —contestó afable y sinceramente el de Naya.

—Pues séame franco. Hábleme como si estuviéramos en el confesonario. ¿Se dice por ahí... *eso?*

—¿Lo qué?

—Lo de que yo... tengo algo que ver... con esa muchacha. ¿Eh? Porque puede usted creerme, y se lo juraría si fuese lícito jurar: bien sabe Dios que la tal mujer hasta me es aborrecible, y que no le habré mirado a la cara media docena de veces desde que estoy en los Pazos.

—No, pues a la cara se le puede mirar, que la tiene como una rosa... Ea, sosiéguese: a mí se me figura que nadie piensa mal de usted con Sabel. El marqués no inventó la pólvora, es cierto que no, y la moza se distraerá con los de su clase cuanto quiera, dígalo el bailoteo en la gaita de hoy; pero no iba a tener la desvergüenza de pegársela en sus barbas, con el mismo capellán... Hombre, no hagamos tan estúpido al marqués.

Julián se volvió, más bien arrodillado que sentado en la grama, con los ojos abiertos de par en par.

—Pero... el señorito... ¿qué tiene que ver el señorito...?

El cura de Naya saltó a su vez, sin que ninguna mosca le picase, y prorrumpió en juvenil carcajada. Julián, comprendiendo, preguntó nuevamente:

—¿Luego el chiquillo... el Perucho...?

Tornó don Eugenio a reír, hasta el extremo de tener que limpiarse los lagrimales con el pañuelo de cuadros.

—No se ofenda... —murmuraba entre risa y llanto—. No se ofenda porque me río así... Es que, de veras, no me puedo contener cuando me pega la risa; un día hasta me puse malo... Esto es como las cosqui...cosquillas... involuntario...

Aplacado el acceso de risa, añadió:

—Es que yo siempre lo tuve a usted por un bienaventurado, como nuestro patrón San Julián... pero esto pasa de castaño oscuro... ¡Vivir en los Pazos y no saber lo que ocurre en ellos! ¿O es que quiere hacerse el bobo?

—A fe, no sospechaba nada, nada, nada. ¿Usted piensa que iba a quedarme allí ni dos días caso de averiguarlo antes? ¿Autorizar con mi presencia un amancebamiento? ¿Pero... usted está seguro de lo que dice?

—Hombre... ¿tiene usted gana de cuentos? ¿Es usted ciego? ¿No lo ha notado? Pues repárelo.

—¡Qué sé yo! ¡Cuando uno no está en la malicia! Y el niño... ¡infeliz criatura! El niño me da tanta compasión... Allí se cría como un morito... ¿Se comprende que haya padres tan sin entrañas?

—Bah... Esos hijos así, nacidos por detrás de la Iglesia... Luego, si uno oye a los de aquí y a los de allá... Cada cual dice lo que se le antoja... La moza es alegre como unas castañuelas; todo el mundo en las romerías le debe dos cuartos; uno la convida a rosquillas, el otro a *resolio*, [52] éste la saca a bailar, aquél la empuja... Se cuentan mil enredos... ¿Usted se ha fijado en el gaitero que tocó hoy en la misa?

—¿Un buen mozo, con patillas?

—Cabal. Le llaman el *Gallo* de mote. Pues dicen si la acompaña o no por los caminos... ¡Historias!

Por detrás de la tapia del huerto se oyó entonces vocerío alegre y argentinas carcajadas.

—Son las primas... —dijo don Eugenio—. Van a la gaita, que está tocando en el crucero ahora. ¿Quiere usted venir un ratito? A ver si se le pasa el disgusto... Ahí en casa unos rezan y otros juegan... Yo no rezo nunca sobre la comida.

—Vamos allá —contestó Julián, que se había quedado ensimismado.

—Nos sentaremos al pie del crucero.

[52] Castellano "resolí", 'aguardiente con canela y azúcar'.

VII

Volvía Julián preocupado a la casa solariega, acusándose de excesiva simplicidad por no haber reparado cosas de tanto bulto. Él era sencillo como la paloma; sólo que en este pícaro mundo también se necesita ser cauto como la serpiente... Ya no podía continuar en los Pazos... ¿Cómo volvía a vivir a cuestas de su madre, sin más emolumentos que la misa? ¿Y cómo dejaba así de golpe al señorito don Pedro, que le trataba tan llanamente? ¿Y la casa de Ulloa, que necesitaba un restaurador celoso y adicto? Todo era verdad: pero ¿y su deber de sacerdote católico?

Le acongojaban estos pensamientos al cruzar un maizal, en cuyo lindero manzanillas y cabrifollos despedían grato aroma. Era la noche templada y benigna, y Julián apreciaba por primera vez la dulce paz del campo, aquel sosiego que derrama en nuestro combatido espíritu la madre naturaleza. Miró al cielo, oscuro y alto. *

—¡Dios sobre todo! —murmuró, suspirando al pensar que tendría que habitar un pueblo de calles angostas y encontrarse con gente a cada paso.

Siguió andando, guiado por el ladrido lejano de los perros. Ya divisaba próxima la vasta mole de los Pazos. El postigo debía estar abierto. Julián distaba de él unos cuantos pasos no más, cuando oyó dos o tres gritos que le helaron la sangre: clamores inarticulados como de ali-

---

* alto y oscuro.

maña herida, a los cuales se unía el desconsolado llanto de un niño.

Engolfóse el capellán en las tenebrosas profundidades de corredor y bodega, y llegó velozmente a la cocina. En el umbral se quedó paralizado de asombro ante lo que iluminaba la luz fuliginosa del candilón. Sabel, tendida en el suelo, aullaba desesperadamente;[53] don Pedro, loco de furor, la brumaba a culatazos; en una esquina, Perucho, con los puños metidos en los ojos, sollozaba. Sin reparar lo que hacía, arrojóse Julián hacia el grupo, llamando al marqués con grandes voces:

—¡Señor don Pedro... señor don Pedro!

Volvióse el señor de los Pazos, y se quedó inmóvil, con la escopeta empuñada por el cañón, jadeante, lívido de ira, los labios y las manos agitadas por temblor horrible; y en vez de disculpar su frenesí o de acudir a la víctima, balbució roncamente:

—¡Perra... perra... condenada... a ver si nos das pronto de cenar, o te deshago! ¡A levantarse... o te levanto con la escopeta!

Sabel se incorporaba ayudada por el capellán, gimiendo y exhalando entrecortados ayes. Tenía aún el traje de fiesta, con el cual la viera Julián danzar pocas horas antes junto al crucero y en el atrio; pero el *mantelo*[54] de rico paño se encontraba manchado de tierra; el dengue[55] de grana se le caía de los hombros, y uno de sus largos zarcillos de filigrana de plata, abollado por un culatazo, se le había clavado en la carne de la nuca, por donde escurrían

---

[53] De nuevo se advierte la tendencia a la animalización de los personajes: Sabel da gritos de "alimaña herida" y "aullaba" como los lobos o los perros.

[54] El "mantelo" puede ser una mantilla para cubrir la cabeza, pero aquí se refiere a la acepción más habitual: delantal de paño que cubre toda la falda de las mujeres.

[55] "Dengue" es la esclavina de paño grana, generalmente adornada de terciopelo negro y abalorios (en los trajes de fiesta) que va sobre la blusa. Las puntas se cruzan sobre el pecho y se abrochan en la parte de atrás de la cintura.

algunas gotas de sangre. Cinco verdugones rojos en la mejilla de Sabel contaban bien a las claras cómo había sido
derribada la intrépida bailadora.

—¡La cena he dicho! —repitió brutalmente don Pedro.

Sin contestar, pero no sin gemir, dirigióse la muchacha
hacia el rincón donde hipaba el niño y le tomó en brazos,
apretándole mucho. El angelote seguía llorando a moco
y baba. Don Pedro se acercó entonces y, mudando de
tono, preguntó:

—¿Qué es eso? ¿Tiene algo Perucho?

Púsole la mano en la frente y la sintió húmeda. Levantó la palma: era sangre. Desviando entonces los brazos,
apretando los puños, soltó una blasfemia, que hubiera ho-
rrorizado más a Julián si no supiese, desde aquella tarde
misma, que acaso tenía ante sí a un padre que acababa de
herir a su hijo. Y el padre resurgía, maldiciéndose a sí
propio, apartando los rizos del chiquillo, mojando un
pañuelo en agua y atándolo con cuidado * indecible sobre
la descalabradura.

—A ver cómo lo cuidas... —gritó dirigiéndose a Sabel—. Y cómo haces la cena en un vuelo... ¡Yo te enseñaré, yo te enseñaré a pasarte las horas en las romerías
sacudiéndote, perra!

Con los ojos fijos en el suelo, sin quejarse ya, Sabel
permanecía parada, y su mano derecha tentaba suavemente su hombro izquierdo, en el cual debía de tener alguna dolorosa contusión. En voz baja y lastimera, pero
con suma energía, pronunció sin mirar al señorito:

—Busque quien la haga la cena... y quien esté aquí...
Yo me voy, me voy, me voy, me voy...

Y lo repetía obstinadamente, sin entonación, como el
que afirma una cosa natural e inevitable.

—¿Qué dices, bribona?

—Que me voy, que me voy... A mi casita pobre...
¡Quién me trajo aquí! ¡Ay mi madre de mi alma!

---

* un cuidado.

Rompió la moza a llorar amarguísimamente, y el marqués, requiriendo su escopeta, rechinaba los dientes de cólera, dispuesto ya a hacer alguna barrabasada notable, cuando un nuevo personaje entró en escena. Era Primitivo, salido de un rincón oscuro; diríase que estaba allí oculto hacía rato. Su aparición modificó instantáneamente la actitud de Sabel, que tembló, calló y contuvo sus lágrimas.

—¿No oyes lo que te dice el señorito? —preguntó sosegadamente el padre a la hija.

—Oi-go, siii-see-ñoor, oi-go —tartamudeó la moza, comiéndose los sollozos.

—Pues a hacer la cena en seguida. Voy a ver si volvieron ya las otras muchachas para que te ayuden. La Sabia está ahí fuera: te puede encender la lumbre.

Sabel no replicó más. Remangóse la camisa y bajó de la espetera una sartén. Como evocada por alguna de sus compañeras en hechicerías, entró en la cocina entonces, pisando de lado, la vieja de las greñas blancas, la Sabia, que traía el enorme mandil atestado de leña. El marqués tenía aún la escopeta en la mano: cogiósela respetuosamente Primitivo y la llevó al sitio de costumbre. Julián, renunciando a consolar al niño, creyó llegada la ocasión de dar un golpe diplomático.

—Señor marqués..., ¿quiere que tomemos un poco el aire? Está la noche muy buena... Nos pasearemos por el huerto...

Y para sus adentros pensaba:

—En el huerto le digo que me voy también... No se ha hecho para mí esta vida, ni esta casa.

Salieron al huerto. Oíase el cuarrear de las ranas en el estanque, pero ni una hoja de los árboles se movía, tal estaba la noche de serena. El capellán cobró ánimos, pues la oscuridad alienta mucho a decir cosas difíciles.

—Señor marqués, yo siento tener que advertirle...

Volvióse el marqués bruscamente.

—Ya sé... ¡chist! No necesitamos gastar saliva. Me ha pescado usted en uno de esos momentos en que el hombre no es dueño de sí... Dicen que no se debe pegar nunca a las mujeres... Francamente, don Julián, según ellas sean... Hay mujeres de mujeres, caramba... ¡Y ciertas cosas acabarían con la paciencia del santo Job que resucitase! Lo que siento es el golpe que le tocó al chiquillo.

—Yo no me refería a eso... —murmuró Julián—. Pero si quiere que le hable con el corazón en la mano, como es mi deber, creo no está bien maltratar así a nadie... Y por la tardanza de la cena, no merece...

—¡La tardanza de la cena! —prorrumpió el señorito—. ¡La tardanza! A ningún cristiano le gusta pasarse el día en el monte comiendo frío y llegar a casa y no encontrar bocado caliente; ¡pero si esa mala hembra no tuviese otras mañas...! ¿No la ha visto usted? ¿No la ha visto usted todo el día, allá en Naya, bailoteando como una descosida, sin vergüenza? ¿No la ha encontrado usted a la vuelta, bien acompañada? ¡Ah!... ¿Usted cree que se vienen solitas las mozas de su calaña? ¡Ja, ja! ¡Yo la he visto, con estos ojos, y le aseguro a usted que si tengo algún pesar, es el de no haberle roto una pierna, para que no baile más por unos cuantos meses!

Guardó silencio el capellán, sin saber qué responder a la inesperada revelación de celos feroces. Al fin calculó que se le abría camino para soltar lo que tenía atravesado en la garganta.

—Señor marqués —murmuró—, dispénseme la libertad que me tomo... Una persona de su clase no se debe rebajar a importársele por lo que haga o no haga la criada... La gente es maliciosa, y pensará que usted trata con esa chica... ¡Digo *pensará*! Ya lo piensa todo el mundo... Y el caso es que yo... vamos... no puedo permanecer en una casa donde, según la voz pública, vive un cristiano en concubinato... Nos está prohibido severamente autorizar con nuestra presencia el escándalo y hacernos cómplices de él. Lo siento a par del alma, señor marqués; puede creerme que hace tiempo no tuve un disgusto igual.

El marqués se detuvo, con las manos sepultadas en los bolsillos.

—*Leria, leria...* [56] —murmuró—. Es preciso hacerse cargo de lo que es la juventud y la robustez... No me predique un sermón, no me pida imposibles. ¡Qué demonio! * El que más y el que menos es hombre como todos.

—Yo soy un pecador —replicó Julián—, solamente que veo claro en este asunto y, por los favores que debo a usted, y el pan que le he comido, estoy obligado a decirle la verdad. Señor marqués, con franqueza, ¿no le pesa de vivir así encenagado? ¡Una cosa tan inferior a su categoría y a su nacimiento! ¡Una triste criada de cocina!

Siguieron andando, acercándose a la linde del bosque, donde concluía el huerto.

—¡Una bribona desorejada, que es lo peor! —exclamó el marqués después de un rato de silencio.

—Oiga usted... —añadió arrimándose a un castaño—. A esa mujer, a Primitivo, a la condenada bruja de la Sabia con sus hijas y nietas, a toda esa gavilla que hace de mi casa merienda de negros, a la aldea entera que los encubre, era preciso cogerlos así (y agarraba una rama del castaño triturándola en menudos fragmentos) y deshacerlos. Me están saqueando, me comen vivo... y cuando pienso en que esa tunanta me aborrece y se va de mejor gana con cualquier gañán de los que acuden descalzos a alquilarse para majar el centeno, ¡tengo mientes de aplastarle los sesos como a una culebra!

Julián oía estupefacto aquellas miserias de la vida pecadora, y se admiraba de lo bien que teje el diablo sus redes.

—Pero, señor... —balbució—. Si usted mismo lo conoce y lo comprende...

—¿Pues no lo he de comprender? ¿Soy estúpido acaso, para no ver que esa desvergonzada huye de mí, y cada día tengo que cazarla como a una liebre? ¡Sólo está contenta entre los demás labriegos, con la hechicera que le

---

[56] Es interjección coloquial, que expresa la falta de conformidad con lo que a uno le dicen.

* ¡Qué diantre!

trae y lleva chismes y recados a los mozos! A mí me de-
testa. A la hora menos pensada me envenenará.

—Señor marqués, ¡yo me pasmo! —arguyó el capellán
eficazmente—. ¡Que usted se apure por una cosa tan fácil
de arreglar! ¿Tiene más que poner a semejante mujer en
la calle?

Como ambos interlocutores se habían acostumbrado a
la oscuridad, no sólo vio Julián que el marqués meneaba
la cabeza, sino que torcía el gesto.

—Bien se habla... —pronunció sordamente—. Decir es
una cosa y hacer es otra... Las dificultades se tocan en la
práctica. Si echo a ese enemigo, no encuentro quien me
guise ni quien venga a servirme. Su padre... ¿Usted no lo
creerá? Su padre tiene amenazadas a todas las mozas, de
que a la que entre aquí en marchándose su hija, le mete
él una perdigonada en los lomos... Y saben que es hombre para hacerlo como lo dice. Un día cogí yo a Sabel por
un brazo y la puse en la puerta de la casa: la misma
noche se me despidieron las otras criadas, Primitivo se
fingió enfermo, y estuve una semana comiendo en la rectoral y haciéndome la cama yo mismo... Y tuve que pedirle a Sabel, de favor, que volviese... Desengáñese usted, pueden más que nosotros. Esa comparsa que traen
alrededor, son paniaguados suyos, que les obedecen ciega-
mente. ¿Piensa usted que yo ahorro un ochavo aquí en
este desierto? ¡Quiá! Vive a mi cuenta toda la parroquia.
Ellos se beben mi cosecha de vino, mantienen sus gallinas con mis frutos, mis montes y sotos les suministran
leña, mis hórreos les surten de pan; la renta se cobra
tarde, mal y arrastro; yo sostengo siete u ocho vacas, y la
leche que bebo cabe en el hueco de la mano; en mis
establos hay un rebaño de bueyes y terneros que jamás
se uncen para labrar mis tierras; se compran con mi dinero, eso sí, pero luego se dan a parcería y no se me rinden
cuentas jamás...

—¿Por qué no pone otro mayordomo?

—¡Ay, ay, ay! ¡Como quien no dice nada! Una de dos:
o sería hechura de Primitivo y entonces estábamos en lo
mismo, o Primitivo le largaría un tiro en la barriga...

Y si hemos de decir verdad, Primitivo no es mayordomo... Es peor que si lo fuese, porque manda en todos, incluso en mí; pero yo no le he dado jamás semejante mayordomía... Aquí el mayordomo fue siempre el capellán... Ese Primitivo no sabrá casi leer ni escribir; pero es más listo que una centella, y ya en vida del tío Gabriel se echaba mano de él para todo... Mire usted, lo cierto es que el día que él se cruza de brazos, se encuentra uno colgadito... No hablemos ya de la caza, que para eso no tiene igual; a mí me faltarían los pies y las manos si me faltase Primitivo... Pero en los demás asuntos es igual... Su antecesor de usted, el abad de Ulloa, no se valía sin él; y usted, que también ha venido en concepto de administrador, séame franco: ¿ha podido usted amañarse solo?

—La verdad es que no —declaró Julián humildemente—. Pero con el tiempo... la práctica...

—¡Bah, bah! A usted no le obedecerá ni le hará caso jamás ningún paisano, porque es usted un infeliz; es usted demasiado bonachón. Ellos necesitan gente que conozca sus máculas y les dé ciento de ventaja en picardía.

Por depresiva que fuese para el amor propio del capellán la observación, hubo de reconocer su exactitud. No obstante, picado ya, se propuso agotar los recursos del ingenio para conseguir la victoria en lucha tan desigual. Y su caletre le sugirió la siguiente perogrullada:

—Pero, señor marqués..., ¿por qué no sale un poco al pueblo? ¿No sería ése el mejor modo de desenredarse? Me admiro de que un señorito como usted pueda aguantar todo el año aquí, sin moverse de estas montañas fieras... ¿No se aburre?

El marqués miraba al suelo, aun cuando en él no había cosa digna de verse. La idea del capellán no le cogía de sorpresa.

—¡Salir de aquí! —exclamó—. ¿Y a dónde demontre se va uno? Siquiera aquí, mal o bien, es uno el rey de la comarca... El tío Gabriel me lo decía mil veces: las personas decentes, en las poblaciones, no se distinguen de los zapateros... Un zapatero que se hace millonario metiendo y sacando la lesna, se sube encima de cualquier señor, de los que lo somos de padres a hijos... Yo estoy muy acostumbrado a pisar tierra mía y a andar entre árboles que corto si se me antoja.

—¡Pero al fin, señorito, aquí le manda Primitivo!

—¡Bah!... A Primitivo le puedo yo dar tres docenas de puntapiés, si se me hinchan las narices, sin que el juez me venga a empapelar... No lo hago; pero duermo tranquilo con la seguridad de que lo haría si quisiese. ¿Cree usted que Sabel irá a quejarse a la justicia de los culatazos de hoy?

Esta lógica de la barbarie confundía a Julián.

—Señor, yo no le digo que deje esto... Únicamente, que salga una temporadita, a ver cómo le prueba... Apartándose usted de aquí algún tiempo, no sería difícil que Sabel se casase con persona de su esfera, y que usted también encontrase una conveniencia arreglada a su calidad, una esposa legítima. Cualquiera tiene un desliz, la carne es flaca; por eso no es bueno para el hombre vivir solo, porque se encenaga, y como dijo quien lo entendía, es mejor casarse que abrasarse [57] en concupiscencia, señor don Pedro. ¿Por qué no se casa, señorito? —exclamó, juntando las manos—. ¡Hay tantas señoritas buenas y honradas!

A no ser por la oscuridad, vería Julián chispear los ojos del marqués de Ulloa.

—¿Y cree usted, santo de Dios, que no se me había ocurrido a mí? ¿Piensa usted que no sueño todas las noches con un chiquillo que se me parezca, que no sea hijo de una bribona, que continúe el nombre de la casa... que herede esto cuando yo me muera... y que se llame *Pedro Moscoso*, como yo?

Al decir esto golpeábase el marqués su fornido tronco, su pecho varonil, cual si de él quisiese hacer brotar fuerte y adulto ya el codiciado heredero. Julián, lleno de esperanza, iba a animarle en tan buenos propósitos; pero se estremeció de repente, pues creyó sentir a sus espaldas

---

[57] San Pablo, epístola a los corintios.

un rumor, un roce, el paso de un animal por entre la maleza.

—¿Qué es eso? —exclamó volviéndose—. Parece que anda por aquí el zorro.

El marqués le cogió del brazo.

—Primitivo —articuló en voz baja y ahogada ira...—. Primitivo que nos atisbará hace un cuarto de hora, oyendo la conversación... Ya está usted fresco... Nos hemos lucido... ¡Me valga Dios y los santos de la corte celestial! También a mí se me acaba la cuerda. ¡Vale más ir a presidio que llevar esta vida!

VIII

Mientras se raía con la navaja de barba los contados pelos rubios que brotaban en sus carrillos, Julián maduraba un proyecto: afeitado y limpio que fuese, emprendería el camino de Cebre un pie tras otro, en el caballo de San Francisco; allí le pediría al cura una jícara de chocolate, y esperaría en la rectoral hasta las doce, hora en que pasa la diligencia de Orense a Santiago; malo sería que en el interior o cupé no hubiese un asiento vacante. Tenía dispuesto su maletín: lo enviaría a buscar desde Cebre por un mozo. Y calculando así, miraba contristado el paisaje ameno, el huerto con su dormilón estanque, el umbrío manchón del soto, la verdura de los prados y maizales, la montaña, el limpio firmamento, y se le prendía el alma en el atractivo de aquella dulce soledad y silencio, tan de su gusto, que deseaba pasar allí la vida toda. ¡Cómo ha de ser! Dios nos lleva y trae según sus fines... No, no era Dios, sino el pecado, en figura de Sabel, quien lo arrojaba del paraíso... Le agitó semejante idea y se cortó dos veces la mejilla... Estuvo próximo a inferirse el tercer rasguño, porque le dieron una palmada en el hombro.

Se volvió... ¿Quién había de conocer a don Pedro, tan metamorfoseado como venía? Afeitado también, aunque sin detrimento de su barba, que brillaba suavizada por el aceite de olor, trascendiendo a jabón y a ropa limpia, vestido con traje de mezclilla, chaleco de piqué blanco, hongo azul, y al brazo un abrigo, parecía el señor de Ulloa otro hombre nuevo y diferente, con veinte grados más de educación y cultura que el anterior. * De golpe lo comprendió todo Julián... y la sangre le dio gozoso vuelco.

—¡Señorito...!

—Ea, despachar, que corre prisa... Tiene usted que acompañarme a Santiago y necesitamos llegar a Cebre antes de medio día.

—¿De veras viene usted? ¡Mismo parece cosa de milagro! Yo estuve hoy arreglando la maleta. ¡Bendito sea Dios! Pero si usted determina que me quede aquí entretanto... **

—¡No faltaba otra cosa! Si salgo solo, se me agua la fiesta. Voy a dar una sorpresa al tío Manolo, y a conocer a las primas, que sólo las he visto cuando eran unas mocosas... Si ahora me desanimo, no vuelvo a animarme en diez años. Ya he mandado a Primitivo que ensille la yegua y ponga el aparejo a la borrica.

En aquel punto asomó por la puerta un rostro que a Julián se le antojó siniestro, y acaso pensó otro tanto el marqués, pues preguntó impaciente:

—Vamos a ver, ¿qué ocurre?

—La yegua —respondió Primitivo sin alzar la voz— no sirve para el camino.

—¿Por qué razón? ¿Puede saberse?

—Está sin una ferradura siquiera —declaró serenamente el cazador.

—¡Mal rayo que te parta! —vociferó el marqués echando fuego por los ojos—. ¡Ahora me dices eso! ¿Pues no es cuenta tuya cuidar de que esté herrada? ¿O he de llevarla yo al herrador todos los días?

—Como no sabía que el señorito quisiese salir hoy...

—Señor —intervino Julián— yo iré a pie. Al fin tenía determinado dar ese paseo. Lleve usted la burra.

—Tampoco hay burra —objetó el cazador sin pestañear ni alterar *** un solo músculo de su faz broncínea.

* el antiguo.
** que entretanto me quede aquí.
*** ni mover.

—¿Que... no... hay... bu...rraaaaá? —articuló, apretando los puños, don Pedro—. ¿Que no... la... hayyy? A ver, a ver... Repíteme eso, en mi cara.

El hombre de bronce no se inmutó al reiterar fríamente:

—No hay burra.

—¡Pues así Dios me salve la ha de haber y tres más, y sino por quien soy que os pongo a todos a cuatro patas y me lleváis a caballo hasta Cebre!

Nada replicó Primitivo, incrustado en el quicio de la puerta.

—Vamos claros, ¿cómo es que no hay burra?

—Ayer, al volver del pasto, el rapaz que la cuida le encontró dos puñaladas... Puede el señorito verla.

Disparó don Pedro una imprecación, y bajó de dos en dos las escaleras. Primitivo y Julián le seguían. En la cuadra, el pastor, adolescente de cara estúpida y escrofulosa, confirmó la versión del cazador. Allá en el fondo del establo columbraron al pobre animal, que temblaba, con las orejas gachas y el ojo amortiguado; * la sangre de sus heridas, en negro reguero, se había coagulado desde el anca a los cascos. Julián experimentaba en el establo sombrío y lleno de telarañas, impresión análoga a la que sentiría en el teatro de un crimen. Por lo que hace al marqués, quedóse suspenso un instante, y de súbito, agarrando al pastor por los cabellos, se los mesó y refregó con furia, exclamando:

—Para que otra vez dejes acuchillar a los animales... toma... toma... toma...

Rompió el chico a llorar becerrilmente, [58] lanzando angustiosas miradas al impasible Primitivo. Don Pedro se volvió hacia éste.

---

* mortecino.

[58] En las descripciones o presentaciones de personajes secundarios marginales la Pardo Bazán recurre con frecuencia al tic naturalista: el pastor, además de tener una cara "estúpida y escrofulosa", llora "becerrilmente"; animalización y degradación física y mental son las únicas notas que destaca en el personaje.

—Pilla ahora mismo mi saco y la maleta de don Julián...
Volando... Nos vamos a pie hasta Cebre... Andando bien,
tenemos tiempo de coger el coche.

Obedeció el cazador sin perder su helada calma. Bajó
la maleta y el saco; pero en vez de cargar ambos objetos
a hombros, entregó cada bulto a un mozo de campo, diciendo lacónicamente:

—Vas con el señorito.

Sorprendióse el marqués y miró a su montero con desconfianza. Jamás perdonaba Primitivo la ocasión de acom-
pañarle, y extrañaba su retraimiento entonces. Por la imaginación de don Pedro cruzaron rápidas vislumbres de recelo; y como si Primitivo lo adivinase, probó a disiparlo.

—Yo tengo ahí que atender al rareo [59] del soto de Rendas... Están los castaños tan apretados, que no se ve...
Ya andan allá los leñadores... Pero sin mí, no se des-
envuelven...

Encogióse de hombros el señorito, calculando que acaso
Primitivo se proponía ocultar en el soto la vergüenza de
su derrota. No obstante, como creía conocerle, hacíasele
duro que abandonase la partida sin desquite. Estuvo a
punto de exclamar: "Acompáñame." Presintió resistencias,
y pensó para su sayo:

—¡Qué demonio! Más vale dejarle. Aunque se empeñe,
no me ha de cortar el paso... Y si cree que puede conmigo...

Fijó sin embargo una mirada escrutadora en las escue-
tas facciones del cazador, donde creía advertir, muy encubierta y disimulada, cierta contracción diabólica.

—¿Qué estará rumiando este zorro? —cavilaba el señorito—. Sin alguna no escapamos. ¡No, pues como se des-
mande! Me coge hoy en punto de caramelo.

Subió don Pedro a su habitación y volvió con la escopeta al hombro. Julián le miraba sorprendido de que to-

---

[59] Es voz gallega, igual que el verbo del que se deriva: "rarear"
y se designa con ella la acción de aclarar una zona de árboles
demasiado espesa, talando algunos para que los restantes se des-
arrollen mejor.

mase el arma yendo de viaje. De pronto el capellán recordó algo también y se dirigió a la cocina.

—¡Sabel! —gritó—. ¡Sabel! ¿Dónde está el niño, mujer? Le quería dar un beso.

Sabel salió y volvió con el chiquillo agarrado a sus sayas. Le había encontrado escondido en el pesebre de las
vacas, su rincón favorito, y el diablillo traía los rizos en-
tretejidos con hierba y flores silvestres. Estaba precioso.
Hasta la venda de la descalabradura le asemejaba al
Amor. [60] Julián le levantó en peso, besándole en ambos
carrillos.

—Sabel, mujer, lávelo de vez en cuando siquiera... Por
las mañanas...

—Vámonos, vámonos... —apremió el marqués desde
la puerta, como si recelase entrar junto a la mujer y el
niño—. Hace falta el tiempo... Se nos va a marchar el
coche.

Si Sabel deseaba retener a aquel fugitivo Eneas, [61] no
dio de ello la más leve señal, pues se volvió con gran sosiego a sus potes y trébedes. Don Pedro, a pesar de la urgencia alegada para apurar a Julián, aguardó dos minutos
en la puerta, quizá con la ilusión recóndita de ser detenido
por la muchacha: pero al fin, encogiéndose de hombros,
salió delante, y echó a andar por la senda abierta entre
viñas que conducía al crucero. Era el paraje descubierto,
aunque el terreno quebrado, y el señorito podía otear fácilmente a derecha e izquierda todo cuanto sucediese: ni
una liebre brincaría por allí, sin que sus ojos linces de
cazador la avizorasen. Aunque departiendo con Julián
acerca de la sorpresa que se le preparaba a la familia de

[60] El narrador enfoca al personaje de Perucho bajo dos puntos
de vista contrapuestos. Hay una visión degradante, animalizadora
ya señalada y otra idealizadora que se manifiesta mediante hipérboles o alusiones mitológicas que destacan su belleza: "el más
hermoso angelote del mundo", "Baco niño" (cap. II), "una testa de
Cupido" (cap. V), "asemejaba al Amor"...

[61] Personaje de *La Eneida*, de Virgilio. La referencia parece aludir no a la huida de Troya, sino a la de Cartago, cuando abandona a la reina Dido.

la Lage, y de si amenazaba llover porque el cielo se había encapotado, no descuidaba el marqués observar algo que debía interesarle muchísimo. Un instante se paró, creyendo divisar la cabeza de un hombre allá lejos, detrás de los paredones que cerraban la viña. Pero a tal distancia no consiguió cerciorarse. Vigiló más atento.

Acercábanse al soto de Rendas, situado antes del crucero; desde allí el arbolado se espesaba, y se dificultaba la precaución. Orillaron el soto, llegaron al pie del santo símbolo y se internaron en el camino más agrio y estrecho, sin ver nada que justificase temores. En la espesura oyeron el golpe reiterado del hacha y el ¡ham! de los leñadores, que rareaban los castaños. Más adelante, silencio total. El cielo se cubría de nubes cirrosas, y la claridad del sol apenas se abría paso, filtrándose velada y cárdena, presagiando tempestad. Julián recordó un detalle melancólico, la cruz a la cual iban a llegar en breve, que señalaba el teatro de un crimen, y preguntó:

—¿Señorito...?

—¿Eh? —murmuró el marqués, hablando con los dientes apretados.

—Aquí cerca mataron un hombre, ¿verdad? Donde está la cruz de madera. ¿Por qué fue, señorito? ¿Alguna venganza?

—Una pendencia entre borrachos, al volver de la feria —respondió secamente don Pedro, que se hacía todo ojos para inspeccionar los matorrales.

La cruz negreaba ya sobre ellos, y Julián se puso a rezar el *padrenuestro* acostumbrado, muy bajito. Iba delante, y el señorito le pisaba casi los talones. Los mozos portadores del equipaje se habían adelantado mucho, deseosos de llegar cuanto antes a Cebre y echar un traguete en la taberna. Para oír el susurro que produjeron las hojas y la maleza al desviarse y abrir paso a un cuerpo, necesitábanse realmente sentidos de cazador. El señorito lo percibió, aunque tenue, clarísimo, y vio el cañón de la escopeta apuntado tan diestramente * que de fijo no se

* tan recto.

perdería el disparo: el cañón no amagaba a su pecho, sino a las espaldas de Julián. La sorpresa estuvo a punto de paralizar a don Pedro: fue un segundo, menos que un segundo tal vez, un espacio de tiempo inapreciable, lo que tardó en reponerse, y en echarse a la cara su arma, apuntando a su vez al enemigo emboscado. Si el tiro de éste salía, la bala se cruzaría casi con otra bala justiciera. La situación duró pocos instantes: estaban frente a frente dos adversarios dignos de medir sus fuerzas. El más inteligente cedió, encontrándose descubierto. Oyó el marqués el roce del follaje al bajarse el cañón que amenazaba a Julián, y Primitivo salió del soto, blandiendo su vieja escopeta certera, remendada * con cordeles. Julián precipitó el *gloriapatri* para decirle en tono cortés:

—¡Hola!... ¿Se viene usted con nosotros por fin hasta Cebre? **

—Sí señor —contestó Primitivo, cuyo semblante recordaba más que nunca el de una estatua de fundición—. Dejo dispuesto en Rendas, y voy a ver si de aquí a Cebre sale algo que tumbar...

—Dame esa escopeta, Primitivo —ordenó don Pedro—. Estoy oyendo cantar la codorniz ahí, que no parece sino que me hace burla. Se me ha olvidado cargar mi carabina.

Diciendo y haciendo, cogió la escopeta, apuntó a cualquier parte, y disparó. Volaron hojas y pedazos de rama de un roble próximo, aunque ninguna codorniz cayó herida.

—¡Marró! —exclamó el señorito fingiendo gran contrariedad, mientras para sí discurría: "No era bala, eran postas... [62] Le quería meter grajea de plomo en el cuerpo... ¡Claro! con bala era más escandaloso, más alarmante para la justicia. Es zorro fino."

---

* atada.
** se viene usted por fin con nosotros.
[62] *Posta*: "bala pequeña de plomo, mayor que los perdigones, que sirve de munición para cargar las armas de fuego" (*Diccionario de la RAE*).

Y en voz alta:

—No vuelvas a cargar; hoy no se caza, que se nos viene la lluvia encima y tenemos que apretar el paso... Marcha delante, enséñanos el atajo hasta Cebre.

—¿No lo sabe el señorito?

—Sí tal, pero a veces me distraigo.

IX

Como ya dos veces había repicado la campanilla y los criados no llevaban trazas de abrir, las señoritas de la Lage, suponiendo que a horas tan tempranas no vendría nadie de cumplido, bajaron en persona y en grupo a abrir la puerta, sin peinar, con bata * y chinelas, hechas unas fachas. Así es que se quedaron voladas al encontrarse con un arrogante mozo, que les decía campechanamente:

—¿A que nadie me conoce aquí?

Sintieron impulsos de echar a correr; pero la tercera, la menos linda de todas, frisando al parecer en los veinte años, murmuró:

—De fijo que es el primo Perucho Moscoso.

—¡Bravo! —exclamó don Pedro—. ¡Aquí está la más lista de la familia!

Y adelantándose con los brazos abiertos, fue para abrazarla; pero ella, hurtando el cuerpo, le tendió una manecita fresca, recién lavada con agua y colonia. En seguida se entró por la casa gritando:

—¡Papá!, ¡papá! ¡Está aquí el primo Perucho!

El piso retembló bajo unos pasos elefantinos... [63] Apareció el señor de la Lage, llenando con su volumen la an-

---

* de bata.

[63] Esta primera impresión sobre el personaje —que incide de nuevo en la animalización— la va a desarrollar en seguida mediante una hiperbólica descripción en la que, al mismo tiempo, dejará bien patente la influencia del medio sobre el individuo (rasgo también naturalista).

tesala, y don Pedro abrazó a su tío, que le llevó casi en
volandas al salón. Julián, que por no malograr la sorpresa
de la aparición del primo se había quedado oculto detrás
de la puerta, salía riendo del escondite, muy embromado
por las señoritas, que afirmaban que estaba gordísimo, y se
escurría por el corredor, * en busca de su madre.

Viéndoles juntos, se observaba extraordinario parecido
entre el señor de la Lage y su sobrino carnal: la misma
estatura prócer, las mismas proporciones amplias, la misma
abundancia de huesos y fibra, la misma barba fuerte y
copiosa; pero lo que en el sobrino era armonía de complexión titánica, fortalecida por el aire libre y los ejercicios
corporales, en el tío era exuberancia y plétora: condenado
a una vida sedentaria, se advertía que le sobraba sangre y
carne, de la cual no sabía qué hacer; sin ser lo que se llama
obeso, su humanidad se desbordaba por todos lados; cada
pie suyo parecía una lancha, cada mano un mazo de car-
pintero. Se ahogaba con los trajes de paseo; no cabía en las
habitaciones reducidas; resoplaba en las butacas del teatro, y en misa repartía codazos para disponer de más sitio.
Magnífico ejemplar de una raza apta para la vida guerrera
y montés de las épocas feudales, se consumía miserable-
mente en el vil ocio de los pueblos, donde el que nada
produce, nada enseña, ni nada aprende, de nada sirve y
nada hace. ¡Oh dolor! Aquel castizo Pardo de la Lage,
naciendo en el siglo XV, hubiera dado en qué entender a los
arqueólogos e historiadores del XIX.

Mostró admirarse de la buena presencia del sobrino y le
habló llanamente, para inspirarle confianza.

—¡Muchacho, muchacho! ¿A dónde vas con tanto doblar? Cuidado que estás más hombre que yo... Siempre te
imitaste [64] más a Gabriel y a mí, que a tu madre que santa
gloria haya... Lo que es con tu padre, ni esto... No saliste

---

* por el pasillo.
[64] La utilización del vocablo gallego "imitarse", en lugar de su
correcta traducción 'parecerse a', contribuye a caracterizar al personaje en su condición de castellano parlante de la periferia oc-
cidental. En el fondo no es más que un rasgo de color local.

Moscoso, ni Cabreira, chico; saliste Pardo por los cuatro costados. Ya habrás visto a tus primas, ¿eh? Chiquillas, ¿qué le decís al primo?

—¿Qué me dicen? Me han recibido como a la persona de más cumplimiento... A ésta le quise dar un abrazo, y ella me alargó la mano muy fina.

—¡Qué borregas! ¡Marías Remilgos! A ver cómo abrazáis todas al primo, inmediatamente.

La primera que se adelantó a cumplir la orden fue la mayor. Al estrecharla, don Pedro no pudo dejar de notar las bizarras proporciones del bello bulto humano que oprimía. ¡Una real moza, la primita mayor!

—¿Tú eres Rita, si no me equivoco? —preguntó risueño—. Tengo muy mala memoria para nombres y puede que os confunda.

—Rita, para servirte —respondió con igual amabilidad la prima...—. Y ésta es Manolita, y ésta es Carmen, y aquella es Nucha...

—¡Sttt!... Poquito a poco... Me lo iréis repitiendo conforme os abrace.

Dos primas vinieron a pagar el tributo, diciendo festivamente:

—Yo soy Manolita, para servir a usted.

—Yo Carmen, para lo que usted guste mandar.

Allá entre los pliegues de una cortina de damasco se escondía la tercera, como si quisiese esquivar la ceremonia afectuosa; pero no le valió la treta, antes su retraimiento incitó al primo a exclamar:

—¿Doña Hucha, o como te llames?... Cuidadito conmigo... se me debe un abrazo...

—Me llamo Marcelina, hombre... Pero éstas me llaman siempre Marcelinucha o Nucha...

Costábale trabajo resolverse, y permanecía refugiada en el rojo dosel de la cortina, cruzando las manos sobre el peinador de percal blanco, que rayaban con doble y largo trazo, como de tinta, sus sueltas trenzas. El padre la empujó bruscamente, y la chica vino a caer contra el primo, toda ruborizada, recibiendo un apretón en regla, amén de un frote de barbas que la obligó a ocultar el rostro en la pechera del marqués.

Hechas así las amistades, entablaron el señor de la Lage y su sobrino la imprescindible conversación referente al viaje, sus causas, incidentes y peripecias. No explicaba muy satisfactoriamente el sobrino su impensada venida: ¡pch!... ganas de *espilirse*... [65] Cansa estar siempre solo... Gusta la variación... No insistió el tío, pensando para su chaleco: *

—Ya Julián me lo contará *todo*.

Y se frotaba las manos colosales, sonriendo a una idea que, si acariciada tiempo hacía allá en su interior, jamás se le había presentado tan clara y halagüeña como entonces. ¡Qué mejor esposo podían desear sus hijas que el primo Ulloa! Entre los numerosos ejemplares del tipo del padre que desea *colocar* a sus niñas, ninguno más vehemente que don Manuel Pardo, en cuanto a la voluntad, pero ninguno más reservado en el modo y forma. Porque aquel hidalgo de cepa vieja sentía a la vez gana ardentísima de casar a las chiquillas y un orgullo de raza tan exaltado, bajo engañosas apariencias de llaneza, que no sólo le vedaba descender a ningún ardid de los usuales en padres casamenteros, sino que le imponía suma rigidez y escrúpulo en la elección de sus relaciones y en la manera de educar a sus hijas, a quienes traía como encastilladas y aisladas, no llevándolas sino de pascuas a ramos a diversiones públicas. Las señoritas de la Lage, discurría don Manuel, deben casarse, y sería contrario al orden providencial que no apareciese tronco en que ingertar dignamente los retoños de tan noble estirpe; pero antes se quedan para vestir imágenes, que unirse con cualquiera, con el teniente que está de guarnición, con el comerciante que medra midiendo paño, con el médico que toma el pulso; eso sería ¡vive Dios! profanación indigna; las señoritas de la Lage sólo pueden dar su mano a quien se les iguale en calidad. Así pues, don Manuel, que se desdeñaría de tender redes a un ricachón

---

[65] En gallego "espabilarse".

* entre sí.

plebeyo, se propuso inmediatamente hacer cuanto estuviese en su mano para que su sobrino pasase a yerno, como el Sandoval de la zarzuela.

¿Conformaban las primitas con las opiniones de su padre? Lo cierto es que, apenas el primo se sentó a platicar con don Manuel, cada niña se escurrió bonitamente, ya a arreglar su tocado, ya a prevenir alojamiento al forastero y platos selectos para la mesa. Se convino en que el primo se quedaba hospedado allí, y se envió por la maleta a la posada.

Fue la comida alegre en extremo. Rápidamente se había establecido entre don Pedro y las señoritas de la Lage el género de familiaridad inherente al parentesco en grado prohibido pero dispensable: familiaridad que se diferencia de la fraternal en que la sazona y condimenta un picante polvito de hostilidad, germen de graciosas y galantes escaramuzas. Cruzábase en la mesa vivo tiroteo de bromas, equívocos, piropos, que entre los dos sexos suele preludiar a más serios combates.

—Primo, me extraña mucho que estando a mi lado no me sirvas el agua.

—Los aldeanos no entendemos de política: ve enseñándome un poco, que por tener maestras así...

—Glotón, ¿quién te da permiso para repetir?

—El plato está tan rico, que supongo que es obra tuya.

—¡Vaya unas ilusiones! Ha sido la cocinera. Yo no guiso para ti. Te fastidiaste.

—Prima, esta yemecita. Por mí.

—No me robes del plato, goloso. Que no te lo doy, ¡ea! ¿No tienes ahí la fuente?

—¿A que te lo atrapo? Cuando más descuidada estés...

—¿A que no?

Y la prima se levantaba y echaba a correr con su plato en las manos, para evitar el hurto de un merengue o de media manzana, y el primo la perseguía alrededor de la mesa, y el juego se celebraba con estrepitosas carcajadas, como si fuese el paso más gracioso del mundo. Las mantenedoras de este torneo eran Rita y Manolita, las dos mayores: en cuanto a Nucha y Carmen, se encerraban en los términos de una cordialidad mesurada, presenciando y riendo las bromas, pero sin tomar parte activa en ellas, con la diferencia de que en el rostro de Carmen, la más joven, se notaba una melancolía perenne, una preocupación dominante, y en el de Nucha se advertía tan sólo gravedad natural, no exenta de placidez.

Hallábase don Pedro en sus glorias. Al resolverse a emprender el viaje, receló que las primas fuesen algunas señoritas muy cumplimenteras y espetadas, cosa que a él le pondría en un brete, por serle extrañas las fórmulas del trato ceremonioso con damas de calidad, clase de *perdices blancas* que nunca había cazado; mas aquel recibimiento franco le devolvió al punto su aplomo. Animado, y con la cálida sangre despierta, consideraba a las primitas una por una, calculando a cuál arrojaría el pañuelo. La menor no hay duda que era muy linda, blanca con cabos negros, alta y esbelta, pero la mal disimulada pasión de ánimo, las cárdenas ojeras, amenguaban su atractivo para don Pedro, que no estaba por romanticismos. En cuanto a la tercera, Nucha, asemejábase bastante a la menor, sólo que en feo: sus ojos, de magnífico tamaño, negros también como moras, padecían leve estrabismo convergente, lo cual daba a su mirar una vaguedad y pudor especiales; no era alta, ni sus facciones se pasaban de correctas, a excepción de la boca, que era una miniatura. En suma, pocos encantos físicos, al menos para los que se pagan de la cantidad y morbidez en esta nuestra envoltura de barro. Manolita ofrecía otro tipo distinto, admirándose en ella lozanas carnes y suma gracia, unida a un defecto que para muchos es aumento singular de perfección en la mujer, y a otros, verbigracia a don Pedro, les inspira repulsión; un carácter masculino mezclado a los hechizos femeniles, un bozo que iba pasando a bigote, una prolongación del nacimiento del pelo sobre la oreja que, descendiendo a lo largo de la mandíbula, quería ser, más que suave patilla, atrevida barba. A la que no se podían poner tachas era a Rita, la hermana mayor. Lo que más cautivaba a su primo, en Rita, no era tanto la belleza del rostro, como la cumplida proporción del tronco y miembros, la amplitud y redondez de la cadera, el desarrollo del seno, todo cuanto en las valientes y armónicas curvas de su briosa persona prometía la madre fecunda y la nodriza inexhausta. ¡Soberbio vaso en verdad para encerrar un Moscoso legítimo, magnífico patrón donde injertar el heredero, el continuador del nombre! El marqués presentía en tan arrogante hembra, no el placer de los sentidos, sino la numerosa y masculina prole que debía rendir; bien como el agricultor que ante un terreno fértil no se prenda de las florecillas que lo esmaltan, pero calcula aproximadamente la cosecha que podrá rendir al terminarse el estío.

Pasaron al salón después de la comida, para la cual las muchachas se habían emperejilado. Enseñaron a don Pedro infinidad de quisicosas: estereóscopos, [66] álbumes de fotografías, que eran entonces objetos muy elegantes y nada comunes. Rita y Manolita obligaban al primo a fijarse en los retratos que las representaban apoyadas en una silla o en una columna, actitud clásica que por aquel tiempo imponían los fotógrafos; y Nucha, abriendo un álbum chiquito, se lo puso delante a don Pedro, preguntándole afanosamente:

—¿Le conoces?

Era un muchacho como de diecisiete años, rapado, con uniforme de alumno de la Academia de artillería, parecidísimo a Nucha y a Carmen cuanto puede parecerse un pelón a dos señoritas con buenas trenzas de pelo.

—Es mi niño —afirmó Nucha muy grave.

—¿Tu niño?

Riéronse las otras hermanas a carcajadas, y don Pedro exclamó cayendo en la cuenta:

—¡Bah! Ya sé. Es vuestro hermano, mi señor primo, el mayorazgo de la Lage, Gabrieliño.

[66] Aparato óptico en el que, mirando con ambos ojos, se ven dos imágenes de un objeto, que, al fundirse en una, producen una sensación de relieve por estar tomadas con un ángulo diferente para cada ojo *(Dic. de la RAE)*. Recordemos que nos encontramos en la primavera de 1867 (tiempo interno de la novela), la Pardo Bazán está hablando de las cosas que eran novedades en su adolescencia.

—Pues claro: ¿quién había de ser? Pero esa Nucha le quiere tanto, que siempre le llama su niño.

Nucha, corroborando el aserto, se inclinó y besó el retrato, con tan apasionada ternura, que allá en Segovia el pobre alumno, víctima quizá de los rigores de la cruel *novatada,* debió de sentir en la mejilla y el corazón una cosa dulce y caliente.

Cuando Carmen, la tristona, vio a sus hermanas entretenidas, se escabulló del salón, donde ya no apareció más. Agotado todo lo que en el salón había que enseñar al primo, le mostraron la casa desde el desván hasta la leñera; un caserón antiguo, espacioso y destartalado, como aún quedan muchos en la monumental Compostela, digno hermano urbano de los rurales Pazos de Ulloa. En su fachada severa desafinaba una galería de nuevo cuño, ideada por don Manuel Pardo de la Lage, que tenía el costoso vicio de hacer obras. Semejante solecismo arquitectónico era el quitapesares de las señoritas de Pardo; allí se las encontraba siempre, posadas como pájaros en rama favorita; allí hacían labor, allí tenían un breve jardín, contenido en macetas y cajones, allí colgaban jaulas de canarios y jilgueros; tal vez no parasen en esto los buenos oficios de la galería dichosa. Lo cierto es que en ella encontraron a Carmen, asomada y mirando a la calle, tan absorta que no sintió llegar a sus hermanas. Nucha le tiró del vestido; la muchacha se volvió, pudiendo notarse que tenía unas vislumbres de rosa en las mejillas, descoloridas de ordinario. Hablóle Nucha vivamente al oído, y Carmen se apartó del encristalado antepecho, siempre muda y preocupada. Rita no cesaba de explicar al primo mil particularidades.

—Desde aquí se ven las mejores calles... Ése es el Preguntoiro; por ahí pasa mucha gente... Aquella torre es la de la Catedral... ¿Y tú no has ido a la Catedral todavía? ¿Pero de veras no le has rezado un Credo al Santo Apóstol, judío? —exclamaba la chica vertiendo provocativa luz de sus pupilas radiantes: "Vaya, vaya... Tengo yo que llevarte allí, para que conozcas al Santo y lo abraces muy apretadito... ¿Tampoco has visto aún el Casino?, ¿la Alameda?, ¿la Universidad? ¡Señor! ¡Si no has visto nada!"

—No, hija... Ya sabes que soy un pobre aldeano... y he llegado ayer al anochecer. No hice más que acostarme.

—¿Por qué no te viniste acá en derechura, descastado?

—¿A alborotaros la casa de noche? Aunque salgo de entre tojos, no soy tan mal criado como todo eso.

—Vamos, pues hoy tienes que ver alguna notabilidad... Y no faltar al paseo... Hay chicas muy guapas.

—De eso ya me he enterado, sin molestarme en ir a la Alameda —contestó el primo echando a Rita una miradaza que ella resistió con intrepidez notoria, y pagó sin esquivez alguna.

X

Y en efecto, le fueron enseñadas al marqués de Ulloa
multitud de cosas que no le importaban mayormente. Nada
le agradó, y experimentó mil decepciones, como suele
acontecer a las gentes habituadas a vivir en el campo, que
se forman del pueblo una idea exagerada. Pareciéronle, y
con razón, estrechas, torcidas y mal empedradas las calles,
fangoso el piso, húmedas las paredes, viejos y ennegreci-
dos los edificios, pequeño el circuito de la ciudad, postra-
do su comercio y solitarios casi siempre sus sitios públicos; y en cuanto a lo que en un pueblo antiguo puede ena-
morar a un espíritu culto, los grandes recuerdos, la eterna
vida del arte conservada en monumentos y ruinas, de eso
entendía don Pedro lo mismo que de griego o latín. ¡Piedras mohosas! Ya le bastaban las de los Pazos. Nótese
cómo un hidalgo campesino de muy rancio criterio se hallaba al nivel de los demócratas más vandálicos y demoledores. [67] A pesar de conocer a Orense y haber estado
en Santiago cuando niño, discurría y fantaseaba a su modo
lo que debe ser una ciudad moderna: calles anchas, mucha regularidad en las construcciones, todo nuevo y fla-
mante, gran policía, ¿qué menos puede ofrecer la civiliza-
ción a sus esclavos? Es cierto que Santiago poseía dos o

[67] Obsérvese la habilidad con que doña Emilia reproduce en
discurso indirecto libre los pensamientos de don Pedro ("¡Piedras
mohosas!") y, a continuación, inserta su propio comentario personal ("Nótese como un hidalgo...").

tres edificios espaciosos, la Catedral, el Consistorio, San Martín... Pero en ellos existían cosas muy sin razón ponderadas, en concepto del marqués: por ejemplo, la Gloria de la Catedral. ¡Vaya unos santos más mal hechos y unas santas más flacuchas y sin forma humana! ¡Unas columnas más toscamente esculpidas! Sería de ver a alguno de estos sabios que escudriñan el *sentido* de un monumento religioso, consagrándose a la tarea de demostrar a don Pedro que el pórtico de la Gloria encierra alta poesía y profundo simbolismo. ¡Simbolismo! ¡Jerigonzas! El pórtico estaba muy mal labrado, y las figuras parecían pasadas por tamiz. Por fuerza las artes andaban atrasadísimas en aquellos tiempos de maricastaña. Total, que de los monumentos de Santiago se atenía el marqués a uno de fábrica muy reciente: su prima Rita.

La proximidad de la fiesta del Corpus animaba un tanto la soñolienta ciudad universitaria, y todas las tardes había lucido paseo bajo los árboles de la Alameda. Carmen y Nucha solían ir delante, y las seguían Rita y Manolita, acompañadas por su primo; el padre cubría la retaguardia conversando con algún señor mayor, de los muchos que existen en el pueblo compostelano, donde por ley de afinidad parece abundar más que en otras partes la gente provecta. A menudo se arrimaba a Manolita un señorito muy planchado y tieso, con cierto empaque ridículo y exageradas pretensiones de elegancia: llamábase don Víctor de la Formoseda y estudiaba derecho en la Universidad: don Manuel Pardo le veía gustoso acercarse a sus hijas, por ser el señorito de la Formoseda de muy limpio solar montañés, y no despreciable caudal. Ni era éste el único mosquito que zumbaba en torno de las señoritas de la Lage. A las primeras de cambio notó don Pedro que así por los tortuosos y lóbregos soportales de la Rúa del Villar, como por las frondosidades de la Alameda y la Herradura, les seguía y escoltaba un hombre joven, melenudo, enfundado en un gabán gris, de corte raro y antiguo. Aquel hombre parecía la sombra de las muchachas: no era posible volver la cabeza sin encontrársele: y don Pedro reparó también que al surgir detrás de un pilar o por entre

Doña Emilia Pardo Bazán —en el centro de la fotografía—
con un grupo de amigos en el salón-biblioteca de su casa
madrileña.

DOÑA EMILIA PARDO BAZAN.

Doña Emilia Pardo Bazán. Caricatura de Castelao.

los árboles el rondador perpetuo, la cara triste y ojerosa de Carmen se animaba, y brillaban sus abatidos ojos. En cambio, don Manuel y Nucha daban señales de inquietud y desagrado.

Ya sobre la pista, don Pedro siguió acechando, a fuer de cazador experto. Nucha no debía de tener ningún adorador entre la multitud de estudiantes y vagos que acudían al paseo, o si lo tenía, no le hacía caso, pues caminaba seria e indiferente. En público, Nucha parecía revestirse de gravedad ajena a sus años. Respecto a Manolita, no perdía ripio coqueteando con el señorito de la Formoseda. Rita, siempre animada y provocadora, lo era mucho con su primo, y no poco con los demás, pues don Pedro advirtió que a las miradas y requiebros de sus admiradores correspondía con ojeadas vivas y flecheras. Lo cual no dejó de dar en qué pensar al marqués de Ulloa, el cual, * tal vez por contarse en el número de los hombres fácilmente atraídos por las mujeres vivarachas, tenía de ellas opinión detestable y para sus adentros la expresaba en términos muy crudos.

Dormían en habitaciones contiguas Julián y el marqués, pues Julián, desde su ordenación, había ascendido de categoría en la casa, y mientras la madre continuaba desempeñando las funciones de ama de llaves y dueña, el hijo comía con los señores, ocupaba un cuarto de importancia, y era tratado en suma, sino de igual a igual, pues siempre quedaban matices de protección, al menos con gran amabilidad y deferencia. De noche, antes de recogerse, el marqués se le entraba en el dormitorio a fumar un cigarro y charlar. La conversación ofrecía pocos lances, pues siempre versaba sobre el mismo proyecto. Decía don Pedro que le admiraban dos cosas: haberse resuelto a salir de los Pazos, y hallarse tan decidido a *tomar estado,* idea que antes le parecía irrealizable. Era don Pedro de los que juzgan muy importantes y dignas de comentarse sus propias acciones y mutaciones —achaque propio de egoístas— y han menester tener siempre cerca de sí algún inferior o sub-

* quien.

ordinado a quien referirlas, para que les atribuya también
valor extraordinario.

Agradaba la plática a Julián. Aquellas proyectadas bodas
entre primo y prima le parecían tan naturales como jun-
tarse * la vid al olmo. Las familias no podían ser mejores
ni más para en una; las clases iguales; las edades no muy
desproporcionadas, ** y el resultado dichosísimo, porque
así redimía el marqués su alma de las garras del demonio,
personificado en impúdicas barraganas. Solamente no le
contentaba que don Pedro se hubiese ido a fijar en la señorita Rita: mas no se atrevía ni a indicarlo, no fuese a
malograrse la cristiana resolución del marqués.

—Rita es una gran moza... —decía éste explayándo-
se—. Parece sana como una manzana, y los hijos que tenga
heredarán su buena constitución. Serán más fuertes aún
que Perucho el de Sabel.

¡Inoportuna reminiscencia! Julián se apresuraba a replicar, sin meterse en honduras fisiológicas:

—La casta de los señores de Pardo es muy saludable,
gracias a Dios...

Una noche cambiaron de sesgo las confidencias, entrando en terreno sumamente embarazoso para Julián, siempre
temeroso de que cualquier desliz de su lengua desbarata-
se los proyectos del señorito, y le echase a él sobre la
conciencia responsabilidad gravísima.

—¿Sabe usted —insinuó don Pedro— que mi prima
Rita se me figura algo casquivana? Por el paseo va siempre entretenida en si la miran o no la miran, si le dicen
o no le dicen... Juraría que toma varas.

—¿Qué toma varas? —repitió el capellán, quedándose
en ayunas del sentido de la frase grosera.

—Sí, hombre... Que se deja querer, vamos... Y para
casarse, no es cosa de broma que la mujer las gaste con el
primero que llega.

—¿Quién lo duda, señorito? La prenda más esencial en
la mujer es la honestidad y el recato. Pero no hay que

* enlazarse.
** no desproporcionadas.

fiarse de apariencias. La señorita Rita tiene el genio así, franco y alegre...

Creíase Julián salvado con estas evasivas, cuando, a las pocas noches, don Pedro le apretó para que *cantase*:

—Don Julián, aquí no valen misterios... Si he de casarme, quiero al menos saber con quién y cómo... Apenas se reirían si porque vengo de los Pazos me diesen de buenas a primeras gato por liebre. Con razón se diría que salí de un soto para meterme en otro. No sirve contestar que usted no sabe nada. Usted se ha criado en esta casa, y conoce a mis primas desde que nació. Rita... Rita es mayor que usted, ¿no es verdad?

—Sí señor —respondió Julián, no teniendo por cargo de conciencia revelar la edad...—. La señorita Rita cumplirá ahora veintisiete o veintiocho años... Después viene la señorita Manolita y la señorita Marcelina, que son seguidas... veintitrés y veintidós... porque en medio murieron dos niños varones... y luego la señorita Carmen, veinte... Cuando nació el señorito Gabriel, que andará en los diecisiete o poco más, ya no se pensaba que la señora volviese a tener sucesión, porque andaba delicada, y le probó tan mal el parto, que falleció a los pocos meses.

—Pues usted debe conocer perfectamente a Rita. Cante usted, ¡ea!

—Señorito, a la verdad... Yo me crié en esta casa, es cierto; pero sin manualizarme [68] con los señores, porque mi clase era otra muy distinta... Y mi madre, que era * muy piadosa, no me permitió jamás juntarme con las señoritas para jugar ni nada... por razones de decoro... ¡Ya usted me comprende! Con el señorito Gabriel sí que tuve algún trato: lo que es con las señoritas... buenos días y

---

[68] El término no está recogido en el *Diccionario de la RAE*, pero sí está en la *Enciclopedia del idioma*, Madrid, 1958, de Martín Alonso, con el sentido de 'tener trato o familiaridad'. En el *Diccionario gallego-castellano*, de Franco Grande, se encuentra "manualida'/de" con el sentido 'familiaridad, modo llano de tratarse con una persona'.

* es.

buenas noches, cuando las encontraba en los pasillos. Luego ya fui al Seminario...

—¡Bah, bah! ¿Tiene usted ganas de cuentos...? Harto estará usted de saber cosas de las chicas. Basta su madre de usted para enterarle. ¿Acerté? Se ha puesto usted colorado... ¡Ajá! ¡Por ahí vamos bien! ¡A ver con qué cara me niega que su madre le ha informado de algunas cosillas...!

Julián se tornó purpúreo. Que si le habían contado! ¡Pues no habían de contarle! Desde su llegada, la venerable dueña que regía el llavero en casa de la Lage no había cogido a solas a su hijo un minuto, sin ceder a la comezón de tocar ciertos asuntos, que únicamente con varones graves y religiosos pueden conferirse... Misía Rosario [69] no lo iba a charlar con otras comadres envidiosas, eso no; por algo comía el pan de don Manuel Pardo; pero con la gente grave y de buen consejo; por ejemplo, su confesor don Vicente el canónigo, y Julián, aquel pedazo de sus entrañas elevado a la más alta dignidad que cabe en la tierra, ¿quién le vedaba * el gustazo de juzgar a su modo la conducta del amo y las señoritas, de alardear de discreción, censurando melosa y compasivamente algunos de sus actos ** que ella "si fuese señora" no realizaría jamás, y de oír que "personas de respeto" alababan mucho su cordura, y conformaban del todo *** con su dictamen? Que si le habían contado a Julián, ¡Dios bendito! Pero una cosa es que se lo hubiesen contado, y otra que él lo pudiese repetir. ¿Cómo revelar la manía de la señorita Carmen, empeñada en casarse contra viento y marea de su padre, con un estudiantillo de medicina, un nadie, hijo de un herrador de pueblo (¡oh baldón para la preclara estirpe de los Pardos!), un loco de atar que la comprometía siguiéndola por todas partes a modo de perrito faldero, y de quien ade-

---

[69] Contracción de *miña señora*. Recogida en el *Diccionario gallego*, de Leandro Carré Alvarellos.
    * quitaba.
  ** algunos actos.
 *** en todo

más se aseguraba que era un materialista, metido en socie-
dades secretas? ¿Cómo divulgar que la señorita Manolita
hacía novenas a San Antonio para que don Víctor de la
Formoseda se determinase a pedirla, llegando al extremo
de escribir a don Víctor cartas anónimas indisponiéndole
con otras señoritas cuya casa frecuentaba? Y sobre todo,
¿cómo indicar ni lo más somero y mínimo de *aquello* de la
señorita Rita, que maliciosamente interpretado tanto podía
dañar a su honra? Antes le arrancasen la lengua.

—Señorito... —balbució.... Yo creo que las señoritas
son muy buenas e incapaces de faltar en nada; pero si lo
contrario supiese, me guardaría bien de propalarlo, toda
vez que yo... que mi agradecimiento a esta familia me pondría... vamos... como si dijéramos... una mordaza...

Detúvose, comprendiendo que se empantanaba más.

—No traduzca mis palabras, señorito... Por Dios no sa-
que usted consecuencias de mi poca habilidad para expli-
carme.

—¿Según eso —preguntó el marqués mirando de hito
en hito al capellán— usted juzga que no hay absolutamente nada censurable? Clarito. ¿Las considera usted *a todas*
unas señoritas intachables... perfectísimas... que me con-
vienen para casarme? ¿Eh?

Meditó Julián antes de responder.

—Si usted se empeña en que le descubra cuánto uno
tiene en el corazón... francamente, aunque las señoritas
son cada una de por sí muy simpáticas, yo, puesto a escoger, no lo niego... me quedaría con la señorita Marcelina.

—¡Hombre! Es algo bizca... y flaca... Sólo tiene buen
pelo y buen genio.

—Señorito, es una alhaja.

—Será como las demás.

—Es como ella sola. Cuando el señorito Gabriel quedó sin mamá de pequeñito, lo cuidó con una formalidad
que tenía la gracia del mundo, porque ella no era mucho
mayor que él. Una madre no hiciera más. De día, de noche, siempre con el chiquillo en brazos. Le llamaba su
hijo: dicen que era un sainete ver aquello. Parece que el
peso del chiquillo la rindió y por eso quedó más delicada

de salud que las otras. Cuando el hermano marchó al colegio, estuvo malucha. Por eso la ve usted descolorida. Es un ángel, señorito. Todo se le vuelve aconsejar bien a las hermanas...

—Señal de que lo necesitan —arguyó don Pedro maliciosamente.

—¡Jesús! No puede uno deslizarse... Bien sabe usted que sobre lo bueno está lo mejor, y la señorita Marcelina raya en perfecta. La perfección es dada a pocos. Señorito, la señorita Marcelina, ahí donde usted la ve, se confiesa y comulga tan a menudo, y es tan religiosa, que edifica a la gente.

Quedóse don Pedro reflexionando algún rato, y aseguró después que le agradaba mucho, mucho, la religiosidad en las mujeres; que la conceptuaba indispensable para que fuesen "buenas".

—Con que beatita, ¿eh? —añadió—. Ya tengo por dónde hacerla rabiar.

Y tal fue en efecto el resultado inmediato de aquella conferencia donde, con mejor deseo que diplomacia, había intentado Julián presentar la candidatura de Nucha. Desde entonces el primo gastó con ella bastantes bromas, algunas más pesadas que divertidas. Con placer del niño voluntarioso cuyos dedos entreabren un capullo, gozaba en poner colorada a Nucha, en arañarle la epidermis del alma por medio de chanzas subidas e indiscretas familiaridades que ella rechazaba enérgicamente. Semejante juego mortificaba al capellán tanto como a la chica; las sobremesas eran para él largo suplicio, pues a las anécdotas y cuentos de don Manuel, que versaban siempre sobre materias nada pulcras ni bien olientes (costumbre inveterada en el señor de la Lage), se unían las continuas inconveniencias del primo con la prima. El pobre Julián, con los ojos fijos en el plato, el rubio entrecejo un tanto fruncido, pasaba las de Caín. Imaginábase él que ajar, siquiera fuese en broma, la flor de la modestia virginal, era abominable sacrilegio. Por lo que su madre le había contado y por lo que en Nucha veía, la señorita le inspiraba religioso respeto, semejante al que infunde el camarín que contiene una

veneranda imagen. Jamás se atrevía a llamarla por el diminutivo, pareciéndole *Nucha* nombre de perro más bien
que de persona y cuando don Pedro se resbalaba a chan-
zonetas escabrosas, el capellán, juzgando que consolaba
a la señorita Marcelina, tomaba asiento a su lado y le hablaba de cosas santas y apacibles, de alguna novena o función de iglesia, a las cuales Nucha asistía con asiduidad.

No lograba el marqués vencer la irritante atracción que
le llevaba hacia Rita: y con todo, al crecer el imperio que
ejercía en sus sentidos la prima mayor, se fortalecía también la especie de desconfianza instintiva que infunden al
campesino las hembras ciudadanas, cuyo refinamiento y co-
quetería suele confundir con la depravación. Vamos, no lo
podía remediar el marqués: según frase suya, Rita *le esca-
maba* terriblemente. ¡Es que a veces ostentaba una des-
envoltura! ¡Se mostraba con él tan incitadora; tendía la red
con tan poco disimulo; se esponjaba de tal suerte ante los
homenajes masculinos!

El aldeano que llega al pueblo ha oído contar mil lances,
mil jugarretas hechas a los bobos que allí entran despre-
venidos como incautos peces. Lleno de recelo, mira hacia
todas partes, teme que le roben en las tiendas, no se fía
de nadie, no acierta a conciliar el sueño en la posada, no
sea que mientras duerme le birlen el bolso. Guardada la
distancia que separaba de un labriego al señor de Ulloa,
éste era su estado moral en Santiago. * No hería su amor
propio ser dominado por Primitivo y vendido groseramente por Sabel en su madriguera de los Pazos, pero sí que le
torease en Compostela ** su artificiosa primilla. Además,
no es lo mismo distraerse con una muchacha cualquiera
que tomar esposa. La hembra destinada a llevar el nombre esclarecido de Moscoso y a perpetuarlo legítimamente,
había de ser limpia como un espejo... Y don Pedro figuraba entre los que no juzgan limpia ya a la que tuvo amo-
rosos tratos, aun en la más honesta y lícita forma, con otro
que con su marido. Aun las ojeadas en calles y paseos eran

* en Compostela.
** en el pueblo.

pecados gordos. Entendía don Pedro el honor conyugal a la manera calderoniana, española neta, indulgentísima para el esposo e implacable para la esposa. Y a él que no le dijesen: Rita no estaba sin algún enredillo... Acerca de Carmen y Manolita no necesitaba discurrir, pues bien veía lo que pasaba. Pero Rita...

Ningún amigo íntimo tenía en Santiago don Pedro, aunque sí varios conocidos, * ganados ** en el paseo, en casa de su tío o en el Casino, donde solía ir mañana y noche, a fuer de buen español ocioso. Allí se le embromaba mucho con su prima, comentándose también la desatinada pasión de Carmen por el estudiante y su continuo atalayar en la galería, con el adorador apostado enfrente. Siempre alerta, el señorito estudiaba el tono y acento con que nombraban a Rita. En dos o tres ocasiones le pareció notar unas puntas de ironía, y acaso no se equivocase; pues en las ciudades pequeñas, donde ningún suceso se olvida ni borra, donde gira perpetuamente la conversación sobre los mismos asuntos, donde se abulta lo nimio, y lo grave adquiere proporciones épicas, a menudo tiene una muchacha perdida la fama antes que la honra, *** y ligerezas insignificantes, glosadas y censuradas años y años, llevan a su autora **** con palma al sepulcro. Además, las señoritas de la Lage, por su alcurnia, por los humos aristocráticos de su padre, y la especie de aureola con que pretendía rodearlas, por su belleza, eran blanco de bastantes envidillas y murmuraciones: cuando no se las motejaba de orgullosas, se recurría a tacharlas de coquetas.

Lucía el Casino entre su maltratado mueblaje un caduco sofá de gutapercha, gala del gabinete de lectura: sofá que pudiera llamarse tribuna de los maldicientes, pues allí se reunían tres de las más afiladas tijeras que han cortado sayos en el mundo: triunvirato digno de más detenido bosquejo y en el cual descollaba un personaje eminentísi-

---

* conocimientos.
** logrados.
*** la virtud.
**** la doncella.

mo, maestro en la ciencia del *mal saber*. Así como los eruditos se precian de no ignorar la más mínima particularidad concerniente a remotas épocas históricas, este sujeto se jactaba de poder decir, sin errar punto ni coma, lo que disfrutaban de renta, lo que comían, lo que hablaban y hasta lo que pensaban las veinte o treinta familias de viso que encerraba el recinto de Santiago. Hombre era para pronunciar con suma formalidad y gran reposo:

—Ayer, en casa de la Lage, se han puesto en la mesa dos principios: croquetas y carne estofada. La ensalada fue de coliflor, y a los postres se sirvió carne de membrillo de las monjas.

Comprobada la exactitud de tales pormenores, resultaban rigurosamente ciertos.

Tan bien informado individuo consiguió encender más recelos en el ánimo del suspicaz señor de Ulloa, bastándole para ellos unas cuantas palabritas, de esas que tomadas al pie de la letra no llevan malicia alguna, pero vistas al trasluz pueden significarlo todo... Encomiando el salero de Rita, y la hermosura de Rita, y la buena conformación anatómica del cuerpo de Rita, añadió como al descuido:

—Es una muchacha de primer orden... y aquí difícilmente le saldría novio. Las chicas por el estilo de Rita siempre encuentran su media naranja en un forastero.

XI

Hacía un mes que don Manuel Pardo se preguntaba a sí mismo: «¿Cuándo se determinará el rapaz a pedirme a Rita?»

Que se la pediría, no lo dudó un momento. La situación del marqués en aquella casa, era tácitamente la del novio aceptado. Los amigos de la familia de la Lage se permitían alusiones desembozadas a la próxima boda; los criados, en la cocina, calculaban ya a cuánto ascendería la propineja nupcial. Al recogerse, sus hermanas daban matraca a Rita. A todas horas reían fraternalmente con el primo y una ráfaga de alegría juvenil trocaba la vetusta casa en alborotada pajarera.

Descabezaba una tarde la siesta el marqués, cuando llamaron a la puerta con grandes palmadas. Abrió: era Rita, en chambra, con un pañuelo de seda atado a lo curro, luciendo su hermosa garganta descubierta. Blandía en la diestra un plumero enorme, y parecía una guapísima criada de servir, semejanza que lejos de repeler * al marqués, le hizo hervir la sangre con mayor ímpetu. Sofocada y risueña la muchacha echaba lumbres por ojos, boca y mejillas.

—¿Perucho? ¿Peruchón?

—¿Ritiña? ¿Ritona? —contestó don Pedro devorándola con el mirar.

—Dicen las chicas que vengas... Estamos muy enfaenadas arreglando el desván, donde hay todos los trastos del

* enfriar.

tiempo del abuelo. Parece que se encuentran allí cosas fenomenales.

—Y yo ¿para qué os sirvo? Supongo que no me mandaréis barrer.

—Todo será que se nos antoje. Ven, holgazán, dormilón, marmota.

Conducía al desván empinadísima escalera, y no era el sitio muy oscuro, pues recibía luz de tres grandes claraboyas, pero sí bastante bajo; don Pedro no podía estar allí de pie, y las chicas, al menor descuido, se pegaban coscorrones en la cabeza contra la armazón del techo. Guardábanse en el desván mil cachivaches arrumbados que habían servido en otro tiempo a la pompa, aparato y esplendor de los Pardos de la Lage, y hoy tenían por compañeros al polvo y la polilla, por esperanza la visita de las muchachas bulliciosas, que de vez en cuando lo exploraban, a fin de desenterrar alguna presea de antaño, que reformaban según la moda actual. Con las antiguallas que allí se pudrían, pudiera escribirse la historia de las costumbres y ocupaciones de la nobleza gallega, desde un par de siglos acá. Restos de sillas de manos pintadas y doradas; farolillos con que los pajes alumbraban a sus señoras al regresar de las tertulias, cuando no se conocía en Santiago el alumbrado público; un uniforme de maestrante de Ronda; escofietas y ridículos,[70] bordados de abalorio; chupas[71] recamadas de flores vistosas; medias caladas de seda, rancias ya; faldas adornadas con caireles;[72] espadines de acero tomados de orín; anuncios de funciones de teatro impresos en seda, rezando que la *dama de música* había de cantar una chistosa tonadilla, y el gracioso representar una diver-

---

[70] Las escofietas eran tocados femeninos a base de gasas, tules, o tejidos de esta clase. Los ridículos eran bolsitos de señora, de mano, con cordones a modo de asas, en los que se llevaban cosas pequeñas: el pañuelo, el monedero...

[71] La chupa, en sentido estricto, era una prenda del uniforme militar que iba debajo de la casaca. En el vestuario femenino eran chaquetas de mangas ajustadas con faldillas desde la cintura.

[72] Los caireles eran adornos en forma de fleco que quedaban colgando en el extremo de la ropa.

tida *pitipieza*; [73] todo andaba por allí revuelto con otros chirimbolos análogos, que trascendían a casacón desde mil leguas, y entre los cuales distinguíanse, como prendas más simbólicas y elocuentes, los trebejos masónicos, medalla, triángulo, mallete, escuadra y mandil, despojos de un abuelo afrancesado y grado 33..., [74] y una lindísima chaqueta de grana, con las insignias de coronel bordadas en plata * por bocamangas y cuello, herencia de la abuela de don Manuel Pardo, que según costumbre de su época, autorizada por el ejemplo de la reina María Luisa, usaba el uniforme de su marido para montar diestramente a horcajadas.

—A buena parte me trajisteis —decía don Pedro, ahogado entre el polvo y contrariadísimo por no poder moverse del asiento.

—Aquí te queremos —le replicaban Rita y Manolita, palmoteando triunfantes— porque aunque te empeñes, no hay medio de correr tras de nosotros, ni de hacernos barrabasadas. Llegó la nuestra. Te vamos a vestir con espadín y chupa. Ya verás.

—Buena gana tengo de ponerme de máscara.

---

[73] La denominación "dama de música" para la tonadillera y el término pitipieza, adaptación vulgar de *petite pièce,* nos remite a un teatro de influencia francesa, que intentaba captar el favor del público incluyendo en la representación elementos ajenos al espíritu ilustrado, pero de éxito seguro: las tonadillas y las representaciones unipersonales del gracioso (véase J. Campos, *Teatro y sociedad en España (1780-1820),* Moneda y Crédito, Madrid, 1969, y R. Andioc, *Teatro y sociedad en el Madrid del siglo XVIII,* Castalia, Madrid, 1976).

[74] Este abuelo ilustrado, afrancesado y masón debe de ser el mismo que leía a Voltaire y Rousseau en la biblioteca de los Pazos. Tiene una base real, pues en los "Apuntes autobiográficos" alude a un antepasado "ilustrado", con aficiones "de político, jurisconsulto y agrónomo". En cuanto a lo de ser masón, recordemos que la masonería fue en sus orígenes una sociedad secreta de carácter espiritual y religioso, aunque se mezclara activamente en política. Utilizaba símbolos tomados de la arquitectura, ya que se proponía "construir" el hombre superior. El grado 33 era el máximo, según el rito escocés, y lleva el título de "Soberano Gran Inspector General".

* de plata.

—Un minuto solamente. Para ver qué facha haces.

—Os digo que no me visto de mamarracho.

—¿Cómo que no? Se nos ha puesto a nosotras en el moño.

—Mirad que os pesará. La que se me acerque ha de arrepentirse.

—¿Y qué nos harás, fantasmón?

—Eso no se dice hasta que se vea.

La misteriosa amenaza pareció infundir temor en las primas, que se limitaron por entonces a inofensivas travesuras, a algún plumerazo más o menos. Adelantaba la limpieza del desván: Manolita, con sus brazos nervudos, manejaba los trastos; Rita los clasificaba; Nucha los sacudía y doblaba esmeradamente; Carmen tomaba poca parte en el trajín, y menos aún en la jarana: dos o tres veces se eclipsó, para asomarse a la galería sin duda. Las demás le soltaron indirectas.

—¿Qué tal está el día, Carmucha? ¿Llueve o hace sol?

—¿Pasa mucha gente por la calle? Contesta, mujer.

—Ésa siempre está pensando en las musarañas.

A medida que las prendas iban quedando limpias de polvo, las chicas se las probaban. A Manolita le sentaba a maravilla el uniforme de coronel, por su tipo hombruno. Rita era un encanto con la dulleta [75] de seda verdegay de la abuela. Carmen sólo consintió en dejarse poner un estrafalario adorno, un penacho triple, que allá cuando se estrenó se llamaba *Las tres potencias*. Tocóle a Nucha la probatura de las mantillas de blanda. A todo esto la tarde caía, y en el telarañoso recinto del desván se veía muy poco. La penumbra era favorable a los planes de las muchachas; aprovechando la ocasión propicia, acercáronse disimulamente las dos mayores a don Pedro, y mientras Rita le plantaba en la cabeza un sombrero de tres picos, Manolita le echaba por los hombros una chupa color tórtola, con guirnaldas de flores azules y amarillas.

Fue de confusión el momento que siguió a esta diablura sosa. Don Pedro, medio a gatas porque de otro modo no

---

[75] Bata de casa, ancha y entretelada, para tiempo frío.

se lo consentía la poca altura del desván, perseguía a sus primas, resuelto a tomar memorable venganza; y ellas, exhalando chillidos ratoniles, tropezando con los muebles y cachivaches esparcidos aquí y acullá, procuraban buscar la puertecilla angosta, para evitar represalias. Mientras Rita se atrincheraba tras los restos de una silla de manos y una desvencijada cómoda, huyeron dos chicas, las menos valientes; y habiendo tenido Manolita la buena ocurrencia de cegar momentáneamente a su primo arrojándole a la cabeza un chal, pudo evadirse también Rita, jefe nato del motín. Desenredarse del chal haciéndolo jirones, y lanzarse a la puerta y a la escalera en seguimiento de la fugitiva, fueron acciones simultáneas en don Pedro.

Saltó impetuosamente los peldaños, precipitándose en el corredor a tientas, guiado por su instinto de perseguidor de alimañas ágiles, que oye delante de sí el apresurado trotecillo de la hermosa res.[76] En una revuelta del pasillo le dio alcance. La defensa fue blanda, entrecortada de risas. Don Pedro, determinado a infligir el castigo ofrecido, lo aplicó en efecto cerca de una oreja, largo y sonoro. Parecióle que la víctima no se resistía entonces; mas debía ser errónea tan maliciosa suposición, porque Rita aprovechó un segundo de suspensión de hostilidades para huir nuevamente, gritando:

—¿A que no me coges otra vez, cobarde?

Engolosinado, olvidando el peligro del juego, el marqués echó detrás de la prima, que se había desvanecido ya en las negruras del pasadizo. Éste, irregular y tortuoso, serpeaba alrededor de parte de la casa, quebrándose en inesperados codos, y a veces estrechándose como longaniza mal rellena. Rita llevaba ventaja en sus familiares angosturas. Oyó el marqués chirriar puertas, indicio de que la

---

[76] La visión de la conquista amorosa como una cacería tiene una larga prehistoria, pero doña Emilia le da un matiz muy peculiar: el hombre es "perseguidor de alimañas ágiles", la mujer "res" que incita con su "trotecillo" al cazador. Nada de garzas, tórtolas, gavilanes o gacelas, que son los tópicos literarios habituales. Nos movemos en un universo animalizado, naturalista.

chica se había acogido al sagrado de alguna habitación. No estaba don Pedro para respetar sagrados. Empujó la puerta tras la cual juzgaba parapetada a Rita. La puerta resistía como si tuviese algún obstáculo delante; mas los puños de don Pedro dieron cuenta fácilmente de la endeble trinchera de un par de sillas, que vinieron al suelo con estrépito. Penetró en un cuarto completamente oscuro, y por instinto alargó las manos a fin de no tropezar con los muebles; advirtió que algo rebullía en las tinieblas; tanteó el aire y palpó un bulto de mujer, que aprisionó en sus brazos sin decir palabra, con ánimo de repetir el castigo. ¡Oh sorpresa! La resistencia más tenaz y briosa, la protesta más desesperada, unas manitas de acero que no podía cautivar, un cuerpo nervioso que se sacudía rehuyendo toda presión, y al mismo tiempo varias exclamaciones de profunda y verdadera congoja, dos o tres gritos ahogados que demandaban socorro... ¡Diantre! Aquello no se parecía a lo otro, no... Por ciego y exaltado que estuviese el marqués, hubo de comprender... Sintió una confusión insólita en él, y soltó a la chica.

—Nuchiña, no llores... Calla, mujer... Ya te dejo; no te hago nada... Aguarda un instante.

Registró precipitadamente sus bolsillos, rascó un fósforo, miró alrededor, encendió una vela puesta en un candelabro... Nucha, viéndose libre, callaba; pero se mantenía a la defensiva. Volvió el marqués a disculparse y a consolarla.

—Nucha, no seas chiquilla... Perdona, mujer... Dispensa, no creí que eras tú.

Conteniendo un sollozo, exclamó Nucha:

—Fuese quien fuese... Con las señoritas no se hacen estas brutalidades.

—Hija mía, tu señora hermanita me buscó... y el que me busca, que no se queje si me encuentra... ¡Ea!, no haya más, no estés así disgustada. ¿Qué va a decir de mí el tío? Pero ¿aún lloras, mujer? Cuidado que eres sensible de veras. A ver, a ver esa cara.

Alzó el candelabro para alumbrar el rostro de Nucha. Estaba ésta encendida, demudada, y por sus mejillas corría despacio una lágrima; pero al darle la luz en los ojos, no pudo menos de sonreír ligeramente y secar el llanto con su pañuelo.

—¡Hija! ¡Cualquiera se te atreve! ¡Eres una fierecita! ¡Y hasta fuerza en los puños descubres tú en esos momentos! ¡Diantre!

—Vete —ordenó Nucha recobrando su seriedad—. Ésta es mi habitación, y no me parece decente que te estés metido en ella.

Dio el marqués dos pasos para salir; y volviéndose de pronto, preguntó:

—¿Quedamos amigos? ¿Se hacen las paces?

—Sí, con tal que no vuelvas a las andadas —respondió con sencillez y firmeza Nucha.

—¿Qué me harás si vuelvo? —interrogó risueño el hidalgo campesino—. Capaz eres de dejarme en el sitio de una manotada, chica.

—No por cierto... No tengo yo fuerzas para tanto. Haré otra cosa.

—¿Cuál?

—Decírselo a papá, muy clarito, para que se fije en lo que de seguro no se le habrá pasado por la cabeza: que no parece natural vivir tú aquí no siendo nuestro hermano y siendo nosotras muchachas solteras. Ya sé que es un atrevimiento meterme a enmendarle la plana a papá; pero él no ha reparado en esto, ni te cree capaz de gracias como las de hoy. En cuanto note algo, se le ha de ocurrir sin que yo se lo sople al oído, pues no soy quién para aconsejar a mi padre.

—¡Caramba! Lo dices de un modo... ¡como si fuese cuestión de vida o muerte!

—Pues así.

Marchóse con estas despachaderas el marqués, y a la hora de la cena estuvo taciturno y metido en sí, haciendo caso omiso de las zalamerías de Rita. Nucha, aunque un poco alterada la fisonomía, se mostró como siempre, afable, tranquila y atenta al buen servicio y orden de la mesa. Aquella noche el marqués no dejó dormir a Julián, entreteniéndole hasta las altas horas con larga y tendida plática. Los días siguientes fueron de tregua; don Pedro salía bastante, y se le veía mucho en el Casino, junto a la tribuna de los maldicientes. No perdía allí el tiempo. Informábase de particularidades que le importaban, por ejemplo, el verdadero estado de fortuna de su tío. En Santiago se decía lo que él sospechaba ya: don Manuel Pardo mejoraba en tercio y quinto a su primogénito Gabriel, que entre la mejora, su legítima y el vínculo, vendría a arramblar con casi toda la casa de la Lage. No restaba más esperanza a las primitas que la herencia de una tía soltera, doña Marcelina, madrina de Nucha por más señas, que residía en Orense, atesorando sórdidamente y viviendo como una rata en su agujero. Estas nuevas dieron en qué pensar a don Pedro, que desveló a Julián algunas noches más. Al cabo adoptó una resolución definitiva.

Estremecióse de placer don Manuel Pardo viendo al sobrino entrar en su despacho una mañana, con la expresión indefinible que se nota en el rostro y continente de quien viene a tratar algo de importancia. Había oído don Manuel que donde hay varias hermanas, lo difícil es deshacerse de la primera, y después las otras se desprenden de suyo, como las cuentas de una sarta tras la más próxima al cabo del hilo. Colocada Rita, lo demás era tortas y pan pintado. Con Manolita cargaría por último el finchado señorito de la Formoseda; a Carmen se le quitarían de la cabeza ciertas locuras y siendo tan linda no le faltaría buen acomodo; y Nucha... Lo que es Nucha no le hacía a él peso en casa, pues la gobernaba a las mil maravillas; además, a fuer de heredera presunta de su madrina, no necesitaba ampararse casándose. Si no hallaba marido, viviría con Gabriel cuando éste, acabada la carrera, se estableciese según conviene al mayorazgo de la Lage. Con tan gratos pensamientos, don Manuel abrió los oídos para mejor recibir el rocío de las palabras de su sobrino... Lo que recibió fue un escopetazo.

—¿Por qué se asusta usted tanto, tío? —exclamaba don Pedro gozando en sus adentros con la mortificación y asombro del viejo hidalgo—. ¿Hay impedimento? ¿Tiene Nucha otro novio?

Comenzó don Manuel a poner mil objeciones, callándose algunas que no eran para dichas. Salió la corta edad de la muchacha, su delicada salud, y hasta su poca hermosura alegó el padre, sazonando la observación con alusiones no muy reservadas al buen palmito de Rita y al mal gusto de no preferirla. Dio al sobrino manotadas en los hombros y en las rodillas; gastó chanzas, quiso aconsejarle como se aconseja a un niño que escoge entre juguetes; y, por último, tras de referir varios chascarrillos adecuados al asunto y contados en dialecto, acabó por declarar que a las demás chicas les daría algo al contraer matrimonio, pero que a Nucha... como esperaba heredar lo de su tía... Los tiempos estaban malos, *abofé*... [77] Luego, encarándose con el marqués, le interrogó:

—¿Y qué dice esa mosquita muerta de Nucha, vamos a ver?

—Usted se lo preguntará, tío... ¡Yo no le dije cosa de sustancia...! Ya vamos viejos para andar haciendo cocos. [78]

¡Oh y qué marejada hubo en casa de la Lage por espacio de una quincena! Entrevistas con el padre, cuchicheos de las hermanas entre sí, trasnochadas y madrugonas, batir de puertas, lloreras escondidas que denunciaban ojos como puños, trastornos en las horas de comer, conferencias con amigos sesudos, curiosidades de dueña oficiosa que apaga el ruido de su pisar para sorprender algo al abrigo de una cortina, todas las dramáticas menudencias que acompañan a un grave suceso doméstico... Y como en provincia las paredes son de cristal, se murmuró en Santiago desaforadamente, glosando los *escándalos* ocurridos entre las señoritas de la Lage por causa del primo. Se acusó a Rita de haber insultado agriamente a su hermana porque le quitaba el novio, y a Carmen de ayudarla, porque Nucha reprendía su ventaneo. Se censuró a Nucha tam-

---

[77] En gallego "de veras", "en verdad", es contracción de la expresión "a boa fe".

[78] Según el *Diccionario de la RAE* es expresión familiar: "Hacer ciertas señas o expresiones los que están enamorados, para manifestarse su cariño."

bién por falsa e hipócrita. Se le royeron los zancajos a don Manuel, afirmando que había dicho en toda confianza a persona que lo repitió en toda intimidad: «El sobrino no me había de salir de aquí sin una de las chicas, y como se le antojó Nucha, hubo que dársela.» Se aseguró que las hermanas no cruzaban ya palabra alguna en la mesa, y lo confirmó ver a Rita en paseo sola con Carmen delante, mientras el primo seguía detrás con don Manuel y Nucha. Ésta iba como avergonzada, cabizbaja y modesta. Crecieron los comentarios cuando Rita salió para Orense, a acompañar una temporada a la tía Marcelina, según dijo, y don Pedro para una posada, por no considerarse decoroso que los novios viviesen bajo un mismo techo en vísperas de boda.

Ésta se efectuó llegada la dispensa pontificia, hacia fines del mes de agosto. No faltaron los indispensables requisitos: finezas mutuas, regalos de amigos y parientes, cajas de dulces muy emperifolladas para repartir, buen ajuar de ropa blanca, las *galas* venidas de Madrid en un cajón monstruo. Dos o tres días antes de la ceremonia se recibió un paquetito procedente de Segovia, y dentro de él un estuche. Contenía una sortija de oro muy sencilla, y una cartulina figurando tarjeta, que decía: "A mi inolvidable hermana Marcelina, su más amante hermano, Gabriel." La novia lloró bastante con el obsequio de *su niño*, púsolo en el dedo meñique de la mano izquierda, y allí se le reunió el otro anillo que en la iglesia le ciñeron.

Casáronse al anochecer, en una parroquia solitaria. Vestía la novia de rico gro [79] negro, mantilla de blonda y aderezo de brillantes. Al regresar hubo refresco para la familia y amigos íntimos solamente: un refresco a la antigua española, con almíbares, sorbetes, chocolate, vino generoso, bizcochos, dulces variadísimos, todo servido en macizas salvillas y bandejas de plata, con gran etiqueta y compostura. No adornaban la mesa flores, a no ser las rosas de trapo de las *tartas* o ramilletes de piñonate; dos

---

[79] Tela de seda sin brillo y de bastante cuerpo. Se casa de negro, como es normal en la época.

candelabros con bujías, altos como mecheros de catafalco, solemnizaban el comedor; y los convidados, transidos aún del miedo que infunde el terrible sacramento del matrimonio visto de cerca, [80] hablaban bajito, lo mismo que en un duelo, esmerándose en evitar hasta el repique de las cucharillas en la loza de los platos. Parecía aquello la comida postrera de los reos de muerte. Verdad es que el señor don Nemesio Angulo, eclesiástico en extremo cortesano y afable, antiguo amigo y tertuliano de don Manuel y autor de la dicha de los cónyuges, a quienes acababa de bendecir, intentó soltar dos o tres cosillas festivas, en tono decentemente jovial, para animar un poco la asamblea; pero sus esfuerzos se estrellaron contra la seriedad de los concurrentes. Todos estaban —es la frase de cajón— *muy afectados,* incluso el señorito de la Formoseda, que acaso pensaba "cuando la barba de tu vecino..." y Julián, que viendo colmados sus deseos y votos ardentísimos, triunfante su candidatura, sentía no obstante en el corazón un peso raro, como si algún presentimiento cruel se lo abrumase.

Seria y solícita, la novia atendía y servía a todo el mundo; dos o tres veces su pulso desasentado le hizo verter el Pajarete [81] que escanciaba al buen don Nemesio, colocado en sitio preferente, a su derecha. El novio entretanto conversaba con los hombres, y, al alzarse de la mesa, repartió excelentes cigarros de que tenía rellena la petaca. Nadie aludió al trascendental acontecimiento, ni se atrevió a decir la menor chanza que pudiese poner colorada a la novia; pero al despedirse los convidados, algunos caballeros recalcaron maliciosamente las *buenas noches,* mientras matronas y doncellas, besando con estrépito a la desposada, le chillaban al oído: "Adiós, *señora...* Ya eres *señora,* ya no es posible llamarte *señorita...*", celebrando

---

[80] El ambiente tétrico de la boda es reforzado por el comentario de autor de doña Emilia que, en este pasaje del banquete, conculca todas las técnicas objetivas de la escuela naturalista.

[81] Vino que se elabora en Pajarete, monasterio situado a 6 km de Jerez, espiritoso y aromático.

tan trivial observación con afectadas risas, y mirando a Nucha como para aprendérsela de memoria. Cuando todos fueron saliendo, don Manuel Pardo se acercó a su hija, y la oprimió contra el pecho colosal, sellándole la frente con besos muy cariñosos. Hallábase realmente conmovido el señor de la Lage: era la primera vez que casaba una hija: sentía desbordarse en su alma la paternidad, y al tomar de la mano a Nucha para conducirla a la cámara nupcial, alumbrándole el camino misia Rosario con un candelabro de cinco brazos cogido de la mesa del comedor, no acertaba a pronunciar palabra, y un poco de humedad se asomaba a sus lagrimales áridos, y una sonrisa de orgullo y placer entreabría al mismo tiempo su boca. En el umbral pudo exclamar al cabo:

—¡Si levantase la cabeza tal día como hoy tu madre que en gloria esté!

Ardían en el tocador de la estancia dos velas puestas en candeleros no menos empinados y majestuosos que los candelabros del refresco; y como no la iluminaba otra luz, ni se había soñado siquiera en el clásico globo de porcelana que es de rigor en todo voluptuoso camarín de novela, impregnaba la alcoba más misterio religioso que nupcial, completando su analogía con una capilla u oratorio la forma del tálamo, cuyas cortinas de damasco rojo franjeadas de oro se parecían exactamente a colgaduras de iglesia, y cuyas sábanas blanquísimas, tersas y almidonadas, con randas y encajes, tenían la casta lisura de los manteles de altar. Cuando el padre se retiraba ya, murmurando: "Adiós, Nuchiña, hija querida", la novia le asió la diestra y se la besó humildemente, con labios secos, abrasados de calentura. Quedó sola. Temblaba como la hoja en el árbol, y al través de sus crispados nervios corría a cada instante el escalofrío de la *muerte chiquita*; [82] no por miedo razonado y consciente, sino por cierto pavor indefinible y sagrado. Parecíale que aquella habitación donde reinaba tan im-

---

[82] La expresión aparece registrada en el *Diccionario de la RAE* como "estremecimiento nervioso o convulsión instantánea que suele sobrevenir a algunas personas".

ponente silencio, donde ardían tan altas y graves las luces, era el mismo templo en que no hacía dos horas aún se había puesto de hinojos... Volvió a arrodillarse, divisando allá en la sombra de la cabecera del lecho el antiguo Cristo de ébano y marfil, a quien el cortinaje formaba severo dosel. Sus labios murmuraban el consuetudinario rezo nocturno: "Un padrenuestro por el alma de mamá..." Oyéronse en el corredor pisadas recias, crujir de botas flamantes, y la puerta se abrió.

XII

Quedaban migajas, no muy añejas aún, del pan de la boda, cuando don Pedro celebró con Julián una conferencia, conviniendo ambos en lo urgente de que el capellán se adelantase a salir a los Pazos para adoptar varias precauciones indispensables y civilizar algo la huronera, mientras no iban a vivirla sus dueños. Julián aceptó la comisión, y entonces el señorito mostró remordimientos o escrúpulos de habérsela encomendado.

—Mire usted —advirtió— que allí se necesitan muchas agallas... Primitivo es hombre de malos hígados, capaz de darle a usted cien vueltas...

—Dios delante. Matar no me matará.

—No lo diga usted dos veces —insistió el señor de Ulloa, impulsado por voces de su conciencia, que en aquel momento se dejaban oír claras y apremiantes—. Ya le avisé a usted en otra ocasión de cómo es Primitivo: capaz de cualquier desafuero... Lo que yo no creo es que vaya a cometer barbaridades por gusto de cometerlas, ni aun en el primer momento, cuando le ciega el deseo de la venganza... Con todo...

No era ésta la única vez que don Pedro manifestaba sagacidad en el conocimiento de caracteres y personas, don esterilizado por la falta de nociones de cultura moral y delicadeza, de esas que hoy exige la sociedad a quien, mediante el nacimiento, la riqueza o el poder, ocupa en ella lugar preeminente.

Prosiguió el señorito:

239

—Primitivo no es un bárbaro... Pero es un bribón redomado y taimadísimo, que no se para en barras con tal de lograr sus fines... ¡Demontres! Harto estoy de saberlo... El día que nos vinimos... si él pudiese detenernos soplándonos un tiro a mansalva... no doy dos cuartos por su pellejo de usted ni por el mío.

Estremecióse Julián, y se le borraron las rosadas tintas de los pómulos. No era de madera de héroes, lo cual le salía a la cara. A don Pedro le divertía infinito el miedo del capellán. En la índole de don Pedro había un fondo de crueldad, sostenido por su vida grosera.

—Apostemos —exclamó riéndose— que la cruz aquella del camino va usted a pasarla rezando.

—No digo que no —contestó Julián repuesto ya—; mas no por eso me niego a ir. Es mi deber; de suerte que no hago nada de extraordinario en cumplirlo. Dios sobre todo... A veces no es tan fiero el león como lo pintan.

—No le tiene cuenta ahora a Primitivo meterse en dibujos.

Calló Julián. Al cabo exclamó:

—Señorito, ¡si usted adoptase una buena resolución! ¡Echar a ese hombre, señorito, echarlo!

—Calle usted, hombre, calle usted... Le pondremos a raya... Pero eso de echar... ¿Y los perros? ¿Y la caza? ¿Y aquellas gentes, y todo aquel cotarro, que nadie me lo entiende sino él? Desengáñese usted: sin Primitivo no me arreglo yo allí... haga usted la prueba, sólo por gusto, de aquillotrarme [83] algunas cosas de las que Primitivo maneja durmiendo... Además, crea usted lo que le digo, que es como el Evangelio: si echa usted a Primitivo por la puerta, se nos entrará por la ventana. ¡Diantre! ¡Si sabré yo quién es Primitivo!

Julián balbució:

—Y... ¿de lo demás...?

—De lo demás... Arréglese usted como quiera... Lleva usted plenos poderes.

---

[83] Es voz antigua y familiar. Aquí tiene el sentido de resolver, arreglar.

¡Ya lo creo que los llevaba! ¡Así llevase también alguna receta eficaz para servirse de ellos! Investido de autoridad omnímoda, Julián sentía en el fondo del alma una especie de compasión por la desvergonzada manceba y el hijo espurio. Este último sobre todo. ¿Qué culpa tenía el pobre inocente de las bellaquerías maternales? Siempre parecía duro arrojarle de una casa donde, al fin y al cabo, el dueño era su padre. Julián no se hubiera encargado jamás de tan ingrata comisión a no parecerle que iba en ello la salvación eterna de don Pedro, y también el sosiego temporal de la que él seguía llamando *señorita Marcelina,* contra el dictamen de las convidadas a la boda.

No sin aprensión cruzó de nuevo el triste país de lobos que antecedía al valle de los Pazos. El cazador le aguardaba en Cebre, e hicieron la jornada juntos; Primitivo, por más señas, se mostró tan sumiso y respetuoso, que Julián, quien al revés de don Pedro poseía el don de errar en el conocimiento práctico de las gentes, guardando los aciertos para el terreno especulativo y abstracto, fue poco a poco desechando la desconfianza, y persuadiéndose de que ya no tenía el zorro intenciones de morder. El rostro impasible de Primitivo no revelaba rencor ni enojo. Con su laconismo y seriedad habituales, hablaba del tiempo desapacible y metido en agua, que casi no había consentido majar, ni segar el maíz, ni vendimiar como Dios manda, ni cumplir en paz ninguna de las grandes faenas agrícolas. Estaba en efecto el camino encharcado, lleno de aguazales, y como había llovido por la mañana también, los pinos dejaban escurrir de las verdes y brillantes púas de su ramaje gotas de agua que se aplastaban en el sombrero de los viajeros. Julián iba perdiendo el miedo y un gozo muy puro le inundaba el espíritu cuando saludó al crucero con verdadera efusión religiosa.

—Bendito seas, Dios mío —pensaba para sí—, pues me has permitido cumplir una obra buena, grata a tus ojos. He encontrado en los Pazos, hace un año, el vicio, el escándalo, la grosería y todas las malas pasiones; y vuelvo trayendo el matrimonio cristiano, las virtudes del hogar consagrado por ti. Yo, yo he sido el agente de que te has valido para tan santa obra... Dios mío, gracias.

Cortaron el soliloquio ladridos vehementes: era la jauría del marqués, que salía a recibir al montero mayor, haciendo locas demostraciones de regocijo, zarandeando los rabos mutilados y abriendo de una cuarta las fresquísimas bocas. Acariciólos Primitivo con su enjuta mano, pues era sumamente afectuoso para los perros; y al nieto, que en pos de los perros venía, le dio una especie de festivo soplamocos. Quiso Julián besar al niño, pero éste se puso en polvorosa antes de que pudiese lograrlo; y el capellán experimentó otra vez compasivos remordimientos, causados por la vista de la ya repudiada criatura. A Sabel la halló en el sitio de costumbre, entre sus pucheros, pero sin el antiguo séquito de aldeanas viejas y mozas, de la Sabia y su dilatada progenie. Reinaba en la cocina orden perfecto: todo limpio, sosegado y solitario: la persona más severa y amiga de censurar, no encontraría qué. El capellán comenzaba a sentirse confuso viendo en ausencia suya tanto arreglo, y a temer que su venida lo trastornara: idea dictada por su nativa timidez. A la hora de cenar aumentó su sorpresa. Primitivo, más blando que un guante, le daba cuenta en voz reposada de lo ocurrido allí durante medio año, en materia de vacas paridas, obras emprendidas, rentas cobradas; y mientras el padre reconocía así su autoridad superior, la hija le servía diligente y humilde, con pegajosa dulzura de animal doméstico que implora caricias. No sabía Julián qué cara poner en vista de una acogida tan cordial.

Creyó que mudarían de actitud al día siguiente, cuando haciendo uso de los plenísimos poderes y facultades omnímodas de que venía investido, ordenó a la Agar y al Ismael [84] de aquel patriarcado emigrar al desierto. ¡Milagro asombroso! Tampoco se alteró entonces la mansedumbre de Primitivo.

[84] Agar era esclava de Abraham y había tenido de él un hijo Ismael; ambos fueron arrojados de la casa por instigación de Sara esposa de Abraham, que le había dado un hijo, Isaac, cuando Abraham tenía ya cien años.

—Los señoritos traerán cocinera de allá, de Santiago...
—explicaba Julián, para fundar en algo la expulsión.

—Por supuesto... —respondió Primitivo con la mayor
naturalidad del mundo—. Allá en la *vila* [85] guísase de otro
modo... Los señores tienen la boca acostumbrada... Cuadra bien, que yo también le iba a pedir que le escribiese
al señor marqués de traer quien cocinase.

—¿Usted? —exclamó Julián, estupefacto.

—Sí señor... La hija se me quiere casar...

—¿Sabel?

—Sabel, sí señor, anda en eso... Con el gaitero de Naya,
el *Gallo*... Por de contado se empeña en irse para su casa,
así que les echen las bendiciones...

Sintió Julián un sofocón de pura alegría. No pudo menos de pensar que en todo aquel negocio de Sabel andaba
visiblemente la mano de la Providencia. Sabel casada, ale-
jada de allí; el peligro conjurado; las cosas en orden, ¡la
salvación segura! Una vez más dio gracias al Dios bondadoso que quita los estorbos de delante cuando la mezquina
previsión humana no cree posible removerlos siquiera...
La satisfacción que le rebosaba en el semblante era tal, que
se avergonzó de mostrarla ante Primitivo, y empezó a charlar aprisa, por disimulo, felicitando al cazador y augurando
a Sabel un porvenir de ventura en el nuevo estado. Aquella noche misma escribió al marqués la buena noticia.

Pasaron días, siempre bonancibles. Proseguía Sabel mansa, Primitivo complaciente, Perucho invisible, la cocina
desierta. Sólo notaba Julián cierta resistencia pasiva, en lo
tocante al gobierno de los estados y hacienda del marqués.
En este terreno le fue absolutamente imposible adelantar
una pulgada. Primitivo sostenía su posición de verdadero
administrador, apoderado, y, entre bastidores, autócrata:
Julián comprendía que sus plenos poderes importaban tanto como la carabina de Ambrosio, y hasta pudo cerciorarse, por indicios evidentes, de que el influjo que ejercía el
cazador en el circuito de los Pazos iba haciéndose extensi-

[85] En gallego "ciudad"; en el lenguaje campesino se contrapone
a un tiempo a "campo" y a "aldea".

vo a toda la comarca; a menudo venían a conferenciar con el mayordomo, en actitud respetuosa y servil, gentes de Cebre, de Castrodorna, de Boán, de puntos más distantes todavía. En cuatro leguas a la redonda no se movía una paja sin intervención y aquiescencia de Primitivo. No poseía Julián fuerzas para luchar con él, ni lo intentaba, pareciéndole secundario el perjuicio que a la casa de Ulloa originase la mala administración de Primitivo, en proporción al daño inmenso que estuvo a punto de causarle Sabel. Descartarse de la hija lo tenía él por importante; en cuanto al padre...

Verdad es que la hija no se marchaba tampoco; pero se marcharía, ¡no faltaba más! ¿Quién duda que se marcharía? Tranquilizaba a Julián una señal en su concepto infalible: el haber sorprendido cierto anochecer, cerca del pajar, a Sabel y al gallardo gaitero entretenidos en coloquios más dulces que edificantes. Le ruborizó el encuentro, pero hizo la vista gorda reflexionando que aquello era, por decirlo así, la antesala del altar. Seguro de la victoria respecto a la mala hembra, transigió en lo relativo al mayordomo. Cuanto más que éste no rechazaba las indicaciones de Julián, ni le llevaba la contraria en cosa alguna. Si el capellán ideaba planes, censuraba abusos o insistía en la urgente necesidad de una reforma, Primitivo aprobaba, allanaba el camino, sugería medios, de palabra se entiende; al llegar a la realización, ya era harina de otro costal: empezaban las dificultades, las dilaciones: que hoy... que mañana... No hay fuerza comparable a la inercia. Primitivo decía a Julián para consolarle:

—Una cosa es hablar, y otra hacer...

 O matar a Primitivo, o entregársele a discreción: el capellán comprendía que no quedaba otro recurso. Fue un día a desahogar sus cuitas con don Eugenio, el abad de Naya, cuyos discretos pareceres le alentaban mucho. Encontróle todo alborotado con los noticiones políticos, que acababan de confirmar los pocos periódicos que se recibían en aquellos andurriales. La marina se había sublevado, echando del trono a la reina, y ésta se encontraba ya en Francia, y se constituía un gobierno provisional, y se contaba de una batalla reñidísima en el puente de Alcolea, y el ejército se adhería, y el diablo y su madre... [86] Don Eugenio andaba, de puro excitado, medio loco, proyectando irse a Santiago sin dilación para saber noticias ciertas. ¡Qué dirían el señor Arcipreste y el abad de Boán! ¿Y Barbacana? Ahora sí que Barbacana estaba fresco: su eterno adversario Trampeta, amigo de los unionistas, se le montaría encima por los siglos de los siglos amén. Con el embullo de estos acontecimientos, apenas atendió el abad de Naya a las tribulaciones de Julián.

---

[86] El almirante Topete se pronunció el 18 de septiembre de 1868 en Cádiz. Dos días después llegaron los generales unionistas desterrados a Canarias por González Brabo, reunieron un ejército y marcharon sobre Córdoba. La revolución sorprendió a la corte veraneando en San Sebastián. Las tropas leales fueron derrotadas en la batalla de Alcolea (28 de septiembre) y poco después la reina se exiliaba a Francia.

Creo que ha habido un despiste por parte de doña Emilia en la determinación del tiempo interno de la novela. En el capítulo IV nos ha dicho que nos encontramos en el invierno de 1866 a 1867. Hemos visto la vida de don Julián en los Pazos durante ese invierno y la primavera de 1867. Don Pedro se va a Santiago en una fecha indeterminada de esa primavera, pero se casa "hacia fines del mes de agosto" y cuando aun "quedaban migajas no muy añejas del pan de la boda" sale don Julián de nuevo para los Pazos. Por tanto, según el tiempo interno, tendríamos que estar en septiembre de 1867 y no de 1868.

XIII

Transcurrido algún tiempo de vida familiar con suegro y cuñadas, don Pedro echó de menos su huronera. No se acostumbraba a la metrópoli arzobispal. Ahogábanle las altas tapias verdosas, los soportales angostos, los edificios de lóbrego zaguán y escalera sombría, que le parecían calabozos y mazmorras. Fastidiábale vivir allí donde tres gotas de lluvia meten en casa a todo el mundo y engendran instantáneamente una triste vegetación de hongos de seda, de enormes paraguas. Le incomodaba la perenne sinfonía de la lluvia que se deslizaba por los canalones abajo o retiñía en los charcos causados por la depresión de las baldosas. Quedábanle dos recursos no más para combatir el tedio: discutir con su suegro o jugar un rato en el Casino. Ambas cosas le produjeron en breve, no hastío, pues el verdadero hastío es enfermedad moral propia de los muy refinados y sibaritas de entendimiento, sino irritación y sorda cólera, hija de la secreta convicción de su inferioridad. Don Manuel era superior a su sobrino por el barniz de educación adquirido en dilatados años de existencia ciudadana y el consiguiente trato de gentes, así como por aquel bien entendido orgullo de su nacimiento y apellido, que le salvaba de *adocenarse* (era su expresión predilecta). Aparte de la manía de referir en las sobremesas y entre amigos de confianza mil anécdotas, no contrarias al pudor, pero sí a la serenidad del estómago de los oyentes, era don Manuel persona cortés y de buenas formas para presidir, verbigracia, un duelo, asistir a una Junta en la

Sociedad Económica de Amigos del País, llevar el estandarte en una procesión, ser llamado al despacho de un gobernador en consulta. Si deseaba retirarse al campo, no le atraía tan sólo la perspectiva de dar rienda suelta a instintos selváticos, de andar sin corbata, de no pagar tributo a la sociedad, sino que le solicitaban aficiones más delicadas, de origen moderno: el deseo de tener un jardín, de cultivar frutales, de hacer obras de albañilería, distracción que le embelesaba y que en el campo es más barata que en la ciudad. Además, el fino trato de su mujer, la perpetua compañía de sus hijas suavizara ya las tradiciones rudas que por parte de los la Lage conservaba don Manuel: cinco hembras respetadas y queridas civilizan al hombre más agreste. He aquí por qué el suegro, a pesar de encontrarse cronológicamente una generación más atrás que su yerno, estaba moralmente bastantes años delante.

Trataba don Manuel de descortezar a don Pedro; y no sólo fue trabajo perdido, sino contraproducente, pues recrudeció su soberbia y le infundió mayores deseos de emanciparse de todo yugo. Aspiraba el señor de la Lage a que su sobrino se estableciese en Santiago, levantando la casa de los Pazos y visitándola los veranos solamente, a fin de recrearse y vigilar sus fincas; y al dar tales consejos a su yerno, los entreveraba con indirectas y alusiones, para demostrar que nada ignoraba de cuanto sucedía en la vieja madriguera de los Ulloas. Este género de imposición y fiscalización, aunque tan disculpable, irritó a don Pedro, que según decía, no aguantaba ancas ni gustaba de ser manejado por nadie del mundo.

—Por lo mismo —declaró un día delante de su mujer— vamos a tomar soleta pronto. A mí nadie me trae y lleva desde que pasé de chiquillo. Si callo a veces, es porque estoy en casa ajena.

Estar en casa ajena le exaltaba. Todo cuanto veía lo encontraba censurable y antipático. El decoroso fausto del señor de la Lage; sus bandejas y candelabros de plata; su mueblaje rico y antiguo; la respetabilidad de sus relaciones, compuestas de lo más selecto de la ciudad; su honesta tertulia nocturna de canónigos y personas formales que venían a hacerle la partida de tresillo; sus criados respetuosos, a veces descuidados, pero nunca insolentes ni entrometidos, todo se le figuraba a don Pedro sátira viviente del desarreglo de los Pazos, de aquella vida torpe, de las comidas sin mantel, de las ventanas sin vidrios, de la familiaridad con mozas y gañanes. Y no se le despertaba la saludable emulación, sino la ruin envidia y su hermano el ceñudo despecho. Únicamente le consolaban los desatinados amoríos de Carmen; celebraba la gracia, frotándose las manos, siempre que en el Casino se comentaba la procacidad del estudiante y el descaro de la chiquilla. ¡Que rabiase su suegro! No bastaba tener sillas de damasco y alfombras para evitar escándalos.

Los altercados de don Pedro con su tío iban agriándose, y vino a envenenarlos la discusión política, que enzarza más que ninguna otra, especialmente a los que discuten por impresión, sin ideas fijas y razonadas. Fuerza es confesar que el marqués estaba en este caso. Don Manuel no era ningún lince, pero afiliado platónicamente desde muchos años atrás al partido moderado puro, hecho a leer periódicos, conocía la rutina; y había tomado tan a contrapelo el chasco de González Brabo [87] y la marcha de Isabel II, que se disparaba, poniéndose a dos dedos de ahogarse, cuando el sobrino, por molestarle, le contradecía, disculpaba a los revolucionarios, repetía las enormidades que la prensa y las lenguas de entonces propalaban contra la majestad caída, y aparentaba creerlas como artículo de fe. El tío le rebatía con acritud y calor, alzando al cielo las gigantescas manos.

—Allá en las aldeas —decía— se traga todo, hasta el mayor disparate... No tenéis formado el criterio, hijo, no tenéis formado el criterio, esa es vuestra desgracia... Lo miráis todo al través de un punto de vista que os for-

---

[87] A la muerte de Narváez, González Brabo decidió "mostrar a España que un civil puede ser un dictador" y tomó una serie de desafortunadas medidas (destierro de los generales unionistas Serrano, Dulze, Zabala, Córdoba y Echagüe), que sólo sirvieron para precipitar la sublevación.

jáis vosotros mismos... (este tremendo disparate debía de
haberlo aprendido don Manuel en algún artículo de fondo). Hay que juzgar con la experiencia, con la sensatez.

—¿Y usted se figura que somos tontos los que venimos
de allá...? Puede ser que aún tengamos más pesquis, y veamos lo que ustedes no ven... (Aludía a su prima Carmen,
colgada de la galería en aquel momento). Créame usted,
tío, en todas partes hay bobalicones que se maman el
dedo... ¡Vaya si los hay!

La discusión tomaba carácter personal y agresivo; solía
esto ocurrir a la hora de la sobremesa; las tazas del café
chocaban furiosas contra los platillos; don Manuel, trémulo de coraje, vertía el anisete al llevarlo a la boca; tío y
sobrino alzaban la voz mucho más de lo regular, y después
de algún descompasado grito o frase dura, había instantes
de armado silencio, de muda hostilidad, en que las chicas
se miraban y Nucha, con la cabeza baja, redondeaba bo-
litas de miga de pan o doblaba muy despacio las servillle-
tas de todos deslizándolas en las anillas. Don Pedro se levantaba de repente, rechazando su silla con energía, y,
haciendo temblar el piso bajo su andar fuerte, se largaba
al Casino, donde las mesas de tresillo funcionaban día y
noche.

Tampoco allí se encontraba bien. Sofocábale cierta atmósfera intelectual, muy propia de ciudad universitaria.
Compostela es pueblo en que nadie quiere pasar por ignorante, y comprendía el señorito cuánto se mofarían de él
y qué chacota se le preparaba, si se averiguase con certeza
que no estaba fuerte en ortografía ni en otras *ias* nombra-
das allí a menudo. Se le sublevaba su amor propio de monarca indiscutible en los Pazos de Ulloa al verse tenido
en menos que unos catedráticos acatarrados y pergamino-
sos, y aun que unos estudiantes troneras, con las botas
rotas y el cerebro caliente y vibrante todavía de alguna
lectura de autor moderno, en la Biblioteca de la Universidad o en el gabinete del Casino. Aquella vida era sobrado
activa para la cabeza del señorito, sobrado entumecida y
sedentaria para su cuerpo; la sangre se le requemaba por
falta de esparcimiento y ejercicio, la piel le pedía con mu-

cha necesidad baños de aire y sol, duchas de lluvia, friegas de espinos y escajos, ¡plena inmersión en la atmósfera montés!

No podía sufrir la nivelación social que impone la vida urbana; no se habituaba a contarse como número par en un pueblo, habiendo estado siempre de nones en su residencia feudal. ¿Quién era él en Santiago? Don Pedro Moscoso a secas: menos aún: el yerno del señor de la Lage, el marido de Nucha Pardo. El marquesado allí se había deshecho como la sal en el agua, merced a la malicia de un viejecillo, miembro del maldiciente triunvirato, a quien correspondía, por su acerada y prodigiosa memoria y años innumerables, el ramo de averiguación y esclarecimiento de añejos sucedidos, así como al más joven, que conocemos ya, tocaban las investigaciones de actualidad, viniendo a ser cronistas el uno y analista el otro de la metrópoli. El cronista, pues, hizo su oficio desentrañando la genealogía entera y verdadera de las casas de Cabreira y Moscoso, probando ce por be que el título de Ulloa no correspondía ni podía corresponder sino al duque de tal y cual, grande de España, etc.; y demostrándolo mediante oportuna exhibición de la Guía de Forasteros. Por cierto que al instruir estas diligencias se hizo bastante burla de don Pedro y del señor de la Lage, a quien se acusaba de haber bordado la corona de marquesa en un juego de sábanas regalado a su hija; inocente desliz que el analista confirmó, especificando dónde y cómo se habían marcado las susodichas sábanas, y cuánto había costado el *escusón* [88] y el perendengue de la coronita.

Impaciente ya, resolvió don Pedro la marcha antes de que pasase la inclemencia del invierno, a fines de un marzo muy esquivo y desapacible. Salía el coche para Cebre tan de madrugada, que no se veía casi; hacía un frío cruel, y Nucha, acurrucada en el rincón del incómodo vehículo,

---

[88] "Escusón" es un término de heráldica que significa 'escudo pequeño que carga a otro mayor'. Parece indicar, tal como lo dice, que en las sábanas se bordó el escudo de los Ulloa y sobre él la corona de marqués, que no le correspondía.

se llevaba a menudo el pañuelo a los ojos, por lo cual su marido la interpeló con poca blandura:

—¿Parece que vienes de mala gana conmigo?

—¡Qué cosas tienes! —respondió la muchacha destapando el rostro y sonriendo—. Es natural que sienta dejar al pobre papá y... y a las chicas.

—Pues ellas —murmuró el señorito— me parece que no te echarán memoriales para que vuelvas.

Nucha calló. El carruaje brincaba en los baches de la salida, y el mayoral, con voz ronca, animaba al tiro. Alcanzaron la carretera y rodó el armatoste sobre una superficie más igual. Nucha reanudó el diálogo preguntando a su marido pormenores relativos a los Pazos, conversación a que él se prestaba gustoso, ponderando hiperbólicamente la hermosura y salubridad del país, encareciendo la antigüedad del caserón y alabando la vida cómoda e independiente que allí se hacía.

—No creas —decía a su mujer, alzando la voz para que no la cubriese el ruido de los cascabeles y el retemblar de los vidrios—, no creas que no hay gente fina allí... La casa está rodeada de señorío principal: las señoritas de Molende, que son muy simpáticas; Ramón Limioso, un cumplido caballero... También nos hará compañía el abad de Naya... ¡Pues y el nuestro, el de Ulloa, que es presentado por mí! Ese es tan mío como los perros que llevo a cazar... No le mando que ladre y que porte porque no se me antoja. ¡Ya verás, ya verás! Allí es uno alguien y supone algo.

A medida que se acercaba a Cebre, que entraba en sus dominios, se redoblaba la alegre locuacidad de don Pedro. Señalaba a los grupos de castaños, a los escuetos montes de aliaga, y exclamaba regocijadísimo:

—¡Foro de casa... Foro de casa...! No corre por ahí una liebre que no paste en tierra mía.

La entrada en Cebre acrecentó su alborozo. Delante de la posada aguardaban Primitivo y Julián; aquél con su cara de metal, enigmática y dura, éste con el rostro dilatado por afectuosísima sonrisa. Nucha le saludó con no menor cordialidad. Bajaron los equipajes, y Primitivo se adelantó trayendo a don Pedro su lucia y viva yegua castaña.

Iba éste a montar, cuando reparó en la cabalgadura que estaba dispuesta para Nucha, y era una mula alta, maligna y tozuda, arreada con aparejo redondo, de esos que por formar en el centro una especie de comba, más parecen hechos para despedir al jinete que para sustentarlo.

—¿Cómo no le has traído a la señorita la borrica? —preguntó don Pedro, deteniéndose antes de montar, con un pie en el estribo y una mano asida a las crines de la yegua, y mirando al cazador con desconfianza.

Primitivo articuló no sé qué de una pata coja, de un tumor frío...

—¿Y no hay más borricos en el país?, ¿eh? A mí no me vengas con eso. Te sobraba tiempo para buscar diez pollinas.

Volvióse hacia su mujer, y como para tranquilizar su conciencia, preguntóle:

—¿Tienes miedo, chica? Tú no estarás acostumbrada a montar. ¿Has andado alguna vez en esta casta de aparejos? ¿Sabes tenerte en ellos?

Nucha permanecía indecisa, recogiendo el vestido con la diestra, sin soltar de la otra el saquillo de viaje. Al cabo murmuró:

—Lo que es tenerme, sé... El año pasado, cuando estuve de baños, monté en mil aparejos nunca vistos... Sólo que ahora...

Soltó el traje de repente, llegóse a su marido, y le pasó un brazo alrededor del cuello, escondiendo la cara en su pechera como la primera vez que había tenido que abrazarle; y allí, en una especie de murmullo o secreteo dulcísimo, acabó la frase interrumpida. Pintóse en el rostro del marqués la sorpresa, y casi al mismo tiempo la alegría inmensa, radiante, el júbilo orgulloso, la exaltación de una victoria. Y apretando contra sí a su mujer, con amorosa protección, exclamó a gritos:

—O no hay en tres leguas a la redonda una pollina mansa, o aunque la tenga el mismo Dios del cielo y no la quiera prestar, aquí vendrá para ti, a fe de Pedro Moscoso. Aguarda, hija, aguarda un minuto nada más... O mejor dicho, entra en la posada y siéntate... A ver, un banco, una

silla para la señorita... Espera, *Nuchiña,* vengo volando.
Primitivo, acompáñame tú. Abrígate, Nucha.

Volando no, pero sí al cabo de media hora, volvió sin
aliento. Traía del ronzal una oronda borriquilla, bien arreada, dócil y segura: la propia hacanea de la mujer del juez
de Cebre. Don Pedro tomó en brazos a su esposa y la sentó en la albarda, arreglándole la ropa con esmero.

XIV

Así que pudieron conferenciar reservadamente capellán y señorito, preguntó don Pedro, sin mirar cara a cara a Julián:

—Y... *¿ésa?* ¿Está todavía por aquí? No la he visto cuando entramos.

Como Julián arrugase el entrecejo, añadió:

—Está, está... Apostaría yo cien pesos, antes de llegar, a que usted no había encontrado modo de sacudírsela de encima.

—Señorito, la verdad... —articuló Julián bastante disgustado—. Yo no sé qué decir... Ha sido una cosa que se ha ido enredando... Primitivo me juró y perjuró que la muchacha se iba a casar con el gaitero de Naya...

—Ya sé quién es —dijo entre dientes don Pedro, cuyo rostro se anubló.

—Pues yo... como era bastante natural, lo creí. Además tuve ocasión de persuadirme de que, en efecto, el gaitero y Sabel... tienen... trato.

—¿Ha averiguado usted todo eso? —interrogó el marqués con ironía.

—Señor, yo... Aunque no sirvo mucho para estas cosas, quise informarme para no caer de inocente... He preguntado por ahí y todo el mundo está conforme en que andan para casarse: hasta don Eugenio, el abad de Naya, me dijo que el muchacho había pedido sus papeles. Y por cierto que, a pretexto de no sé qué enredo o dificultad en los tales papeles dichosos, no se hizo la cosa todavía.

Quedóse don Pedro callado, y al fin prorrumpió:

—Es usted un santo. Ya podían venirme a mí con ésas.

—Señor, la verdad es que si tuvieron intención de engañarme... digo que son unos grandísimos pillos. Y la Sabel, si no está muerta y penada por el gaitero, lo figura que es un asombro. Hace dos semanas fue a casa de don Eugenio y se le arrodilló llorando y pidiendo por Dios que se diese prisa a arreglarle el casamiento, porque aquel día sería el más feliz de su vida. Don Eugenio me lo ha contado, y don Eugenio no dice una cosa por otra.

—¡Bribona! ¡Bribonaza! —tartamudeó el señorito, iracundo, paseándose por la habitación aceleradamente.

Sosegóse, no obstante, muy luego, y agregó:

—No me pasmo de nada de eso, ni digo que don Eugenio mienta; pero... usted... es un papanatas, un infeliz, porque aquí no se trata de Sabel, ¿entiende usted?, sino de su padre, de su padre. Y su padre le ha engañado a usted como a un chino, vamos. La... mujer ésa, bien comprendo que rabia por largarse: mas Primitivo es abonado para matarla antes que tal suceda.

—No, si también empezaba yo a maliciarme eso... Mire usted que empezaba a maliciármelo.

El señorito se encogió de hombros con desdén, y exclamó:

—A buena hora... Deje usted ya de mi cuenta este asunto... Y por lo demás... ¿qué tal, qué tal?

—Muy mansos... como corderos... No se me han opuesto de frente a nada.

—Pero habrán hecho de lado cuanto se les antoje... Mire usted, don Julián, a veces me dan ganas de empapillarle a usted. Lo mismito que a los pichones.

Julián replicó todo compungido:

—Señorito, acierta usted de medio a medio. No hay forma de conseguir nada aquí si Primitivo se opone. Tenía usted razón cuando me lo aseguraba el año pasado. Y de algún tiempo acá, parece que aún le tienen mayor respeto, por no decir más miedo. Desde que se armó la revolución y andan agitadas las cosas políticas, y cada día recibimos una noticia gorda, creo que Primitivo se mezcla en esos

enredos, y recluta satélites en el país... Me lo ha asegura-
do don Eugenio, añadiendo que ya antes tenía subyugada
a mucha gente prestando a réditos.

Guardaba silencio don Pedro. Por fin alzó la cabeza y
dijo:

—¿Se acuerda usted de la burra que hubo que buscar
en Cebre para mi mujer?

—¡No me he de acordar!

—Pues la señora del juez... ríase usted un poco, hombre... la señora del juez se avino a prestármela porque
iba Primitivo conmigo. Sino...

No hizo Julián reflexión alguna acerca de un suceso
que tanto indignaba al marqués. Al terminar la conferencia, don Pedro le puso la mano en el hombro.

—¿Y por qué no me da usted la enhorabuena, des-
atento? —exclamó con aquella misma irradiación que habían tenido sus pupilas en Cebre.

Julián no entendía. El señorito se explicó cayéndosele
la baba de gozo. Sí señor, para octubre, el tiempo de las
castañas... esperaba el mundo un Moscoso, un Moscoso
auténtico y legítimo... hermoso como un sol además.

—¿Y no puede también ser una Moscosita? —preguntó
Julián después de reiteradas felicitaciones.

—¡Imposible! —gritó el marqués con toda su alma. Y
como el capellán se echase a reír, añadió:

—Ni de guasa me lo anuncie usted, don Julián... Ni de
guasa. Tiene que ser un chiquillo, porque sino le retuerzo
el pescuezo a lo que venga. Ya le he encargado a Nucha
que se libre bien de traerme otra cosa más que un varón.
Soy capaz de romperle una costilla si me desobedece. Dios
no me ha de jugar tan mala pasada. En mi familia siempre
hubo sucesión masculina: Moscosos crían Moscosos, es ya
proverbial. ¿No lo ha reparado usted cuando estuvo almor-
zándose el polvo del archivo? Pero usted es capaz de no
haber reparado tampoco el estado de mi mujer, si no le
entero yo ahora.

Y era verdad. No sólo no lo había echado de ver, sino
que tan natural contingencia no se le había pasado siquiera por las mientes. La veneración que por Nucha sentía

y que iba acrecentándose con el trato, cerraba el paso a la idea de que pudiesen * ocurrirle los mismos percances fisiológicos que a las demás hembras del mundo. Justificaba esta candorosa niñería el aspecto de Nucha. La total inocencia que se pintaba en sus ojos vagos y como perdidos en contemplaciones de un mundo interior, no había menguado con el matrimonio; las mejillas, un poco más redondeadas, seguían tiñéndose del carmín de la vergüenza por el menor motivo. Si alguna variación podía observarse, algún signo revelador del tránsito de virgen a esposa, era quizás ** un aumento de pudor; pudor, por decirlo así, más consciente y seguro de sí mismo; instinto elevado a virtud. No se cansaba Julián de admirar la noble seriedad de Nucha cuando una chanza atrevida o una palabra malsonante hería sus oídos; la dignidad natural, que era como su propia envoltura, escudo impalpable que la resguardaba hasta contra las osadías del pensamiento; la bondad con que agradecía la atención más leve, pagándola con frases compuestas, pero sinceras; la serenidad de toda su persona, semejante al caer de una tarde apacibilísima. Parecíale a Julián que Nucha era ni más ni menos que el tipo ideal de la bíblica Esposa, el poético ejemplar de la Mujer fuerte, cuando aún no se ha borrado de su frente el nimbo del candor y, sin embargo, ya se adivina su entereza y majestad futura. Andando el tiempo aquella gracia había de ser severidad, y a las oscuras trenzas sucederían las canas de plata, sin que en la pura frente imprimiese jamás una mancha el delito ni una arruga el remordimiento. ¡Cuán sazonada madurez prometía tan suave primavera! Al pensarlo, felicitábase otra vez Julián por la parte que le cabía en la acertada elección del señorito.

Con desinteresada satisfacción se decía a sí mismo que había logrado contribuir al establecimiento de una cosa gratísima a Dios, e indispensable a la concertada marcha de la sociedad: el matrimonio cristiano, lazo bendito, por medio del cual la Iglesia atiende juntamente, con admira-

* pudieran.
** quizás.

ble sabiduría, a fines espirituales y materiales, santificando los segundos por medio de los primeros. La índole de tan sagrada institución —discurría Julián— es opuesta a impúdicos extremos y arrebatos, a romancescos y necios desahogos, ardientes y roncos arrullos de tórtola: por eso alguna vez que el esposo se deslizaba a familiaridades más despóticas que tiernas, parecíale al capellán que la esposa sufría mucho, herida en su cándida modestia, en su decente compostura; figurábasele que la caída de sus párpados, su encendimiento, su silencio, eran muda protesta contra libertades impropias del honesto trato conyugal. Si ante él sucedían tales cosas, a la mesa, por ejemplo, Julián torcía la cara, haciéndose el distraído, o alzaba el vaso para beber, o fingía atender a los perros, que husmeaban por allí.

Le asaltaba entonces un escrúpulo, de esos que se quiebran de sutiles. Por muy perfecta casada que hiciese Nucha, su condición y virtudes la llamaban a otro estado más meritorio todavía, más parecido al de los ángeles, en que la mujer conserva como preciado tesoro su virginal limpieza. Sabía Julián por su madre que Nucha manifestaba a veces inclinación a la vida monástica, y daba en la manía de deplorar que no hubiese entrado en un convento. Siendo Nucha tan buena para mujer de un hombre, mejor sería para esposa de Cristo; y las castas nupcias dejarían intacta la flor de su inocencia corporal, poniéndola para siempre al abrigo de las tribulaciones y combates que en el mundo nunca faltan.

Esto de los combates le recordaba a Sabel. ¿Quién duda que su permanencia en casa era ya un peligro para la tranquilidad de la esposa legítima? No imaginaba Julián riesgos inmediatos, pero presentía algo amenazador para lo porvenir. ¡Horrible familia ilegal, enraizada en el viejo caserón solariego como las parietarias y yedras en los derruidos muros! Al capellán le entraban a veces impulsos de coger una escoba, y barrer bien fuerte, bien fuerte, hasta que echase de allí a tan mala ralea. Pero cuando iba más determinado a hacerlo, tropezaba en la egoísta tranquilidad del señorito y en la resistencia pasiva, incontrastable del mayordomo. Sucedió además una cosa que aumentó la dificultad de la barredura: la cocinera enviada de Santiago empezó a malhumorarse, quejándose de que no entendía la cocina, de que la leña no ardía bien, del humo, de todo; Sabel, muy servicial, acudió a ayudarla; y a los pocos días la cocinera, cansada de aldea, se despidió con malos modos, y Sabel quedó en su sitio, sin que mediasen más fórmulas para el reemplazo que asir el mango de la sartén cuando la otra lo soltó. Julián no tuvo ni tiempo de protestar contra este cambio de ministerio y vuelta al antiguo régimen. Lo cierto es que la familia espuria se mostraba por entonces incomparablemente humilde: a Primitivo no se le encontraba sino llamándole cuando hacía falta: Sabel se eclipsaba apenas dejaba la comida puesta a la lumbre y confiada al cuidado de las mozas de fregadero: el chiquillo parecía haberse evaporado.

Y con todo, al capellán no le llegaba la camisa al cuerpo. ¡Si Nucha se enteraba! ¿Y quién duda que se enteraría en el momento menos pensado? Por desgracia, la nueva esposa mostraba afición suma a recorrer la casa, a informarse de todo, a escudriñar los sitios más recónditos y trasconejados, verbigracia, desvanes, bodegas, lagar, palomar, hórreos, *tulla*, [89] perreras, cochiqueras, gallinero, establos y *herbeiros* [90] o depósitos de forraje. No le llegaba a Julián la camisa al cuerpo, temblando que en alguna de estas dependencias recibiese Nucha a boca de jarro, por impensado incidente, la atroz revelación. Y al mismo tiempo, ¿cómo oponerse al útil merodeo del ama de casa hacendosa por sus dominios? Parecía que con la joven señora entraban en cada rincón de los Pazos la alegría, la limpieza y el orden, y que la saludaba el rápido bailotear del polvo arremolinado por las escobas, la vibración del rayo de sol proyectado en escondrijos y zahurdas donde las espesas telarañas no lo habían dejado penetrar desde años antes.

---

[89] Es voz gallega: silo o cueva o cualquier lugar seco y oscuro en donde se guarda el trigo y el grano menudo.
[90] *Herbal*: terreno que produce mucha hierba.

Seguía Julián a Nucha en sus exploraciones, a fin de vigilar y evitar, si cabía, cualquier suceso desgraciado. Y en efecto, su intervención fue provechosa cuando Nucha descubrió en el gallinero cierto pollo implume. El caso merece referirse despacio.

Había observado Nucha que en aquella casa de bendición las gallinas no ponían jamás, o si ponían no se veía la postura. Afirmaba don Pedro que se gastaban al año bastantes *ferrados*[91] de centeno y mijo en el corral; y con todo eso, las malditas gallinas no daban nada de sí. Lo que es cacarear, cacareaban como descosidas, indicio evidente de que andaban en tratos de soltar el huevo; oíase el himno triunfal de las fecundas a la vez que el blando cloquear de las lluecas; se iba a ver el nido, se advertía en él suave calorcillo, se distinguía la paja prensada señalando en relieve la forma del huevo... Y nada; que no se podía juntar ni para una mala tortilla. Nucha permanecía ojo alerta. Un día que acudió más diligente al cacareo delator, divisó agazapado en el fondo del gallinero, escondiéndose como un ratoncillo, un rapaz de pocos años. Sólo asomaban entre la paja de la nidadura sus descalzos pies. Nucha tiró de ellos y salió el cuerpo, y tras del cuerpo las manos, en las cuales venía ya el plato * que apetecía el ama de casa, pues los huevos que el chico acababa de ocultar se le habían roto con la prisa, y la tortilla estaba allí medio hecha: batida por lo menos.

—¡Ah pícaro! —exclamó Nucha cogiéndole y sacándole afuera, a la luz del corral—. ¡Te voy a desollar vivo, gran tunante! ¡Ya sabemos quién es el zorro que se come los huevos! Hoy te pongo el trasero en remojo, donde no lo veas.

Agitábase y perneaba el ladrón en miniatura; Nucha sintió lástima, imaginándose que sollozaba con desconsuelo. Apenas logró verle un minuto la cara desviándole de ella los brazos, pudo convencerse de que el muy insolen-

---

[91] Medida de granos que varía, según las comarcas, desde 13 litros y 13 centilitros a 16 litros y 15 centilitros.

* venía el plato.

te no hacía sino reírse a más y mejor, y también notar la extraordinaria lindeza del desharrapado chicuelo. Julián, testigo inquieto de esta escena, se adelantó y quiso arrebatárselo a Nucha.

—Déjemelo usted, don Julián... —suplicó ella—. ¡Qué guapo!, ¡qué pelo!, ¡qué ojos! ¿De quién es esta criatura?

Nunca el timorato capellán sintió tantas ganas de mentir. No atinó, sin embargo.

—Creo... —tartamudeó atragantándose— creo que... de Sabel, la que guisa estos días.

—¿De la criada? Pero... ¿está casada esa chica?

Creció la turbación de Julián. De esta vez tenía en la garganta una pera de ahogo.

—No señora, casada no... Ya sabe usted que... desgraciadamente... las aldeanas, por aquí... no es común que guarden el mayor recato... Debilidades humanas...

Sentóse Nucha en un poyo del corral que con el gallinero lindaba, sin soltar al chiquillo, empeñándose en verle la cara mejor. Él porfiaba en taparla con manos y brazos, pegando respingos de conejo montés cautivo y sujeto. Sólo se descubría su cabellera, el monte de rizos castaños como la propia castaña madura, envedijados, revueltos con briznas de paja y motas de barro seco, y el cuello y nuca, dorados por el sol.

—Julián, ¿tiene usted ahí una pieza de dos cuartos?

—Sí señora.

—Toma, *rapaciño*... A ver si me pierdes el miedo.

Fue eficaz el conjuro. Alargó el chiquillo la mano, y metió rápidamente en el seno la moneda. Nucha vio entonces el rostro redondeado, hoyoso, graciosísimo y correcto a la vez, como el de los amores de bronce que sostienen mecheros y lámparas. Una risa entre picaresca y celestial alegraba tan linda obra de la naturaleza. Nucha le plantó un beso en cada carrillo.

—¡Qué monada! ¡Dios lo bendiga! ¿Cómo te llamas, pequeño?

—Perucho —contestó el pilluelo con sumo desenfado.

—¡El nombre de mi marido! —exclamó la señorita con viveza—. ¿Apostamos a que es su ahijado? ¿Eh?

—Es su ahijado, su ahijado —se apresuró a declarar Julián, que desearía ponerle al chico un tapón en aquella boca risueña, de carnosos labios cupidinescos. No pudiendo hacerlo, intentó sacar la conversación de terreno tan peligroso.

—¿Para qué querías tú los huevos? Dilo y te doy otros dos cuartos, anda.

—Los vendo —declaró Perucho concisamente.

—Con que los vendes, ¿eh? Tenemos aquí un negociante... ¿Y a quién los vendes?

—A las mujeres de por ahí, que van a la *vila*...

—Sepamos ¿a cómo te pagan?

—Dos cuartos por la *ducia*. [92]

—Pues mira —díjole Nucha cariñosamente—, de aquí en adelante me los vas a vender a mí, que te pagaré otro tanto. Por lo bonito que eres no quiero reñirte ni enfadarme contigo. ¡Quiá! Vamos a ser muy amigotes tú y yo. Lo primerito que te he de regalar son unos pantalones... No andas muy decente que digamos.

En efecto, por los desgarrones y aberturas del sucio calzón de estopa del chico hacían irrupción sus fresquísimas y lozanas carnes, cuya morbidez no alcanzaba a encubrir el fango y suciedad que les servía de vestidura, a falta de otra más decorosa.

—¡Angelitos! —murmuró Nucha—. ¡Parece mentira que los traigan así! Yo no sé cómo no se matan, cómo no perecen de frío... Julián, hay que vestir a este niño Jesús.

—Sí, ¡buen niño Jesús está él! —gruñó Julián—. El mismísimo enemigo malo, ¡Dios me perdone! No le tenga lástima, señorita: es un diablillo, más travieso que un mico... Lo que no hice yo para enseñarle a leer y escribir, para acostumbrarle a que se lavase esos hocicos y esas patas... ¡Ni atándolo, señorita, ni atándolo! Y está más sano que una manzana con la vida que trae. Ya se ha caído dos veces al estanque este año, y de una por poco se ahoga.

---

[92] En gallego: "docena".

—Vaya, Julián, ¿qué quiere usted que haga a su edad?
No ha de ser formal como los mayores. Ven conmigo,
rapaz, que voy a arreglarte algo para que te tapes esas
piernecitas... ¿No tienes calzado? Pues hay que encargar-
le unos zuecos bien fuertes de álamo... Y le voy a predi-
car un sermón a su madre para que me lo enjabone todos
los días. Usted le va a dar lección otra vez. O le haremos
ir a la escuela, que será lo mejor.

No hubo quién apease a Nucha de su caritativo propósito. Julián estaba con el alma en un hilo, temiendo que
de semejante aproximación resultase alguna catástrofe. No
obstante, la bondad natural de su corazón hizo que se
interesase nuevamente por aquella obra pía, que ya había
intentado sin fruto. Veía en ella mayor demostración de
la hermosura moral de Nucha. Parecíale que era providencial el que la señorita cuidase a aquel mal retoño de
tronco ruin. Y Nucha entretanto se divertía infinito con
su protegido; hacíale * gracia su propia desvergüenza, sus
instintos truhanescos, su afán por apandar huevos y fruta,
su avidez al coger las monedas, su afición al vino y a los
buenos bocados. Aspiraba a enderezar aquel arbolito tierno, civilizándole a la vez la piel y el espíritu. Obra de
romanos, decía el capellán.

* hacíanle.

XV

Por entonces se dedicó el matrimonio Moscoso a pagar visitas de la aristocracia circunvecina. Nucha montaba la borriquilla, y su marido la yegua castaña: Julián los acompañaba en mula: alguno de los perros favoritos del marqués se incorporaba a la comitiva siempre, y dos mozos, vestidos con la ropa dominguera, la más bordada faja, el sombrero de fieltro nuevecito, empuñando varas verdes que columpiaban al andar, iban de espolistas, encargados de *tener mano* de las monturas cuando se apeasen los jinetes.

La tanda empezó por la señora jueza de Cebre.[93] Abrió la puerta una criada en pernetas,[94] que al ver a Nucha bajarse de su cabalgadura y arreglar los volantes del traje con el mango de la sombrilla, echó a correr despavorida hacia el interior de la casa, clamando como si anunciase fuego o ladrones:

---

[93] Se trata muy probablemente de la villa de Cea. En los "Apuntes autobiográficos» doña Emilia explica las razones que la llevan a cambiar los nombres de las localidades en sus novelas: "Primera: precaver objeciones fundadas en cualquier inexactitud material que yo cometa, como si, por ejemplo, supongo que la feria de *Cebre* está a la entrada del pueblo cuando dista de él un cuarto de legua, o cosa por el estilo. Segunda: eximirme del realismo servil (...) Tercera: más libertad para *crear el personaje.*"

[94] Con las piernas desnudas, sin medias. Se supone, pues, que sin el uniforme que correspondería a una doncella de una casa principal.

—Señora... ¡Ay, mi señora! Unos señores... ¡hay unos señores aquí!

Ningún eco respondió a sus alaridos de consternación; pero transcurridos breves minutos, apareció en el zaguán el juez en persona, deshaciéndose en excusas por la torpeza de la muchacha: era inconcebible el trabajo que costaba domesticarlas; se les repetía mil veces la misma cosa, y nada, no aprendían a recibir a las... pues... de la manera que... Al murmurar así, arqueaba el codo ofreciendo a Nucha el sostén de su brazo para subir la escalera; y siendo ésta tan angosta que no cabían dos personas de frente, la señora de Moscoso pasaba los mayores trabajos del mundo intentando asirse con las yemas de los dedos al brazo del buen señor, que subía dos escalones antes que ella todo torcido y sesgado. Llegados a la puerta de la sala, el juez empezó a palparse, buscando ansiosamente algo en los bolsillos, articulando a media voz monosílabos entrecortados y exclamaciones confusas. De repente exhaló una especie de bramido terrible.

—Pepa... ¡Pepaaaaá!

Se oyó el *¡clac!* de los pies descalzos, y el juez interpeló a la fámula:

—La llave, ¿vamos a ver? ¿Dónde Judas has metido la llave?

Pepa se la alargaba ya a toda prisa, y el juez, cambiando de tono y pasando de la más furiosa ronquera a la más meliflua dulzura, empujó la puerta y dijo a Nucha:

—Por aquí, señora mía, por aquí... tenga usted la bondad...

La sala estaba completamente a oscuras: Nucha tropezó con una mesa, a tiempo que el juez repetía:

—Tenga usted la bondad de sentarse, señora mía... Usted dispense...

La claridad que bañó la habitación una vez abiertas las maderas de la ventana, permitió a Nucha distinguir al fin el sofá de *repis* [95] azul, los dos sillones haciendo juego,

---

[95] Es una tela de canutillo de origen francés. Su nombre original es *reps* y doña Emilia lo castellaniza. Estaba muy de moda a mediados del siglo XIX.

el velador de caoba, la alfombra tendida a los pies del sofá y que representaba un ferocísimo tigre de Bengala, color de canela fina. Al juez todo se le volvía acomodar a los visitadores, insistiendo mucho en si al marqués de Ulloa le convenía la luz de frente o estaría mejor de espaldas a la vidriera: al mismo tiempo lanzaba ojeadas de sobresalto en derredor, porque le iba sabiendo mal la tardanza de su mujer en presentarse. Esforzábase en sostener la conversación, pero su sonrisa tenía la contracción de una mueca, y su ojo severo se volvía hacia la puerta muy a menudo. Al cabo se oyó en el corredor crujido de enaguas almidonadas: la señora jueza entró, sofocada y compuesta de fresco, según claramente se veía en todos los pormenores de su tocado: acababa de embutir su respetable humanidad en el corsé y, sin embargo, no había logrado abrochar los últimos botones del corpiño de seda: el moño postizo, colocado a escape, se torcía inclinándose hacia la oreja izquierda: traía un pendiente desabrochado, y no habiéndole llegado el tiempo para calzarse, escondía con mil trabajos, entre los volantes pomposos de la falda de seda, las babuchas de orillo.

Aunque Nucha no pecaba de burlona, no pudo menos de hacerle gracia el atavío de la jueza, que pasaba por el figurín vivo de Cebre, y a hurtadillas sonrió a Julián mostrándole con imperceptible guiño los collares, dijes y broches que lucía en el cuello la señora, mientras ésta a su vez devoraba e inventariaba el sencillo adorno de la recién casada santiaguesa. La visita fue corta, porque el marqués deseaba *cumplir* aquel mismo día con el Arcipreste, y la parroquia de Loiro [96] distaba una legua por lo menos de la villita de Cebre. Se despidieron de la autoridad judicial tan ceremoniosamente como habían entrado, con los mismos requilorios de brazo y acompañamiento, y muchos ofrecimientos de casa y persona.

[96] Debe de tratarse da la parroquia de Louredo que, en efecto, se halla a 5 ó 6 km de Cea.

Era preciso para ir a Loiro internarse bastante en la montaña, y seguir una senda llena de despeñaderos y precipicios, que sólo se hacía practicable al acercarse a los dominios del arciprestazgo, vastos y ricos algún día, hoy casi anulados por la desamortización. La rectoral daba señales de su esplendor pasado; su aspecto era conventual; al entrar y apearse en el zaguán, los señores de Ulloa sintieron la impresión del frío subterráneo de una ancha cripta abovedada, donde la voz humana retumbaba de un modo extraño y solemne. Por la escalera de anchos peldaños y monumental balaustre de piedra bajaba dificultosamente, con la lentitud y el balanceo con que caminan los osos puestos en dos pies, una pareja de seres humanos monstruosa, [97] deforme, que lo parecía más viéndola así reunida: el Arcipreste y su hermana. Ambos jadeaban: su dificultosa respiración parecía el resuello de un accidentado: las triples roscas de la papada, y el rollo del pestorejo aureolaban con formidable nimbo de carne las faces moradas de puro inyectadas de sangre espesa; y cuando se volvían de espaldas, en el mismo sitio en que el Arcipreste lucía la tonsura, ostentaba su hermana un moñito de pelo gris, análogo al que gastan los toreros. Nucha, a quien el recibimiento del juez y el tocado de su señora habían puesto de buen humor, volvió a sonreír disimuladamente, sobre todo al notar los *quidproquos* [98] de la conversación, producidos por la sordera de los dos respetables hermanos. No desmintiendo éstos la hospitalaria tradición campesina, hicieron pasar a los visitadores, quieras no quieras, al comedor, donde un mármol * se hubiera reído también observando cómo la mesa del refresco, la misma en que comían a diario los dueños de casa, tenía dos es-

---

[97] Igual que en la descripción del señor de la Lage, una primera imagen muy plástica, muy viva, destaca el aspecto animal de los personajes.
[98] Error que consiste en tomar a una persona o cosa por otra. La expresión latina, que ha pasado sin variación fonética al castellano, indicaba la sustitución de una cosa por otra equivalente *(Diccionario de la RAE).*
* marmolillo.

cotaduras, una frente a otra, sin duda destinadas a alojar desahogadamente la rotundidad de un par de abdómenes gigantescos.

El regreso a los Pazos fue animado por comentarios y bromas acerca las visitas: hasta Julián dio de mano a su formalidad y a su indulgencia acostumbrada * para divertirse a cuenta de la mesa escotada y del almacén de quincalla que la señora jueza lucía en el pescuezo y seno. Pensaban con regocijo en que al día siguiente se les preparaba otra excursión del mismo género, sin duda igualmente divertida: tocábales ver a las señoritas de Molende y a los señores de Limioso.

Salieron de los Pazos tempranito, porque bien necesitaban toda la larga tarde de verano para cumplir el programa; y acaso no les alcanzaría, si no fuese porque a las señoritas de Molende no las encontraron en casa: una mocetona que pasaba cargada con un haz de hierba explicó difícilmente que las señoritas *iban en* la feria de Vilamorta, [99] y sabe Dios cuándo volverían de allá. Le pesó a Nucha, porque las señoritas, que habían estado en los Pazos a verla, le agradaban, y eran los únicos rostros juveniles, las únicas personas en quienes encontraba reminiscencias de la cháchara alegre y del fresco pico de sus hermanas, a las cuales no podía olvidar. Dejaron un recado de atención a cargo de la mocetona y torcieron monte arriba, camino del Pazo de Limioso.

El camino era difícil y se retorcía en espiral alrededor de la montaña; a uno y otro lado las cepas de viña, cargadas de follaje, se inclinaban sobre él como para borrar-

---

* acostumbradas.

[99] Aquí tiene lugar la acción de la novela *El cisne de Vilamorta*. Tanto Nelly Clemessy como B. Varela Jácome identifican Vilamorta con Carballiño. Reproduzco la opinión de este último: "La descripción de Vilamorta, con su ambiente, sus ferias, sus danzas, su balneario de aguas medicinales, las rivalidades políticas, reúne las suficientes precisiones objetivas para identificarla, sin duda, con la próspera villa orensana de Carballiño" (*Estructuras novelísticas de E. Pardo Bazán*, CSIC, Instituto P. Sarmiento, Compostela, 1973, p. 23).

lo. En la cumbre amarilleaba a la luz del sol poniente un edificio prolongado, con torre a la izquierda, y a la derecha un palomar derruido, sin techo ya. Era la señorial mansión de Limioso, un tiempo castillo roquero, nido de azor colgado en la escarpada umbría del montecillo solitario, tras del cual, en el horizonte, se alzaba la cúspide majestuosa del inaccesible Pico Leiro. [100] No se conocía en todo el contorno, ni acaso en toda la provincia, casa infanzona más linajuda ni más vieja, y a cuyo nombre añadiesen los labriegos con acento más respetuoso el calificativo de *Pazo, palacio,* reservado a las moradas hidalgas.

Desde bastante cerca, el Pazo de Limioso parecía deshabitado, lo cual aumentaba la impresión melancólica que producía su desmantelado palomar. Por todas partes indicios de abandono y ruina: las ortigas obstruían la especie de plazoleta o patio de la casa: no faltaban vidrios en las vidrieras, por la razón plausible de que tales vidrieras no existían, y aun alguna madera, arrancada de sus goznes, pendía torcida, como un girón en un traje usado. Hasta las rejas de la planta baja, devoradas de orín, subían las plantas parásitas, y festones de yedra seca y raquítica corrían por entre las junturas desquiciadas de las piedras. Estaba el portón abierto de par en par, como puerta de quien no teme a ladrones; pero al sonido mate de los cascos de las monturas en el piso herboso del patio, respondieron asmáticos ladridos, y un mastín y dos perdigueros se abalanzaron contra los visitantes, desperdiciando por las fauces el poco brío que les quedaba, pues ninguno de aquellos bichos tenía más que un erizado pelaje sobre una armazón de huesos prontos a agujerearlo al menor descuido. El mastín no podía, literalmente, ejecutar el esfuerzo del ladrido: temblábanle las patas, y la lengua le salía de un palmo entre los dientes, amarillos y roídos por la edad. Apaciguáronse los perdigueros a la voz del señor de Ulloa, con quien habían cazado mil veces; no así

---

[100] Creo que se refiere, en este caso sin deformación fonética, a las montañas que se encuentran junto a Leiro Grande, cuyas cúspides se verían en la lejanía, desde el Pazo de Limioso.

el mastín, resuelto sin duda a morir en la demanda, y a quien sólo acalló la aparición de su amo el señorito de Limioso.

¿Quién no conoce en la montaña al directo descendiente de los paladines y ricohombres gallegos, al infatigable cazador, al acérrimo tradicionalista? *Ramonciño* Limioso contaría a la sazón poco más de veintiséis años, pero ya sus bigotes, sus cejas, su cabello y sus facciones todas tenían una gravedad melancólica y dignidad algún tanto burlesca para quien por primera vez lo veía. Su entristecido arqueo de cejas le prestaba vaga semejanza con los retratos de Quevedo; su pescuezo flaco pedía a voces la golilla, y en vez de la vara que tenía en la mano, la imaginación le otorgaba una espada de cazoleta. Donde quiera que se encontrase aquel cuerpo larguirucho, aquel gabán raído, aquellos pantalones con rodilleras y tal cual remiendo, no se podía dudar que, con sus pobres trazas, Ramón Limioso era un verdadero *señor desde sus principios* —así decían los aldeanos— y no *hecho a puñetazos,* como otros.

Lo era hasta en el modo de ayudar a Nucha a bajarse de la borrica, en la naturalidad galante con que le ofreció no el brazo, sino, a la antigua usanza, dos dedos de la mano izquierda para que en ellos apoyase la palma de su diestra la señora de Ulloa. Y con el decoro propio de un paso de minueto, la pareja entró por el Pazo de Limioso adelante, subiendo la escalera exterior que conducía al claustro, no sin peligro de rodar por ella, tales estaban de carcomidos los venerables escalones. El tejado del claustro era un puro calado: veíanse, al través de las tejas y las vigas, innumerables retales de terciopelo azul celeste; la cría de las golondrinas piaba dulcemente en sus nidos, cobijados en el sitio más favorable, tras el blasón de los Limiosos, repetido en el capitel de cada pilar en tosca escultura —tres peces bogando en un lago, un león sosteniendo una cruz—. Fue peor cuando entraron en la antesala. Muchos años hacía que la polilla y la vetustez habían dado cuenta de la tablazón del piso; y no alcanzando sin duda los medios de los Limiosos a echar piso nuevo, se habían contentado con arrojar algunas tablas sueltas sobre los pontones y las vigas, y por tan peligroso camino cruzó tranquilamente el señorito sin dejar de ofrecer los dedos a Nucha y sin que ésta se atreviese a solicitar más firme apoyo. Cada tablón en que sentaban el pie se alzaba y blandía, descubriendo abajo la negra profundidad de la bodega, con sus cubas vestidas de telarañas. Atravesaron impávidos el abismo y penetraron en la sala, que al menos poseía un piso clavado, aunque en muchos sitios roto y en todos casi reducido a polvo sutil por el taladro de los insectos.

Nucha se quedó inmóvil de sorpresa. En un ángulo de la sala medio desaparecía bajo un gran acervo de trigo un mueble soberbio, un bargueño incrustado de concha y marfil: en las paredes, del betún de los cuadros viejos y ahumados se destacaba a lo mejor una pierna de santo martirizado, toda contraída, o el anca de un caballo, o una cabeza carrilluda de angelote; * frente a la esquina del trigo, se alzaba un estrado revestido de cuero de Córdoba, que aún conservaba su rica coloración y sus oros intensos; ante el estrado, en semicírculo, magníficos sitiales esculatados, ** con asiento de cuero también; y entre el trigo y el estrado, sentadas en *tallos* —asientos de tronco de roble bruto, como los que usan los labriegos más pobres—, dos viejas secas, pálidas, derechas, vestidas de hábito del Carmen, ¡hilaban!

Jamás había creído la señora de Moscoso que vería hilar más que en las novelas o en los cuentos, a no ser a las aldeanas, y le produjo singular efecto el espectáculo de aquellas dos estatuas bizantinas, que tales parecían por su quietud y los rígidos pliegues de su ropa, manejando el huso y la rueca, y suspendiendo a un mismo tiempo la labor cuando ella entró. En nombre de las dos estatuas —que eran las tías paternas del señorito de Limioso— había visitado éste a Nucha; vivía también en el Pazo el padre, paralítico y encamado: pero a éste nadie le echaba la vista encima: su existencia era como un mito, una le-

---

* de un angelote.
** tallados.

yenda de la montaña. Las dos ancianas se irguieron y tendieron a Nucha los brazos con movimiento tan simultáneo que no supo a cuál de ellas atender, y a la vez y en las dos mejillas sintió un beso de hielo, un beso dado sin labios y acompañado del roce de una piel inerte. Sintió también que le asían las manos otras manos despojadas de carne, consuntas, amojamadas y momias; comprendió que la guiaban hacia el estrado, y que le ofrecían uno de los sitiales; y apenas se hubo sentado en él, conoció con terror que el asiento se desvencijaba, se hundía; que se largaba cada pedazo del sitial por su lado sin crujidos ni resistencia; y con el instinto de la mujer en cinta, se puso de pie, dejando que la última prenda del esplendor de los Limiosos se derrumbase en el suelo para siempre...

Salieron del goteroso Pazo cuando ya anochecía, y sin que se lo comunicasen, sin que ellos mismos pudiesen acaso darse cuenta de ello, callaron todo el camino porque les oprimía la tristeza inexplicable de las cosas que se van.

XVI

Debía el sucesor de los Moscosos andar ya cerca de este mundo, porque Nucha cosía sin descanso prendas menudas semejantes a ropa de muñecas. A pesar de la asiduidad en la labor, no se desmejoraba, al contrario, parecía que cada pasito de la criatura hacia la luz del día era en beneficio de su madre. No podía decirse que Nucha hubiese engruesado, pero sus formas se llenaban, volviéndose suaves curvas lo que antes eran ángulos y planicies. Sus mejillas se sonroseaban, aunque le velaba frente y sienes esa ligera nube oscura conocida por *paño*. Su pelo negro parecía más brillante y copioso; sus ojos menos vagos y más húmedos; su boca más fresca y roja. Su voz se había timbrado con notas graves. En cuanto al natural aumento de su persona, no era mucho ni la afeaba, prestando solamente a su cuerpo la dulce pesadez que se nota en el de la Virgen, en los cuadros que representan la Visitación. La colocación de sus manos, extendidas sobre el vientre como para protegerlo, completaba la analogía con las pinturas de tan tierno asunto.

Hay que reconocer que don Pedro se portaba bien con su esposa durante aquella temporada de expectación. Olvidando sus acostumbradas correrías por montes y riscos, la sacaba todas las tardes, sin faltar una, a dar paseítos higiénicos, que crecían gradualmente; y Nucha, apoyada en su brazo, recorría el valle en que los Pazos de Ulloa se esconden, sentándose en los murallones y en los ribazos al sentirse muy fatigada. Don Pedro atendía a satisfacer sus menores deseos: en ocasiones se mostraba hasta galante, trayéndole las flores silvestres que le llamaban la atención, o ramas de madroño y zarzamora cuajadas de fruto. Como a Nucha le causaban fuerte sacudimiento nervioso los tiros, no llevaba jamás el señorito su escopeta, y había prohibido expresamente a Primitivo cazar por allí. Parecía que la leñosa corteza se le iba cayendo poco a poco al marqués, y que su corazón bravío y egoísta se inmutaba, dejando asomar, como entre las grietas de la pared * florecillas parásitas, blandos afectos de esposo y padre. Si aquello no era el matrimonio cristiano soñado por el excelente capellán, viven los cielos que debía de asemejársele mucho.

Julián bendecía a Dios todos los días. Su devoción había vuelto, no a renacer, pues no muriera nunca, pero sí a reavivarse y encenderse. A medida que se acercaba la hora crítica para Nucha, el capellán permanecía más tiempo de rodillas dando gracias al terminar la misa; prolongaba más las letanías y el rosario; ponía más alma y fervor en el cuotidiano rezo. Y no entran en la cuenta dos novenas devotísimas, una a la Virgen de agosto, otra a la Virgen de septiembre. Figurábasele este culto mariano muy adecuado a las circunstancias, por la convicción cada vez más firme de que Nucha era viva imagen de Nuestra Señora, en cuanto una mujer concebida en pecado puede serlo.

Al oscurecer de una tarde de octubre estaba Julián sentado en el poyo de su ventana, engolfado en la lectura del padre Nieremberg. [101] Sintió pasos precipitados en la escalera. Conoció el modo de pisar de don Pedro. El rostro del señor de Ulloa derramaba satisfacción.

—¿Hay novedades? —preguntó Julián soltando el libro.

—¡Ya lo creo! Nos hemos tenido que volver del paseo a escape.

—¿Y han ido a Cebre por el médico?

---

* de una pared.
[101] Juan Eusebio Nieremberg (1595-1658), madrileño, de padres alemanes, jesuita, fue escritor muy prolífico. Sus obras de carácter ascético fueron muy leídas, especialmente *De la diferencia entre lo temporal y lo eterno* y *De la hermosura de Dios y su amabilidad*.

—Va allá Primitivo.

Julián torció el gesto.

—No hay que asustarse... Detrás de él van a salir ahora mismo otros dos propios. Quería ir yo en persona, pero Nucha dice que no se queda ahora sin mí.

—Lo mejor sería ir yo también por si acaso —exclamó Julián—. Aunque sea a pie y de noche...

Lanzó don Pedro una de sus terribles y mofadoras carcajadas.

—¡Usted! —clamó sin cesar de reír—. ¡Vaya una ocurrencia, don Julián!

El capellán bajó los ojos y frunció el rubio ceño. Sentía cierta vergüenza de su sotana, que le inutilizaba para prestar el menor servicio en tan apretado trance. Y al par que sacerdote era hombre, de modo que tampoco * podía penetrar en la cámara donde se cumplía el misterio. Sólo tenían derecho a ello dos varones: el esposo y el *otro,* el que Primitivo iba a buscar; el representante de la ciencia humana. Acongojóse el espíritu de Julián pensando en que el recato de Nucha iba a ser profanado, y su cuerpo puro tratado quizás ** como se trata a los cadáveres en la mesa de anatomía; como materia inerte, donde no se cobija ya un alma. Comprendió que se apocaba y afligía.

—Llámeme usted si para algo me necesita, señor marqués —murmuró con desmayada voz.

—Mil gracias, hombre... Venía únicamente a darle a usted la buena noticia.

Don Pedro volvió a bajar la escalera rápidamente silbando una *riveirana,* y el capellán, al pronto, se quedó inmóvil. Pasóse luego la mano por la frente, donde rezumaba un sudorcillo. Miró a la pared. Entre varias estampitas pendientes del muro y encuadradas en marcos de briche y lentejuelas, escogió dos: una de San Ramón Nonnato y otra de Nuestra Señora de la Angustia, sosteniendo en el regazo a su Hijo muerto. Él la hubiera *** preferido de la

* Esto en cuanto sacerdote. Como hombre tampoco.
** quizás.
*** hubiese.

Leche y Buen parto; pero no la tenía, ni se había acordado mucho de tal advocación hasta aquel instante. Desembarazó la cómoda de los cachivaches que la obstruían y puso encima, de pie, las estampas. Abrió después el cajón, donde guardaba algunas velas de cera destinadas a la capilla; tomó un par, las acomodó en candeleros de latón, y armó su *altarito*. Así que la luz amarillenta de los cirios se reflejó en los adornos y cristal de los cuadros, el alma de Julián sintió consuelo inefable. Lleno de esperanza, el capellán se reprendió a sí mismo por haberse juzgado inútil en momentos semejantes. ¡Él inútil! Cabalmente le incumbía lo más importante y preciso, que es impetrar la protección del cielo. Y arrodillándose henchido de fe, dio principio a sus oraciones.

El tiempo corría sin interrumpirlas. De abajo no llegaba noticia alguna. A eso de las diez reconoció Julián que sus rodillas hormigueaban con insufrible hormigueo, que se apoderaba de sus miembros dolorosa lasitud, que se le desvanecía la cabeza. Hizo un esfuerzo y se incorporó tambaleándose. Una persona entró. Era Sabel, a quien el capellán miró con sorpresa, pues hacía bastante tiempo que no se presentaba allí.

—De parte del señorito, que baje a cenar.

—¿Ha venido su padre de usted? ¿Ha llegado el médico? —interrogó ansiosamente Julián, no atreviéndose a preguntar otra cosa.

—No señor... De aquí a Cebre hay un bocadito.

En el comedor encontró Julián al marqués cenando con apetito formidable, como hombre a quien se le ha retrasado la pitanza dos horas más que de costumbre. Julián trató de imitar aquel sosiego, sentándose y extendiendo la servilleta.

—¿Y la señorita? —preguntó con afán.

—¡Pss!... Ya puede usted suponer que no muy a gusto.

—¿Necesitará algo mientras usted está aquí?

—No. Tiene allá a su doncella, la Filomena. Sabel también ayuda para cuanto se precise.

Julián no contestó. Sus reflexiones valían más para calladas que para dichas. Era una monstruosidad que Sabel

asistiese a la legítima esposa: pero si no se le ocurría al
marido, ¿quién tenía valor para insinuárselo? Por otra
parte, Sabel, en realidad, no carecía de experiencia doméstica, ni dejaría de ser útil. Notó Julián que el marqués, a
diferencia de algunas horas antes, parecía malhumorado e
impaciente. Recelaba el capellán interrogarle. Determinó-
se al fin.

—Y... ¿dará tiempo a que llegue el médico?

—¿Que si da tiempo? —respondió el señorito embau-
lando y mascando con colérica avidez—. ¡Como no lo
dé de más! Estas señoritas finas son muy delicadas y difíciles para todo... Y cuando no hay un gran físico... Si
fuese por el estilo de su hermana Rita...

Descargó un porrazo con el vaso en la mesa, y añadió
sentenciosamente:

—Son una calamidad las mujeres de los pueblos... Hechas de alfeñique... Le aseguro a usted que tiene una debilidad, y una tendencia a las convulsiones y a los síncopes, que ... Melindres, ¡diantre!, ¡melindres a que las
acostumbran desde pequeñas!

Pegó otro trompis y se levantó, dejando solo en el comedor a Julián. No sabía éste qué hacer de su persona,
y pensó que lo mejor era emprender de nuevo plática con
los santos. Subió. Las velas seguían ardiendo, y el capellán
volvió a arrodillarse. Las horas pasaban y pasaban, y no se
oían más ruidos que el del viento de la noche al gemir en
los castaños, y el hondo sollozo del agua en la represa del
cercano molino. Sentía Julián cosquilleo y agujetas en los
muslos, frío en los huesos y pesadez en la cabeza. Dos o
tres veces miró hacia su cama, y otras tantas el recuerdo
de la pobrecita que sufría allá abajo le detuvo. Dábale
vergüenza ceder a la tentación. Mas sus ojos se cerraban,
su cabeza, ebria de sueño, caía sobre el pecho. Se tendió
vestido, prometiéndose despabilarse al punto. Despertó
cuando ya era de día.

Al encontrarse vestido, acordó, y tratándose mentalmente de marmota y leño, pensó si ya estaría en el mundo el
nuevo Moscoso. Bajó apresurado frotándose los párpados,
medio aturdido aún. En la antesala de la cocina se dio de

manos a boca con Máximo Juncal, el médico de Cebre, con bufanda de lana gris arrollada al cuello, chaquetón de paño pardo, botas y espuelas.

—¿Llega usted ahora mismo? —preguntó asombrado el capellán.

—Sí señor... Primitivo dice que estuvieron llamando anoche a mi puerta él y otros dos, pero que no les abrió nadie... Verdad que mi criada es algo sorda; mas con todo... si llamasen como Dios manda... En fin, que hasta el amanecer no me llegó el aviso. De cualquier manera parece que vengo muy a tiempo todavía... Primeriza al fin y al cabo... Estas batallas acostumbran durar bastante... Allá voy a ver qué ocurre...

Precedido de don Pedro, echó a andar látigo en mano y resonándole las espuelas, de modo que la imagen bélica que acababa de emplear parecía exacta, y cualquiera le tomaría por el general que acude a decidir con su presencia y sus órdenes la victoria. Su continente resuelto infundía confianza. Reapareció a poco pidiendo una taza de café bien caliente, pues con la prisa de venir se encontraba en ayunas. Al señorito le sirvieron chocolate. Emitió el médico su dictamen facultativo: armarse de paciencia, porque el negocio iba largo. Don Pedro, de humor algo fosco y con las facciones hinchadas por el insomnio, quiso a toda costa saber si había peligro.

—No señor, no señor —contestó Máximo desliendo el azúcar con la cucharilla y echando ron en el café—. Si se presentan dificultades, estamos aquí... Tú, Sabel; una copita pequeña.

En la copita pequeña escanció también ron, que paladeó mientras el café se enfriaba. El marqués le tendió la petaca llena.

—Muchas gracias... —pronunció el médico encendiendo un habano. Por ahora estamos a ver venir. La señora es novicia, y no muy fuerte... A las mujeres se les da en las ciudades la educación más antihigiénica: corsé para volver angosto lo que debe ser vasto; encierro para producir la clorosis y la anemia; vida sedentaria, para ingurgitarlas y criar linfa a expensas de la sangre... [102] Mil veces mejor preparadas están las aldeanas para el gran combate de la gestación y alumbramiento, que al cabo es la verdadera función femenina.

Siguió explanando su teoría, queriendo manifestar que no ignoraba las más recientes y osadas hipótesis científicas, alardeando de materialismo higiénico, ponderando mucho la acción bienhechora de la madre naturaleza. Veíase que era mozo inteligente, de bastante lectura y determinado a lidiar con las enfermedades ajenas; mas la amarillez biliosa de su rostro, la lividez y secura de sus delgados labios, no prometían salud robusta. Aquel fanático de la higiene no predicaba con el ejemplo. Asegurábase que tenía la culpa el ron y una panadera de Cebre, con salud para vender y regalar a cuatro doctores higienistas.

Don Pedro chupaba también con ensañamiento su cigarro, y rumiaba las palabras del médico, que por extraño caso, atendida la diferencia entre un pensamiento relleno de ciencia novísima y otro virgen hasta de lectura, conformaban en todo con su sentir. También el hidalgo rancio pensaba que la mujer debe ser principalmente muy apta para la propagación de la especie. Lo contrario le parecía un crimen. Acordábase mucho, mucho, con extraños remordimientos casi incestuosos, del robusto tronco de su cuñada Rita. También recordó el nacimiento de Perucho, un día que Sabel estaba amasando. Por cierto que la borona que amasaba no hubiera * tenido tiempo de cocerse cuando el chiquillo berreaba ya diciendo a su modo que él era de Dios como los demás y necesitaba el sustento. Estas memorias le despertaron una idea muy importante.

—Diga, Máximo..., ¿le parece que mi mujer podrá criar?

Máximo se echó a reír, saboreando el ron.

---

[102] Son las ideas de la medicina más moderna de la época. De un modo semejante se expresa Benítez, el médico joven de *La regenta,* de Clarín.
* hubiere.

—No pedir gollerías, señor don Pedro... ¡Criar! Esa función augusta exige complexión muy vigorosa y predominio del temperamento sanguíneo... [103] No puede criar la señora.

—Ella es la que se empeña en eso —dijo con despecho el marqués—; yo bien me figuré que era un disparate... por más que no creí a mi mujer tan endeble... En fin, ahora tratamos de que no nazca el niño para rabiar de hambre. ¿Tendré tiempo de ir a Castrodorna? La hija de Felipe el casero, aquella mocetona, ¿no sabe usted?...

—¿Pues no he de saber? ¡Gran vaca! Tiene usted ojo médico... Y está parida de dos meses. Lo que no sé es si los padres la dejarán venir. Creo que son gente honrada en su clase y no quieren divulgar lo de la hija.

—¡Música celestial! Si hace ascos la traigo arrastrando por la trenza... A mí no me levanta la voz un casero mío. ¿Hay tiempo o no de ir allá?

—Tiempo, sí. Ojalá acabásemos antes; pero no lleva trazas.

Cuando el señorito salió, Máximo se sirvió otra copa de ron y dijo en confianza al capellán:

—Si yo estuviese en el pellejo del Felipe... ya le quiero un recado a don Pedro. ¿Cuándo se convencerán estos señoritos de que un casero no es un esclavo? Así andan las cosas de España; mucho de revolución, de libertad, de derechos individuales... ¡Y al fin, por todas partes la tiranía, el privilegio, el feudalismo! Porque, vamos a ver: ¿qué es esto sino reproducir los ominosos tiempos de la gleba y las iniquidades de la servidumbre? Que yo necesito tu hija, ¡zas!, pues contra tu voluntad te la cojo. Que me hace falta leche, una vaca humana, ¡zás!, si no quieres dar de mamar de grado a mi chiquillo, le darás por fuerza. Pero le estoy escandalizando a usted. Usted no piensa como yo, de seguro, en cuestiones sociales.

—No señor, no me escandalizo —contestó apaciblemente Julián—. Al contrario... Me dan ganas de reír por-

---

[103] En este punto, el médico (y doña Emilia) participan de los prejuicios de la época.

que me hace gracia verle a usted tan sofocado. Mire usted
qué más querrá la hija de Felipe que servir de ama de
cría en esta casa. Bien mantenida, bien regalada, sin tra-
bajar... Figúrese.

—¿Y el albedrío? ¿Quiere usted coartar el albedrío, los
derechos individuales? Supóngase que la muchacha se encuentre mejor avenida con su honrada pobreza que con todos esos beneficios y ventajas que usted dice... ¿No es un
acto abusivo traerla aquí de la trenza, porque es hija de
un casero? Naturalmente que a usted no se lo parece;
claro está. Vistiéndose por la cabeza, no se puede pensar
de otro modo; usted tiene que estar por el feudalismo y la
teocracia. ¿Acerté? No me diga usted que no.

—Yo no tengo ideas políticas —aseveró Julián sosegadamente: y de pronto, como recordando, añadió: «¿Y no
sería bien dar una vuelta a ver cómo lo pasa la señorita?»

—¡Pch!... No hago por ahora gran falta allá, pero voy
a ver. Que no se lleven la botella del ron, ¿eh? Hasta
dentro de un instante.

Volvió en breve, e instalándose ante la copa mostró
querer reanudar la conversación política, a la cual profesaba desmedida afición, prefiriendo, en su interior, que le
contradijesen, pues entonces se encendía y exaltaba, encontrando inesperados argumentos. Las violentas discusiones
en que se llegaba * a vociferar y a injuriarse, le esparcían
la estancada bilis, y la función digestiva y respiratoria se
le activaba, produciéndole gran bienestar. Disputaba por
higiene: aquella gimnasia de la laringe y del cerebro le
desinfartaba el hígado. [104]

—¿Con que usted no tiene ideas políticas? A otro perro con ese hueso, padre Julián... Todos los pájaros de
pluma negra vuelan hacia atrás: no andemos con cuentos.

---

* se llega.

[104] Rasgo típicamente naturalista: la íntima trabazón, casi po-
dríamos decir el determinismo de lo fisiológico sobre lo intelectual: la discusión le aligera la bilis y el bienestar que esto le
produce le lleva a provocar discusiones para experimentar esa
sensación grata. Nótese también el gusto de la escritora por los
términos médicos.

Y sino, a ver, hagamos la prueba: ¿qué piensa usted de la revolución? ¿Está usted conforme con la libertad de cultos? Aquí te quiero, escopeta. ¿Está usted de acuerdo con Súñer? [105]

—¡Vaya unas cosas que tiene el señor don Máximo! ¿Cómo he de estar de acuerdo con Súñer? ¿No es ese que dijo en el Congreso blasfemias horrorosas? ¡Dios le alumbre! *

—Hable claro: ¿usted piensa como el abad de San Clemente de Boán? Ése dice que a Súñer y a los revolucionarios no se les convence con razones, sino a trabucazo limpio y palo seco. ¿Usted qué opina?

—Son dichos de acaloramiento... Un sacerdote es hombre como todos y puede enfadarse en una disputa y echar venablos por la boca.

—Ya lo creo; y por lo mismo que es hombre como todos puede tener intereses bastardos, puede querer vivir holgazanamente explotando la tontería del prójimo, puede darse buena vida con los capones y cabritos de los feligreses... No me negará usted esto.

—Todos somos pecadores, don Máximo.

—Y aun puede hacer cosas peores, que... que se sobreentienden..., ¿eh? No sofocarse.

—Sí señor. Un sacerdote puede hacer todas las cosas malas del mundo. Si tuviésemos privilegio para no pecar, estábamos bien; nos habíamos salvado en el momento mismo de la ordenación, que no era floja ganga. Cabalmente la ordenación nos impone deberes más estrechos que a los demás cristianos, y es doblemente difícil que uno de nosotros sea bueno. Y para serlo del modo que requeriría el camino de perfección en que debemos entrar al ordenarnos de sacerdotes, se necesita, aparte de nuestros esfuerzos, que la gracia de Dios nos ayude. Ahí es nada.

---

[105] Súñer y Capdevila era diputado federal y ateo. En el año 1869 encabezó una revuelta en el Ampurdán a favor de la república federal, que fue fácilmente dominada por el gobierno y que le llevó al exilio.
* le ilumine.

Díjolo en tono tan sincero y sencillo, que el médico amainó por algunos instantes.

—Si todos fuesen como usted, don Julián...

—Yo soy el último, el peor. No se fíe usted en apariencias.

—¡Quiá! Los demás son buenas piezas, buenas... y ni con la revolución hemos conseguido minarles el terreno... Le parecerá a usted mentira lo que amañaron estos días para dar gusto a ese bandido de Barbacana...

No hallándose en antecedentes, Julián guardaba silencio.

—Figúrese usted —refirió el médico— que Barbacana tiene a sus órdenes otro facineroso, un paisano de Castrodorna, conocido por el Tuerto, [106] que va y viene a Portugal a salto de mata, porque una noche cosió a puñaladas a su mujer y al amante... Hace poco parece que le echó mano la justicia, pero Barbacana se empeñó en librarlo, y tanto sudaron él y los curas, que el hombre salió bajo fianza, y se pasea por ahí... De modo que, a pesar de los pesares, nos tiene usted como siempre, mandados por el infame Barbacana.

—Pero —objetó Julián— yo he oído que aquí, cuando no reina Barbacana, reina otro cacique peor, que le llaman Trampeta, por los enredos y diabluras que arma a los pobres paisanos chupándoles el tuétano... Con que por fas o por nefas...

—Eso... Eso tiene algo de verdad... pero mire usted, al menos Trampeta no se propone levantar partidas... Con Barbacana es preciso concluir, pues corresponde con las Juntas carlistas de la provincia para llevar el país a fuego y sangre... ¿Es usted partidario del niño Terso? [107]

—Ya le dije que no tengo opiniones.

—Es que no le da la gana de disputar.

---

[106] Al Tuerto de Castrodorna volveremos a encontrarlo en el cuento "Viernes Santo", de *Historias y Cuentos de Galicia,* al servicio del cacique Lobeiro.

[107] Era el nombre que daban a sus enemigos políticos a don Carlos María de los Dolores, el pretendiente carlista, Carlos VII para los suyos y duque de Madrid.

—Francamente, don Máximo, acierta usted. Estoy pendiente de esa pobre señorita... pensando en lo que puede sucederle. Y no entiendo de política; no se ría usted, no entiendo. Sólo entiendo de decir misa: y el caso es que no la he dicho hoy todavía, y mientras no la diga no me desayuno, y el estómago se me va... Aplicaré la misa por la necesidad presente. Yo no puedo —añadió con cierta melancolía— prestarle a la señorita otro auxilio.

Marchóse —dejando al médico sorprendido de encontrar un cura que rehuía entrar en políticas discusiones, que por aquellos días reemplazaban a las teológicas en todas las sobremesas patronales— y celebró su misa con gran atención y minuciosidad en las ceremonias. El repique de la campanilla del acólito resonaba claro y argentino en la vetusta capilla vacía. Oíanse fuera gorjeos de pájaros en los árboles del huerto, lejano chirrido de carros que salían al trabajo, rumores campestres gratos, calmantes, bienhechores. Era la misa de San Ramón Nonato, elegida para la circunstancia; y cuando el celebrante pronunció *"ejus nobis intercessione concede, ut a peccatorum vinculis absoluti..."* [108] parecióle que las cadenas de dolor que ligaban a la pobre virgencita —que aún entonces se la representaba como tal el capellán— se rompían de golpe, dejándola libre, gozosa y radiante, con la más feliz maternidad.

Sin embargo, cuando regresó a la casa no había indicios de la susodicha ruptura de cadenas. En vez de las apresuradas idas y venidas de criados que siempre indican algún acontecimiento trascendental, notó una calma de mal agüero. El señorito no volvía: verdad es que Castrodorna distaba bastante de los Pazos. Fue preciso sentarse a la mesa sin él. El médico no intentó disputar más, porque a su vez empezaba a hallarse preocupado con la fle-

---

[108] Son, en efecto, las palabras de la colecta de la misa de San Ramón Nonato: "Oh, Dios, que hiciste admirable a San Ramón en la liberación de los cristianos cautivos, *concédenos por su intercesión que, rotos los lazos del pecado,* seamos libres para hacer lo que te agrada."

ma del heredero de los Moscosos. Hay que decir en abono del discutidor higienista que tomaba su profesión por lo serio y la respetaba tanto como Julián la suya. Probábalo su misma manía de la higiene y su culto de la salud, culto infundido por librotes modernos que sustituyen al Dios del Sinaí con la diosa Higia. Para Máximo Juncal, inmoralidad era sinónimo de escrofulosis, y el deber se parecía bastante a una perfecta oxidación de los elementos asimilables. Disculpábase a sí propio ciertos extravíos, por tener un tanto obstruidas las vías hepáticas. [109]

En aquel momento, el peligro de la señora de Moscoso despertaba su instinto de lucha contra los males positivos de la tierra: el dolor, la enfermedad, la muerte. Comió distraídamente, y sólo bebió dos copas de ron. Julián apenas pasó bocado: preguntaba de tiempo en tiempo:

—¿Qué ocurrirá por allí, don Máximo?

Cesó de preguntar cuando el médico le hubo dado, a media voz, algunos detalles, empleando términos técnicos. La noche caía. Máximo apenas salía del cuarto de la paciente. Sintióse Julián tan triste y solo, que ya se disponía a subir y encender su altar, para disfrutar al menos la compañía de las velas y los cuadritos. Pero don Pedro entró impetuosamente, como una ráfaga de viento huracanado. Traía de la mano una muchachona color de tierra, un castillo de carne: el tipo clásico de la vaca humana.

[109] Doña Emilia se está burlando del determinismo fisiológico del naturalismo; es una caricatura de lo que sería un personaje zolesco.

XVII

Que Máximo Juncal, ya que es su oficio, reconozca detenidamente la cuenca del río lácteo de la poderosa bestiaza, conducida por el marqués de Ulloa, no sin asombro de las gentes, en el borrén delantero de la silla de su yegua, por no haber en Castrodorna otros medios de transporte, y no permitir la impaciencia de don Pedro que el ama viniese a pie. La yegua recordará toda la vida, con temblor general de su cuerpo, aquella jornada memorable en que tuvo que sufrir a la vez el peso del actual representante de los Moscosos y el de la nodriza del Moscoso futuro. [110]

Cayéronsele a don Pedro las alas del corazón cuando vio que su heredero no había llegado todavía. En aquel momento le pareció que un suceso tan próximo no se verificaría jamás. Apuró a Sabel reclamando la cena, pues traía un hambre feroz. Sabel la sirvió en persona por hallarse aquel día muy ocupada Filomena, la doncella, que acostumbraba atender al comedor. Estaba Sabel fresca y

[110] El narrador, con un procedimiento muy decimonónico, anuncia que deja a un personaje para ocuparse de otro. Doña Emilia evita, sin embargo, los clichés del tipo "Dejemos a nuestro héroe..." o "Mientras X hace tal cosa, veamos lo que sucedía en..."

Por otra parte, observemos que la denominación "poderosa bestiaza", aplicada al ama, incide de nuevo en la animalización naturalista.

apetitosa como nunca, y las floridas carnes de su arre-
mangado brazo, el brillo cobrizo de las conchas de su
pelo, la melosa ternura y sensualidad de sus ojos azules,
parecían contrastar con la situación, con la mujer que
sufría atroces tormentos, medio agonizando, a corta distancia de allí. Hacía tiempo que el marqués no veía de
cerca a Sabel. Más que mirarla, se puede decir que la
examinó despacio durante algunos minutos. Reparó que
la moza no llevaba pendientes y que tenía una oreja rota:
entonces recordó habérsela partido él mismo, al aplastar
con la culata de su escopeta el zarcillo de filigrana, en
un arrebato de brutales celos. La herida se había curado,
pero la oreja tenía ahora dos lóbulos en vez de uno.

—¿No duerme nada la señorita? —preguntaba Julián
al médico.

—A ratos, entre dolor y dolor... Precisamente me gusta
a mí bien poco ese sopor en que cae. Esto no adelanta
ni se gradúa, y lo peor es que pierde fuerzas. Cada vez
se me pone más débil. Puede decirse que lleva cuarenta
y ocho horas sin probar alimento, pues me confesó que
antes de avisar a su marido, mucho antes, ya se sintió mal
y no pudo comer... Esto de los sueñecitos no me hace
tilín. Para mí, más que modorra, son verdaderos síncopes.

Don Pedro apoyaba con desaliento la cabeza en el
cerrado puño.

—Estoy convencido —dijo enfáticamente— de que semejantes cosas sólo les pasan a las señoritas educadas
en el pueblo y con ciertas impertinencias y repulgos...
Que les vengan a las mozas de por aquí con síncopes y
desmayos... se atizan al cuerpo media olla de vino y des-
pachan esta faena cantando.

—No señor, hay de todo... Las linfáticonerviosas se
aplanan... Yo he tenido casos...

Explicó detenidamente varias lides, no muchas aún,
porque empezaba a asistir, como quien dice. Él estaba
por la expectativa: el mejor comadrón es el que más sabe
aguardar. Sin embargo, se llega a un grado en que perder
un segundo es perderlo todo. Al aseverar esto, paladeaba
sorbos de ron.

—¿Sabel? —llamó de repente.

—¿Qué quiere, señorito Máximo? —contestó la moza con solicitud.

—¿Dónde me han puesto una caja que traje?

—En su cuarto, sobre la cama.

—¡Ah! bueno.

Don Pedro miró al médico, comprendiendo de qué se trataba. No así Julián, que asustado por el hondo silencio que siguió al diálogo de Máximo y Sabel, interrogó indirectamente para saber qué encerraba la caja misteriosa.

—Instrumentos —declaró el médico secamente.

—Instrumentos... ¿para qué? —preguntó el capellán, sintiendo un sudor que le rezumaba por la raíz del cabello.

—Para operarla, ¡qué demonio! Si aquí se pudiese celebrar junta de médicos, yo dejaría quizás * que la cosa marchase por sus pasos contados; pero recae sobre mí exclusivamente la responsabilidad de cuanto ocurra. No me he de cruzar de brazos, ni dejarme sorprender como un bolonio. Si al amanecer ha aumentado la postración y no veo yo síntomas claros de que esto se desenrede... hay que determinarse. Ya puede usted ir rezando al bendito San Ramón, señor capellán.

—¡Si por rezar fuese! —exclamó ingenuamente Julián—. ¡Apenas llevo rezado desde ayer!

De tan sencilla confesión tomó pie el médico para contar mil graciosas historietas, donde se mezclaban donosamente la devoción y la obstetricia y desempeñaba San Ramón papel muy principal. Refirió de su profesor en la cínica de Santiago, que al entrar en el cuarto de las parturientas y ver la estampa del santo con sus correspondientes candelicas, solía gritar furioso: "Señores, o sobro yo o sobra el santo... Porque si me desgracio me echarán la culpa, y si salimos bien dirán que fue milagro suyo..." Contó también algo bastante grotesco sobre rosas de Je-

* quizá.

ricó, cintas de la virgen de Tortosa, [111] y otros piadosos
talismanes usados en ocasiones críticas. Al fin * cesó en
su cháchara, porque le rendía el sueño, ayudado por el
ron. A fin de no aletargarse del todo en la comodidad del
lecho, tendióse en el banco del comedor, poniendo por
almohada una cesta. El señorito, cruzando sobre la mesa
ambos brazos, había dejado caer la frente sobre ellos y
un silbido ahogado, preludio de ronquido, anunciaba que
también le salteaba la gana de dormir. El alto reloj de
pesas dio, con fatigado son, la media noche.

Julián era el único despierto; sentía frío en las médulas
y en los pómulos ardor de calentura. Subió a su cuarto,
y empapando la toalla en agua fresca, se la aplicó a las
sienes. Las velas del altar estaban consumidas; las renovó,
y colocó una almohada en el suelo para arrodillarse en
ella, pues lo más molesto siempre era el dichoso hormigueo. Y empezó a subir con buen ánimo la cuesta arriba
de la oración. A veces desmayaba, y su cuerpo juvenil, envuelto en las nieblas grises del sueño, apetecía la limpia
cama. Entonces cruzaba las manos, clavándose las uñas
de una en el dorso de otra, para despabilarse. Quería
rezar con devoción, tener conciencia de lo que pedía a
Dios: no hablar de memoria. Sin embargo, desfallecía.
Acordóse de la oración del Huerto y de aquella diferencia
tan acertadamente establecida entre la decisión del espíritu
y la de la carne. También recordó un pasaje bíblico:
Moisés orando con los brazos levantados, porque, de ba-

---

[111] Las rosas de Jericó son una planta herbácea procedente de
los desiertos de Siria, de flores blancas y hojas también blanque-
inas que al secarse se contraen formando una pelota que se extiende al sumergirla en agua. Existe la tradición de que al colo-
carlas en la habitación de una parturienta se abren en el momento del parto. En cuanto a la Virgen de Tortosa, es la Virgen
de la Cinta y representa a nuestra señora embarazada. Una costumbre supersticiosa consistía en poner en torno a la cintura de la
mujer que espera un hijo una cinta que hubiera tocado la imagen
en otros lugares hay que medir al santo o a la virgen en cuestión con esa cinta), para evitar los abortos. Las cintas debían
cortarse en el momento del parto o éste no se produciría.
* Al cabo.

jarlos, sería vencido Israel. Entonces se le ocurrió realizar algo que le flotaba en la imaginación. Quitó la almohada, quedándose con las rótulas apoyadas en el santo suelo; alzó los ojos, buscando a Dios más allá de las estampas y de las vigas del techo; y abriendo los brazos en cruz, comenzó a orar fervorosamente en tal postura.

El ambiente se volvió glacial: una tenue claridad, más lívida y opaca que la de la luna, asomó por detrás de la montaña. Dos o tres pájaros gorjearon en el huerto: el rumor de la presa del molino se hizo menos profundo y sollozante. La aurora, que sólo tenía apoyado uno de sus rosados dedos en aquel rincón del orbe, se atrevió a alargar toda la manecita, y un resplandor alegre, puro bañó las rocas pizarrosas, haciéndolas rebrillar cual bruñida plancha de acero, y entró en el cuarto del capellán comiéndose la luz amarilla de los cirios. Mas Julián no veía el alba, no veía cosa ninguna... Es decir, sí, veía esas luces que enciende en nuestro cerebro la alteración de la sangre, esas estrellitas violadas, verdosas, carmesíes, color de azufre, que vibran sin alumbrar; que percibimos confundidas con el zumbar de los oídos y el ruido de péndulo gigante de las arterias, próximas a romperse... Sentíase desvanecer y morir; sus labios no pronunciaban ya frases sino un murmullo, que todavía conservaba tonillo de oración. En medio de su doloroso vértigo oyó una voz que le pareció resonante como toque de clarín... La voz decía algo. Julián entendió únicamente dos palabras:

—Una niña.

Quiso incorporarse, exhalando un gran suspiro, y lo hizo, ayudado por la persona que había entrado y no era otra sino Primitivo; pero apenas estuvo en pie, un atroz dolor en las articulaciones, una sensación de mazazo en el cráneo le echaron a tierra nuevamente. Desmayóse.

Abajo, Máximo Juncal se lavaba las manos en la palangana de peltre sostenida por Sabel. En su cara lucía el júbilo del triunfo mezclado con el sudor de la lucha, que corría a gotas, medio congeladas ya por el frío del amanecer. El marqués se paseaba por la habitación ceñudo, contraído, hosco, con esa expresión torva y estúpida a la vez que da la falta de sueño a las personas vigorosas, muy sometidas a la ley de la materia.

—Ahora alegrarse, don Pedro —dijo el médico...— Lo peor está pasado. Se ha conseguido lo que usted tanto deseaba... ¿No quería usted que la criatura saliese toda viva y sin daño? Pues ahí la tenemos, sana y salva. Ha costado trabajillo... pero al fin...

Encogióse despreciativamente de hombros el marqués, como amenguando el mérito del facultativo, y murmuró no sé qué entre dientes, prosiguiendo en su paseo de arriba abajo y de abajo arriba, con las manos metidas en los bolsillos, el pantalón tirante cual lo estaba el espíritu de su dueño.

—Es un angelito, como dicen las viejas —añadió maliciosamente Juncal, que parecía gozarse en la cólera del hidalgo—; sólo que angelito hembra'. A estas cosas hay que resignarse; no se inventó el modo de escribir al cielo encargando y explicando bien el sexo que se desea...

Otro espumarajo de rabia y grosería brotó de los labios de don Pedro. Juncal rompió a reír, secándose con la toalla.

—La mitad de la culpa por lo menos la tendrá usted, señor marqués —exclamó—. ¿Quiere usted hacerme favor de un cigarrito?

Al ofrecer la petaca abierta, don Pedro hizo una pregunta. Máximo recobró la seriedad para contestarla.

—Yo no he dicho tanto como eso... Me parece que no. Cierto que cuando las batallas son muy porfiadas y reñidas puede suceder que el combatiente quede inválido; pero la naturaleza, que es muy sabia, al someter a la mujer a tan rudas pruebas, le ofrece también las más impensadas reparaciones... Ahora no es ocasión de pensar en eso, sino en que la madre se restablezca y la chiquita se críe. Temo algún percance inmediato... Voy a ver... La señora se ha quedado tan abatida...

Entró Primitivo, y sin mostrar alteración ni susto dijo "que subiese don Máximo, que al capellán le había dado algo; que estaba como difunto".

—Vamos allá, hombre, vamos allá... Esto no estaba en el programa —murmuró Juncal . ¡Qué trazas de mujercita tiene ese cura! ¡Qué poquito *estuche*! Lo que es éste no cogerá el trabuco, aunque lleguen a levantarse las partidas con que anda soñando el jabalí del abad de Boán.

XVIII

Largos días estuvo Nucha detenida ante esas lóbregas puertas que llaman de la muerte, con un pie en el umbral, como diciendo "¿Entraré? ¿No entraré?" Empujábanla hacia dentro las horribles torturas físicas que habían sacudido sus nervios, la fiebre devoradora que trastornó su cerebro al invadir su pecho la ola de la leche inútil, el desconsuelo de no poder ofrecer a su niña aquel licor que la ahogaba, la extenuación de su ser del cual la vida huía gota a gota sin que atajarla fuese posible. Pero la solicitaban hacia fuera la juventud, el ansia de existir que estimula a todo organismo, la ciencia del gran higienista Juncal, y particularmente una manita pequeña, coloradilla, blanda, un puñito cerrado que asomaba entre los encajes de una chambra y los dobleces de un mantón.

El primer día que Julián pudo ver a la enferma, no hacía muchos que se levantaba, para tenderse, envuelta en mantas y abrigos, sobre vetusto y ancho canapé. No le era lícito incorporarse aún, y su cabeza reposaba en almohadones doblados al medio. Su rostro enflaquecido y exangüe amarilleaba como una faz de imagen de marfil, entre el marco del negro cabello reluciente. Bizcaba más, por habérsele debilitado mucho aquellos días el nervio óptico. Sonrió con dulzura al capellán, y le señaló una silla. Julián clavaba en ella esa mirada donde rebosa la compasión, mirada delatora que en vano queremos sujetar y apagar cuando nos aproximamos a un enfermo grave.

—La encuentro a usted con muy buen semblante, señorita —dijo el capellán mintiendo como un bellaco.

—Pues usted —respondió ella lánguidamente— está algo desmejorado.

Confesó que en efecto no andaba bueno desde que... desde que se había acatarrado un poco. Le daba vergüenza referir lo de la noche en vela, el desmayo, la fuerte impresión moral y física sufrida con tal motivo. Nucha empezó a hablarle de algunas cosas indiferentes, y pasó sin transición a preguntarla:

—¿Ha visto usted la pequeñita?

—Sí señora... El día del bautizo. ¡Angelito! Lloró bien cuando le pusieron la sal y cuando sintió el agua fría...

—¡Ah! Desde entonces ha crecido una cuarta lo menos y se ha vuelto hermosísima. —Y alzando la voz y esforzándose, añadió—: ¡Ama, ama! Traiga la niña.

Oyéronse pasos como de estatua colosal que anda, y entró la mocetona color de tierra, muy oronda con su vestido nuevo de merino azul ribeteado de negro terciopelo de tira, con el cual se asemejaba a la gigantona tradicional de la catedral de Santiago, llamada la *Coca*. [112] A manera de pajarito posado en grueso tronco, venía la inocente criatura recostada en el magno seno que la nutría. Estaba dormida, y tenía la calma, el dulce e insensible respirar que hace sagrado el sueño de los niños. Julián no se cansaba de mirarla así.

—¡Santita de Dios! —murmuró apoyando los labios muy quedamente en la gorra, por no atreverse a la frente.

—Cójala usted, Julián... Ya verá lo que pesa. Ama, déle la niña...

No pesaba más que un ramo de flores, pero el capellán juró y perjuró que parecía hecha de plomo. Aguardaba

---

[112] En Galicia se llaman popularmente "Cocos" a las comparsas de gigantes y cabezudos de las fiestas. La "Coca" es la giganta. También se llamaba Coca a la serpiente monstruosa que iba delante de la procesión del Corpus, pero aquí el sentido es el primero, sin duda.

el ama en pie, y él se había sentado con la chiquilla en brazos.

—Déjemela un poquito... —suplicó—. Ahora, mientras duerme... No despertará de seguro en mucho tiempo.

—Ya la llamaré cuando haga falta. Ama, váyase.

La conversación giró sobre un tema muy socorrido y muy del gusto de Nucha: las gracias de la pequeña... Tenía muchísimas, sí señor, y el que lo dudase sería un gran majadero. Por ejemplo: abría los ojos con travesura incomparable; estornudaba con redomada picardía; apretaba con su manita el dedo de cualquiera, tan fuerte, que se requería el vigor de un Hércules para desasirse; y aún hacía otros donaires, mejores para callados que para archivados por la crónica. Al referirlos, el rostro exangüe de Nucha se animaba, sus ojos brillaban, y la risa dilató sus labios dos o tres veces. Mas de pronto se nubló su cara, hasta el punto de que entre las pestañas le bailaron lágrimas, a las cuales no dio salida.

—No me han dejado criarla, Julián... Manías del señor de Juncal, que aplica la higiene a todo, y vuelta con la higiene, y dale con la higiene... Me parece a mí que no iba a morirme por intentarlo dos meses, dos meses nada más. Puede que me encontrase mejor de lo que estoy, y no tuviese que pasar un siglo clavada en este sofá, con el cuerpo sujeto y la imaginación loca y suelta por esos mundos de Dios... Porque así, no gozo descanso: siempre se me figura que el ama me ahoga la niña, o me la deja caer. Ahora estoy contenta, teniéndola aquí cerquita.

Sonrió a la chiquilla dormida, y añadió:

—¿No le encuentra usted parecido...?

—¿Con usted?

—¡Con su padre!... Es todito él en el corte de la frente...

No manifestó el capellán su opinión. Mudó de asunto y continuó aquel día y los siguientes cumpliendo la obra de caridad de visitar al enfermo. En la lenta convalecencia y total soledad de Nucha, falta le hacía que alguien se consagrase a tan piadoso oficio. Máximo Juncal venía un día sí y otro no; pero casi siempre de prisa, porque

iba teniendo extensa clientela: le llamaban hasta de Vilamorta. El médico hablaba de política exhalando un aliento de vaho de ron, tratando de pinchar y amoscar a Julián;
y en realidad, si Julián fuese capaz de amostazarse, habría
de qué con las noticias que traía Máximo. Todo eran
iglesias derribadas, escándalos antirreligiosos, capillitas
protestantes establecidas aquí o acullá, libertades de en-
señanza, de cultos, de esto y de lo otro... Julián se limitaba a deplorar tamaños excesos, y a desear que las cosas
se arreglasen, lo cual no daba tela a Máximo para armar
una de sus trifulcas favoritas, tan provechosas al esparcimiento de su bilis y tan fecundas en peripecias cuando
tropezaba con curas ternes y carlistas, como el de Boán
o el Arcipreste.

Mientras el belicoso médico no venía, todo era paz y
sosiego en la habitación de la enferma. Únicamente lo
turbaba el llanto, prontamente acallado, de la niña. El capellán leía el *Año cristiano* en alta voz, y poblábase el
ambiente de historias con sabor novelesco y poético: «Cecilia, hermosísima joven e ilustre dama romana, consagró
su cuerpo a Jesucristo; desposáronla sus padres con un
caballero llamado Valeriano y se efectuó la boda con muchas fiestas, regocijos y bailes... Sólo el corazón de Cecilia estaba triste...» Seguía el relato de la mística noche
nupcial, de la conversión de Valeriano, del ángel que
velaba a Cecilia para guardar su pureza, con el desenlace
glorioso y épico del martirio. Otras veces era un soldado,
como San Menna, un obispo, como San Severo... La narración, detallada y dramática, refería el interrogatorio
del juez, las respuestas briosas y libres de los mártires,
los tormentos, la flagelación con nervios de buey, el ecúleo, [113] las uñas de hierro, las hachas encendidas aplicadas
al costado... "Y el caballero de Cristo estaba con un corazón esforzado y quieto, con semblante sereno, con una
boca llena de risa (como si no fuera él sino otro el que
padecía), haciendo burla de sus tormentos y pidiendo que
se los acrecentasen..." Tales lecturas eran de fantástico

---

[113] Potro de tortura.

efecto, particularmente al caer de las adustas tardes in-
vernales, cuando la hoja seca de los árboles se arremolina-
ba danzando, y las nubes densas y algodonáceas pasaban
lentamente ante los cristales de la ventana profunda. Allá
a lo lejos se oía el perpetuo sollozo de la represa, y chi-
rriaban los carros cargados de tallos de maíz o ramaje
de pino. Nucha escuchaba con atención, apoyada la barba
en la mano. De tiempo en tiempo su seno se alzaba para
suspirar.

No era la primera vez que observaba Julián, desde el
parto, gran tristeza en la señorita. El capellán había recibido una carta de su madre que encerraba quizás la
clave de los disgustos de Nucha. Parece que la señorita
Rita había engatusado de tal manera a la tía vieja de
Orense, que ésta la dejaba por heredera universal, des-
heredando a su ahijada. Además, la señorita Carmen estaba cada día más chocha por su estudiante, y se creía
en el pueblo que, si don Manuel Pardo negaba el consen-
timiento, la chica saldría depositada. [114] También pasaban
cosas terribles con la señorita Manolita: don Víctor de
la Formoseda la plantaba por una artesana, sobrina de un
canónigo. En fin, misia Rosario pedía a Dios paciencia
para tantas tribulaciones (las de la casa de Pardo eran
para misia Rosario como propias). Si todo esto había llegado a oídos de Nucha por conducto de su marido o de
su padre, no tenía nada de extraño que suspirase así. Por
otra parte, ¡el decaimiento físico era tan visible! Ya no
se parecía Nucha a más Virgen que * a la demacrada
imagen de la Soledad. Juncal la pulsaba atentamente, le
ordenaba alimentos muy nutritivos, la miraba con alarmante insistencia.

---

[114] El "depósito de la mujer" se realizaba por juez competente
y consistía en poner, "depositar", a la mujer en lugar donde pudiera manifestar libremente su voluntad, sacándola de donde se
temía que se le hiciera violencia. Afectaba por igual a la mujer
casada que a la soltera, pues ambas carecían de autonomía y domicilio propio.

* a otra Virgen sino a.

Atendiendo a la niña, Nucha se reanimaba. Cuidábala con febril actividad. Todo se lo quería hacer ella, sin ceder al ama más que la parte material de la cría. El ama, decía ella, era un tonel lleno de leche que estaba allí para aplicarle la espita cuando fuese necesario, y soltar el chorro: ni más ni menos. La comparación del tonel es exactísima: el ama tenía hechura, color e inteligencia de tonel. Poseía también, como los toneles, un vientre magno. Daba gozo verla comer, mejor dicho, engullir: en la cocina, Sabel se entretenía en llenarle el plato o la taza a reverter, en ponerle delante medio pan, cebándola igual que a los pavos. Con semejante mostrenco Sabel se la echaba de principesa, modelo de delicados gustos y selectas aficiones. Como todo es relativo en el mundo, para la gente de escalera abajo de la casa solariega el ama representaba un salvaje muy gracioso y ridículo, y se reían tanto más con sus patochadas cuanto más fácilmente podían incurrir ellos en otras mayores. Realmente era el ama objeto curioso, no sólo para los payos, sino por distintas razones, para un etnógrafo investigador. Máximo Juncal refirió a Julián pormenores interesantes. En el valle donde se asienta la parroquia de que el ama procedía —valle situado en los últimos confines de Galicia, lindando con Portugal— las mujeres se distinguen por sus condiciones físicas y modo de vivir: son una especie de amazonas, resto de las guerras galaicas de que hablan los geógrafos latinos, que si hoy no pueden hacer la guerra sino a sus maridos, destripan terrones con la misma furia que antes combatían, andan medio en cueros, luciendo sus fornidas y recias carnazas, aran, cavan, siegan, cargan carros de rama y esquilmo, soportan en sus hombros de cariátide enormes pesos, y viven, ya que no sin obra, por lo menos sin auxilio de varón, pues los del valle suelen emigrar a Lisboa en busca de colocaciones desde los catorce años, volviendo sólo al país un par de meses para casarse y propagar la raza, y huyendo apenas cumplido su oficio de machos de colmena. A veces, en Portugal, reciben nuevas de infidelidades conyugales, y pasando la frontera una noche, acuchillan a los amantes dormidos: éste fue el crimen del

Tuerto protegido por Barbacana, cuya historia había contado también Juncal. No obstante, las hembras de Castrodorna suelen ser tan honestas como selváticas. El ama no desmentía su raza por la anchura desmesurada de las caderas y rechonchez de los rudos miembros. Costó un triunfo a Nucha vestirla racionalmente, y hacerle trocar la corta saya de bayeta verde, que no le cubría la desnuda pantorrilla, por otra más cumplida y decorosa, consintiéndole únicamente el justillo, prenda clásica de ama de cría, que deja rebosar las repletas ubres, y los característicos pendientes de enorme argolla, el *torquis* romano conservado desde tiempo inmemorial en el valle. Fue una lid obligarle a poner los zapatos * a diario, porque todas sus congéneres los reservan para las fiestas repicadas; fue una penitencia enseñarle el nombre y uso de cada objeto, aún de los más sencillos y corrientes; fue pensar en lo excusado convencerla de que la niña que criaba era un ser delicado y frágil, que no se podía traer mal envuelto en retales de bayeta grana, dentro de una banasta mullida de helechos, y dejarse a la sombra de un roble, a merced del viento, del sol y de la lluvia, como los recién nacidos del valle de Castrodorna; y Máximo Juncal, que aunque gran apologista de los artificios higiénicos lo era también de las milagrosas virtudes de la naturaleza, hallaba alguna dificultad en conciliar ambos extremos, y salía del paso apelando a su lectura más reciente, *El origen de las especies* por Darwin, y aplicando ciertas leyes de adaptación al medio, herencia, etcétera, que le permitían afirmar que el método del ama, si no hacía reventar como un triquitraque a la criatura, la fortalecería admirablemente.

Por si acaso, Nucha no se atrevió a intentar la prueba, y dedicóse a cuidar en persona su tesoro, llevando la existencia atareada y minuciosa ** de las madres, en la cual es un acontecimiento que estén ahumadas las sopas, y un fracaso que se apague el brasero. *** Ella lavaba a su hi-

---

* a usar zapatos.
** *cominera.*
*** y un fracaso que el brasero se apague.

jita, la vestía, la fajaba, la velaba dormida y la entretenía despierta. La vida corría monótona ocupadísima sin embargo. El bueno de Julián, testigo de estas faenas, iba enterándose poco a poco de los para él arcanos misteriosos * del aseo y tocado de una criatura, llegando a familiarizarse con los múltiples objetos que componen ** el complicado ajuar de los recienes: gorras, ombligueros, culeros, pañales, fajas, microscópicos zapatos de crochet, capillos y baberos. Tales prendas, blanquísimas, adornadas con bordados y encajes, zahumadas con espliego, templaditas al sano calor de la camilla —calor doméstico si los hay— las tenía el capellán muchas veces en el regazo, mientras la madre, con la niña tendida boca abajo sobre su delantal de hule, pasaba y repasaba la esponja por las carnes de tafetán, escocidas y medio desolladas por la excesiva finura de su tierna epidermis, las rociaba con refrescantes polvos de almidón, y apretando las nalgas con los dedos para que hiciesen hoyos, se las mostraba a Julián exclamando con júbilo:

—¡Mire usted qué monada… qué llenita se va poniendo!

En materia de desnudeces infantiles, Julián no era voto, pues sólo conocía las de los angelotes de los retablos; pero cavilaba para sus adentros que, a pesar de haber el pecado original corrompido toda carne, *** aquella que le estaban enseñando era la cosa más pura y santa del mundo: un lirio, una azucena de candor. La cabezuela blanda, cubierta de lanúgine rubia y suave por cima de las costras de la leche, tenía el olor especial que se nota en los nidos de paloma, donde hay pichones implumes todavía; y las manitas, cuyo pellejo rellenaba ya suave grasa y cuyos dedos se redondeaban como los del niño Dios cuando bendice, la faz esculpida en cera color rosa, la boca desdentada y húmeda como coral pálido recién salido del mar, los piececillos encendidos por el talón a fuerza de

* misteriosos arcanos.
** que forman.
*** toda la carne.

agitarse en gracioso pataleo, eran otras tantas menudencias provocadoras de ese sentimiento mixto que despiertan los niños muy pequeños hasta en el alma más empedernida: sentimiento complejo y humorístico, en que entra la compasión, la abnegación, un poco de respeto y un mucho de dulce burla, sin hiel de sátira.

En Nucha el espectáculo producía las hondas impresiones de la luna de miel maternal, exaltadas por un temperamento nervioso y una sensibilidad ya enfermiza. A aquel bollo blando, que aún parecía conservar la inconsistencia del gelatinoso protoplasma, que aún no tenía conciencia de sí propio ni vivía más que para la sensación, la madre le atribuía sentido y presciencia, le insuflaba en locos besos su alma propia, y en su concepto la chiquilla lo entendía todo, y sabía y ejecutaba mil cosas oportunísimas, y hasta se mofaba discretamente, a su manera, de los dichos y hechos del alma. «Delirios impuestos por la naturaleza con muy sabios fines», explicaba Juncal. ¡Qué fue el primer día en que una sonrisa borró la grave y cómica seriedad de la diminuta cara y entreabrió con celeste expresión el estrecho filete de los labios! No era posible dejar de recordar el tan traído como llevado símil de la luz de la aurora disipando las tinieblas. La madre pensó chochear de alegría.

—¡Otra vez, otra vez! —exclamaba—. ¡Encanto, cielito, cielito, monadita mía, ríete, ríete!

Por entonces la sonrisa no se dignó presentarse más. La zopenca del alma negaba el hecho, cosa que enfurecía a la madre. Al otro día cupo a Julián la honra de encender la efímera lucecilla de la inteligencia naciente en la criatura, paseándole no sé qué baratijas relucientes delante de los ojos. Julián iba perdiendo el miedo a la nena, que al principio creía fácil de deshacer entre los dedos como merengue; y mientras la madre enrollaba la faja o calentaba el pañal, solía tenerla en el regazo.

—Más me fío en usted que en el ama —decíale Nucha confidencialmente, desahogando unos secretos celos maternales—. El ama es incapaz de sacramentos... Figúrese usted que para hacerse la raya al peinarse apoya el peine en la barbilla y lo va subiendo por la boca y la nariz hasta que acierta con la mitad de la frente; de otro modo no sabe... Me he empeñado en que no coma con los dedos, y ¿qué conseguí? Ahora come la carne asada con cuchara... Es un entremés, Julián. Cualquier día me estropea la chiquilla. [115]

El capellán perfeccionaba sus nociones del arte de tener un chico en brazos sin que llore ni rabie. Consolidó su amistad con la pequeñuela un suceso que casi debería pasarse * en silencio: cierto húmedo calorcillo que un día sintió Julián penetrar al través de los pantalones... ¡Qué acontecimiento! Nucha y él lo celebraron con algazara y risa, como si fuese lo más entretenido y chusco. Julián brincaba de contento y se cogía la cintura, que le dolía con tantas carcajadas. La madre le ofreció su delantal de hule, que él rehusó: ya tenía un pantalón viejo, destinado a perecer en la demanda, y por nada del mundo renunciaría a sentir aquella onda tibia... Su contacto derretía no sé qué nieve de austeridad, cuajada sobre un corazón afeminado y virgen allá desde los tiempos del seminario, desde que se había propuesto renunciar a toda familia y todo hogar en la tierra entrando en el sacerdocio; y al par encendía en él misterioso fuego, ternura humana, expansiva y dulce; y el presbítero empezaba a querer a la niña con ceguera, a figurarse que, si la viese morir, se moriría él también, y otros muchos dislates por el estilo, que cohonestaba con la idea de que, al fin, la chiquita era un ángel. No se cansaba de admirarla, de devorarla con los ojos, de considerar sus pupilas líquidas y misteriosas, como anegadas en leche, en cuyo fondo parecía reposar la serenidad misma.

---

[115] En el cuento "Planta montés", de *Historias y cuentos de Galicia,* doña Emilia hace un retrato bastante parecido a este de la tosquedad e ignorancia de un criado. Los señores se ven impotentes para refinarlo y en aquel caso la historia acaba trágicamente. Doña Emilia es pesimista respecto a la capacidad de mejorar de las clases bajas.
* deberíamos pasar.

Una penosa idea le acudía * de vez en cuando. Acordábase de que había soñado con instituir en aquella casa el matrimonio cristiano cortado por el patrón de la Sacra Familia. Pues bien, el santo grupo estaba disuelto: allí faltaba San José o lo sustituía un clérigo, que era peor. No se veía al marqués casi nunca: desde el nacimiento de la niña, en vez de mostrarse más casero y sociable, volvía a las andadas, a su vida de cacerías, de excursiones a casa de los abades e hidalgos que poseían buenos perros y gustaban del monte, a los cazaderos lejanos. Pasábase a veces una semana fuera de los Pazos de Ulloa. Su hablar era más aspero, su genio más egoísta e impaciente, sus deseos y órdenes se expresaban en forma más dura. Y aún notaba Julián más alarmantes indicios. ** Le inquietaba ver que Sabel recibía otra vez su antigua corte de sultana favorita, y que la Sabia y su progenie, con todas las parleras comadres y astrosos méndigos de la parroquia, pululaban allí, huyendo a escape cuando él se acercaba, llevando en el seno o bajo el mandil bultos sospechosos. Perucho ya no se ocultaba, antes se le encontraba por todas partes enredado en los pies, y en suma las cosas iban tornando al ser y estado que tuvieron antes.

Trataba el bueno del capellán de comulgarse a sí propio con ruedas de molino, diciéndose que aquello no significaba *nada*; pero la maldita casualidad se empeñó en abrirle los ojos cuando no quisiera. Una mañana que madrugó más de lo acostumbrado para decir su misa, resolvió advertir a Sabel que le tuviese dispuesto el chocolate dentro de media hora. Inútilmente llamó a su cuarto, situado cerca de la torre en que Julián dormía. Bajó con esperanzas de encontrarla en la cocina, y al pasar ante la puerta del gran despacho próximo al archivo, donde se había instalado don Pedro desde el nacimiento de su hija, vio salir de allí a la moza, en descuidado * traje y soñolienta. Las reglas psicológicas aplicables a las conciencias culpa-

----

* le ocurría.
** otros alarmantes.
* con descuidado.

das exigían que Sabel se turbase: quien se turbó fue Julián. No sólo se turbó, pero subió de nuevo a su dormitorio, notando una sensación extraña como si le hubiesen descargado un fuerte golpe en las piernas quebrándoselas. Al entrar en su habitación, pensaba esto o algo análogo:

—Vamos a ver, ¿quién es el guapo que dice misa hoy?

XIX

No, ese guapo no era él. ¡Buena misa sería la que dijese, con la cabeza hecha una olla de grillos! Hasta reprimir los amotinados pensamientos que le acuciaban, hasta adoptar una resolución firme y valedera, Julián no se atrevía ni a pensar en el santo sacrificio.

La cosa era bien clara. Situación: la misma del año penúltimo. Tenía que marcharse de aquella casa echado por el feo vicio, por el delito infame. No le era lícito permanecer allí ni un instante más. Salvo el debido respeto, se había llevado la trampa el matrimonio cristiano, en cierto modo obra suya, y ya no quedaba rastro de hogar, sino una sentina de corrupción y pecado. A otra parte pues con la música.

Sólo que... Vaya, hay cosas más fáciles de pensar * que de hacer en este mundo. Todo era una montaña: encontrar pretexto, despedirse, preparar el equipaje... La primera vez que pensó en irse de allí ya le costaba algún esfuerzo; hoy la idea sola ** de marchar le producía el mismo efecto que si le echasen sobre el alma un paño mojado en agua fría. ¿Por qué le disgustaba tanto la perspectiva de salir de los Pazos? Bien mirado, él era un extraño en aquella casa.

Es decir, eso de extraño... Extraño no, pues vivía unido espiritualmente a la familia, por el respeto, por la adhe-

---

* proyectar.
** la sola idea.

sión, por la costumbre. Sobre todo, la niña, la niña. El acordarse de la niña le dejó como embobado. No podía explicarse a sí mismo el gran sacudimiento interior que le causaba pensar que no volvería a cogerla en brazos. ¡Mire usted que estaba encariñado con la tal muñeca! Se le llenaron de lágrimas los ojos.

—Bien decían en el Seminario —murmuró con despecho— que soy muy apocado y muy... así... como las mujeres, que por todo se afectan. ¡Vaya un sacerdote ordenado de misa! Si tengo tal afición a chiquillos, no debí abrazar la carrera que abracé. No, no, esto que voy diciendo es un desatino mayor todavía... Si me gustan los chiquillos y tengo vocación de ayo o niñero, ¿quién me priva de cuidar a los que andan descalzos por las carreteras, pidiendo limosna? Son hijos de Dios lo mismo que esta pobre pequeña de aquí... Hice mal, muy mal en tomarle tanta afición... Pero es que sólo un perro ¡qué! ni un perro: sólo una fiera puede besar a un angelito y no quererlo bien.

Resumiendo después sus cavilaciones, añadió para sí:

—Soy un majadero, un Juan Lanas. No sé a qué he venido aquí la vez segunda. No debí volver. Estaba visto que el señorito tenía que parar en esto. Mi poca energía tiene la culpa. Con riesgo de la vida debí barrer ese canalla, si no por buena, a latigazos. Pero yo no tengo agallas, como dice muy bien el señorito, y ellos pueden y saben más que yo, a pesar de ser unos brutos. Me han engañado, me han embaucado, no he puesto en la calle a esa moza desvergonzada, se han reído de mí, y ha triunfado el infierno.

Mientras sostenía este monólogo, iba sacando de un cajón de la cómoda prendas de ropa blanca, a fin de hacer su equipaje, pues como todas las personas irresolutas, solía precipitarse en los primeros momentos y adoptar medidas que le ayudaban a engañarse a sí propio. Al paso que rellenaba la maleta, razonaba para consigo:

—¿Señor, señor, por qué ha de haber tanta maldad y tanta estupidez en la tierra? ¿Por qué el hombre ha de dejar que lo pesque el diablo con tan tosco anzuelo y cebo tan ruín? (Diciendo esto alineaba en el baúl calcetines.) Poseyendo la perla de las mujeres, el verdadero trasunto de la mujer fuerte, una esposa castísima (este superlativo se le ocurrió al doblar cuidadosamente la sotana nueva), ir a caer precisamente con una vil mozuela, una sirviente, una fregona, ¡una desvergonzada que se va a picos pardos con el primer labriego que encuentra!

Llegaba aquí del soliloquio cuando trataba sin éxito de acomodar el sombrero de canal de modo que la cubierta de la maleta no lo abollase.

El ruido que hizo la tapa al descender, el gemido armonioso del cuero, parecióle una voz irónica que le respondía:

—Por eso, por eso mismo.

—¡Será posible! —murmuró el bueno del capellán—. ¡Será posible que la abyección, que la indignidad, que la inmundicia misma del pecado atraiga, estimule, sea un aperitivo, como las guindillas rabiosas, para el paladar estragado de los esclavos del vicio! Y que en esto caigan, no personas de poco más o menos, sino señores de nacimiento, de rango, señores que...

Detúvose y, reflexivo, contó un montículo de pañuelos de narices que sobre la cómoda reposaba.

—Cuatro, seis, siete... Pues yo tenía una docena, todos marcados... Pierden aquí la ropa bastante...

Volvió a contar.

—Seis, siete... Y uno en el bolsillo, ocho... Puede que haya otro en la lavandera...

Dejólos caer de golpe. Acaba de recordar que uno de aquellos pañuelos se lo había atado él a la niñita debajo de la barba, para impedir que la baba le rozase el cuello. Suspiró hondamente, y abriendo otra vez el maletín, notó que la seda del sombrero de canal se estropeaba con la tapa. "No cabe", pensó, y parecióle enorme dificultad para su viaje no poder acomodar la canaleja. Miró el reloj: señalaba las diez. A las diez o poco más comía la chiquita su sopa y era la risa del mundo verla con el hocico embadurnado de puches, empeñada en coger la cuchara y sin acerta a lograrlo. ¡Estaría tan mona! Resolvió bajar: al día siguiente le sería fácil colocar mejor su sombrero y resolver la marcha. Por veinticuatro horas más o menos...

Este medicamento emoliente de la espera equivale, para la mayor parte de los caracteres, a infalible específico. No hay que vituperar su empleo, en atención a lo que consuela: en rigor la vida es serie * de aplazamientos, y sólo hay un desenlace definitivo, el último. Así que Julián concibió la luminosa idea de aguardar un poco, sintióse tranquilo; aun más; contento. No era su carácter muy jovial, propendiendo a una especie de morosidad soñadora y mórbida, como la de las doncellas anémicas: pero en aquel punto respiraba con tal desahogo por haber encontrado una solución, que sus manos temblaban, deshaciendo con alegre presteza el embutido de calcetines y ropa blanca y dando amable libertad al canal y manteo. Después se lanzó por las escaleras, dirigiéndose a la habitación de Nucha.

Nada aconteció aquel día que lo diferenciase de los demás, pues allí la única variante solía ser el mayor o menor número de veces que mamaba la chiquitina, o la cantidad de pañales puestos a secar. Sin embargo, en tan pacífico interior veía el capellán desarrollarse un drama mudo y terrible. Ya se explicaba perfectamente las melancolías, los suspiros ahogados de Nucha. Y mirándola a la cara y viéndola tan consumida, con la piel terrosa, ** los ojos mayores y más vagos, la hermosa boca contraída siempre, menos cuando sonreía a su hija, calculaba que la señorita, por fuerza, debía de *saberlo todo,* y una lástima profunda le inundaba el alma. Reprendióse a sí mismo por haber pensado siquiera en marcharse. Si la señorita necesitaba un amigo, un defensor, ¿en quién lo encontraría más que en él? Y lo necesitaría de fijo.

La misma noche, antes de acostarse, presenció el capellán una escena extraña, que le sepultó en mayores confusiones. Como se le hubiese acabado el aceite a su velón

* una serie
** con el color macilento.

de tres mecheros y no pudiese rezar ni leer, bajó a la cocina en demanda de combustible. Halló muy concurrido el sarao de Sabel. En los bancos que rodeaban el fuego no cabía más gente: mozas que hilaban, otras que mondaban patatas, oyendo las chuscadas y chocarrerías del tío Pepe de Naya, vejete que era un puro costal de malicias, y que, viniendo a moler un saco de trigo al molino de Ulloa, donde pensaba pasar la noche, no encontraba malo refocilarse en los Pazos con el cuenco de caldo de unto y tajadas de cerdo que la hospitalaria Sabel le ofrecía. Mientras él pagaba el escote contando chascarrillos, en la gran mesa de la cocina, que desde el casamiento de don Pedro no usaban los amos, se veían, no lejos de la turbia luz de aceite, relieves de un festín más suculento: restos de carne en platos engrasados, una botella de vino descorchada, una media tetilla, todo amontonado en un rincón, como barrido despreciativamente por el hartazgo; y en el espacio libre de la mesa, tendidos en hilera, había hasta doce naipes, que si no recortados en forma ovada por exceso de uso como aquellos de que se sirvieron Rinconete y Cortadillo, no les cedían en lo pringosos y sucios. * En pie delante de ellos, la señora María la Sabia, extendiendo el dedo negro y nudoso cual seca rama de árbol, los consultaba con ademán reflexivo. Encorvada la horrenda sibila, alumbrada por el vivo fuego del hogar y la luz de la lámpara, ponía miedo su estoposa pelambrera, su catadura de bruja en aquelarre, más monstruosa por el bocio enorme ya que le desfiguraba el cuello y remedaba un segundo rostro, rostro de visión infernal, sin ojos ni labios, liso y reluciente a modo de manzana cocida. Julián se detuvo en lo alto de la escalera, contemplando las prácticas supersticiosas, que se interrumpirían de seguro si sus zapatillas hiciesen ruido y delatasen su presencia.

Si él conociese a fondo la tenebrosísima y aún no desacreditada ciencia de la cartomancia, ¡cuánto más interesante le parecería el espectáculo! Entonces podría ver re-

* en lo sucios y pringosos.

unidos allí, como en el reparto de un drama, los personajes todos que jugaban en su vida y ocupaban su imaginación. Aquel rey de bastos, con hopalanda azul ribeteada de colorado, los pies simétricamente dispuestos, la gran maza verde al hombro, se le figuraría bastante temible si supiese que representaba un hombre moreno casado —don Pedro—. La sota del mismo palo se le antojaría menos fea si comprendiese que era símbolo de una señorita morena también —Nucha—. A la de copas le daría un puntapié por insolente y borracha, atendido que personificaba a Sabel, una moza rubia y soltera. Lo más grave sería verse a sí mismo —un joven rubio— significado por el caballo de copas, azul por más señas, aunque ya todos estos colorines los había borrado la mugre.

¡Pues qué sucedería si después, cuando la vieja barajó los naipes y repartiéndolos en cuatro montones empezó a interpretar su sentido fatídico, pudiese él oír distintamente todas las palabras que salían del antro espantable de su boca! Había allí concordancias de la sota de bastos con el ocho de copas, que anunciaba nada menos que amores secretos de mucha duración; apariciones del ocho de bastos que vaticinaban riñas entre cónyuges; reuniones de la sota de espadas con la de copas patas arriba, que encerraban tétricos augurios de viudez por muerte de la esposa. A bien que el cinco del mismo palo profetizaba después unión feliz. Todo esto, dicho por la sibila en voz baja y cavernosa, lo escuchaba solamente la bella fregatriz Sabel, que con los brazos cruzados tras la espalda, el color arrebatado, se inclinaba sobre el oráculo, que más parecía provocarla a curiosidad que a regocijo. La jarana con que en el hogar se celebraban los chistes del señor Pepe, impedía que nadie atendiese al silabeo de la vieja. Merced a la situación de la escalera, dominaba Julián la mesa, trípode y ara del temeroso rito, y sin ser visto podía ver y entreoír algo. Escuchaba, tratando de entender mejor lo que sólo confusamente percibía, y como al hacerlo cargase sobre el barandal de la escalera, éste crujió levemente, y la bruja alzó su horrible carátula. En un santiamén recogió los naipes, y el capellán bajó, algo con-

fuso de su espionaje involuntario, pero tan preocupado
con lo que creía haber sorprendido, que ni se le ocurrió
censurar el ejercicio de la hechicería. La bruja, empleando el tono humilde y servil de siempre, se apresuró a
explicarle que aquello era mero pasatiempo, "por se reír
un poco".

Volvió Julián a su cuarto agitadísimo. Ni él mismo
sabía lo que le correteaba por el magín. Bien presumía
antes a cuántos riesgos se exponían Nucha y su hija viviendo en los Pazos: ahora... ahora los divisaba inmi-
nentes, clarísimos. ¡Tremenda situación! El capellán le
daba vueltas en su cerebro excitado: a la niña la robarían
para matarla de hambre; a Nucha la envenenarían tal
vez... Intentaba serenarse. ¡Bah! No abundan tanto los
crímenes por esos mundos, a Dios gracias. Hay jueces,
hay magistrados, hay verdugos. Aquel hato de bribones
se contentaría con explotar al señorito y a la casa, con
hacer rancho de ella, con mandar anulando en su dignidad y poderío doméstico a la señorita. Pero... ¿si no se
contentaba?

Dio cuerda a su velón, y apoyando los codos sobre la
mesa intentó leer en las obras de Balmes, que le había
prestado el cura de Naya, y en cuya lectura encontraba
grato solaz su espíritu, prefiriendo el trato con tan simpática y persuasiva inteligencia a las honduras escolásticas
de Prisco y San Severino. [116] Mas a la sazón no podía entender una sola línea del filósofo y sólo oía los tristes
ruidos exteriores, el quejido constante de la presa, el gemir del viento en los árboles. Su acalorada fantasía le
fingió entre aquellos rumores quejumbrosos otro más la-

---

[116] San Severino es el creador del neotomismo italiano. Nacido
en Nápoles (1811-1865), fue profesor de Filosofía Moral y difun-
didor de la nueva escuela a través de su cátedra y de los escritos en la revista *Ciencia y Fe*, a la que a veces se refiere doña
Emilia. Su obra más importante fue la *Filosofía cristiana*.

José Prisco era discípulo del anterior. Fue cardenal y vivió de
1836 a 1923. Su obra *Elementos de filosofía especulativa* fue tra-
ducida al castellano y sirvió de texto en varias universidades españolas en el primer tercio del siglo xix.

mentable aún, porque era personal: un grito humano. ¡Qué disparatada idea! No hizo caso y siguió leyendo. Pero creyó escuchar de nuevo el *ay* tristísimo. ¿Serían los perros? Asomóse a la ventana: la luna bogaba en un cielo nebuloso, y allá a lo lejos se oía el aullar de un perro, ese aullar lúgubre que los aldeanos llaman *ventar la muerte,* y juzgan anuncio seguro del próximo fallecimiento de una persona. Julián cerró la ventana estremeciéndose. No despuntaba por valentón, y sus temores instintivos se aumentaban en la casa solariega, que le producía nuevamente la dolorosa impresión de los primeros días. Su temperamento linfático no poseía el secreto de ciertas saludables reacciones, con las cuales se desecha todo vano miedo, todo fantasma de la imaginación. Era capaz, y demostrado lo tenía, de arrostrar cualquier riesgo grave, si creía que se lo ordenaba su deber; pero no de hacerlo con ánimo sereno, con el hermoso desdén del peligro, con el buen humor heroico que sólo cabe en personas de rica y roja sangre y firmes músculos. * El valor propio de Julián era valor temblón, por decirlo así; el breve arranque nervioso de las mujeres.

Volvía a su conferencia con Balmes, cuando... ¡Jesús nos valga! ¡Ahora sí, ahora sí que no cabía duda! Un chillido sobreagudo de terror había subido por el oscuro caracol y entrado por la puerta entornada. ¡Qué chillido! El velón le bailaba en las manos a Julián... Bajaba sin embargo muy aprisa, sin sentir sus propios movimientos, como en las espantosas caídas que damos soñando. Y volaba por los salones, recorriendo la larga crujía para llegar hacia la parte del archivo, donde había sonado el grito horrible... El velón, oscilando más y más en su diestra trémula, proyectaba en las paredes caleadas extravagantes manchones de sombra... Iba a dar la vuelta al pasillo que dividía el archivo del cuarto de don Pedro, cuando vio... ¡Dios santo! Sí, era la escena misma, tal cual se la había figurado él... Nucha de pie, pero arrimada a la pared, con el rostro desencajado de espanto, los ojos no

* y músculos firmes.

Sr Dn Narciso Oller
La Coruña — 7 de julio 1885

Mi buen amigo: creo que su modo de
juzgar las novelas lo dio bien, como dicen nuestros
vecinos: en realidad eso es lo que permanece,
la impresión primera recibida sin sutilezas críticas que suelen echarlo todo á perder — Estoy
cada día más descorazonada con las críticas: parecen topos. — Dígale V. á Yxart que ya habrá
visto en la Época las cosas aquellas que escribió el Sr. Siles y que apenas pueden llamarse compte rendu: pues si él piensa hacer algo
sobre el Cisne, tengo de antemano la seguridad
de que será cosa buena y detenida como lo fueron
cuantas escribió hasta ahora y muy superior
á las hasta el día publicadas acerca del
Cisne. Exceptuando un trabajito de Cánovas
(soberbio del monstruo) lo demás ha sido exceso ligero y archi-imperfecto. Veremos qué
dice Clarín.

Lo que digo de Grilo en mi novela es irónico, al menos en mi intención: no sé si así resultará para el que lee. Yo pienso lo mismo que V. respecto á tan dañino insecto, muy
callado ahora por fortuna —

Página primera de la carta autógrafa de doña Emilia Pardo
Bazán a Narciso Oller.

...no de mi color salido... y de mi aire
bien *portant*: yo, exagerando la tesis para hacer más donosa la escaramuza, le dije que prefería dijerir, respirar, sentir correr la sangre
roja y tibia, a' esos delirios y refinamientos
enfermizos que ellos gastaban. — En suma me
pareció Goncourt una fisonomía curiosa de
escritor, muy en armonía con sus libros. — También conocí a' otros dos pesimistas atroces: Huys-
mans, el autor de <u>A rebours</u>, y Rod, el
autor de <u>la Course a' la Mort</u>. Son ambos
de la retórica escuela del maestro.

En Madrid en efecto me han tratado
mejor de lo que merezco y eso me hace
temer que se acerque el período de que
me traten mucho peor: todo se anda
en el Capitolio desde poca de la
roca Tarpeya.... en literatura sobre to...
Anímese y siga X con Vilaniu y deme
pronto para que tenga el placer de...
leerlo su amiga
q b s m
Emilia Pardo Bazán

P. D. — sabe V algo de como va la ilustraci...
de las novelitas que tengo ahí en la casa...
... y cuando, próximamente, pi... me po...
licarlas?

Página última de la carta autógrafa de doña Emilia Pardo
Bazán a Narciso Oller.

ya vagos sino llenos de extravío mortal; enfrente su marido, blandiendo un arma enorme... Julián se arrojó entre los dos... Nucha volvió a chillar.

—¡Ay! ¡ay! ¡Qué hace usted! ¡Que se escapa... que se escapa!

Comprendió entonces el alucinado capellán lo que ocurría, con no poca vergüenza y confusión suya... Por la pared trepaba aceleradamente, deseando huir de la luz, una araña de desmesurado grandor, un monstruoso vientre columpiado en ocho velludos zancos. Su carrera era tan rápida, que inútilmente trataba el señorito de alcanzarla con la bota: de repente Nucha se adelantó, y con voz entre grave y medrosa repitió ingenuamente lo que había dicho mil veces en su niñez:

—San Jorge ¡para la araña!

El feo insecto se detuvo a la entrada de la zona de sombra: la bota cayó sobre él. Julián, por reacción natural del miedo disipado, que se trueca en inexplicable gozo, iba a reírse del suceso; pero notó que Nucha, cerrando los ojos y apoyándose en la pared, se cubría la cara con el pañuelo.

—No es nada, no es nada... —murmuraba—. Un poco de llanto nervioso... Ya pasará... Estoy aún algo débil...

—¡Valiente cosa para tanto alboroto! —exclamó el marido encogiéndose de hombros—. ¡Os crían con más mimo! En mi vida he visto tal. Don Julián, ¿usted creyó *
que la casa se venía abajo? ¡Ea, a recogerse! Buenas noches.

Tardó bastante el capellán en dormirse. Recapacitaba en sus terrores y concedía ** su ridiculez; prometíase vencer aquella pusilanimidad suya; pero duraba aún el desasosiego, la impulsión estaba comunicada y almacenada en sinuosidades cerebrales muy hondas. Apenas le otorgó sus favores el sueño, vino con él una legión de pesadillas a cual más negra y opresora. Empezó a soñar con los Pazos, con el gran caserón; mas por extraña

---

* creería.
** conocía.

anomalía propia del estado,* cuyo fundamento son
siempre nociones de lo real, pero barajadas, desquiciadas
y revueltas merced al anárquico influjo de la imaginación,
no veía la huronera tal cual la había visto siempre, con
su vasta mole cuadrilonga, sus espaciosos salones, su ancho portalón inofensivo, su aspecto amazacotado, conventual, de construcción del siglo XVIII; sino que sin dejar
de ser la misma, había mudado de forma: el huerto con
bojes y estanques era ahora ancho y profundo foso, las
macizas murallas se poblaban de saeteras, se coronaban
de almenas; el portalón se volvía puente levadizo, con
cadenas rechinantes; en suma, era un castillo feudal, hecho y derecho, sin que le faltase ni el romántico aditа-
mento del pendón de los Moscosos flotando en la torre
del homenaje: indudablemente Julián había visto alguna
pintura o leído alguna medrosa descripción de esos espan-
tajos del pasado que nuestro siglo restaura con tanto cariño. Lo único que en el castillo recordaba los Pazos
actuales, era el majestuoso escudo de armas: pero aun
en este mismo existía diferencia notable, pues Julián distinguía claramente que se habían animado los emblemas
de piedra, y el pino era un árbol verde en cuya copa
gemía el viento, y los dos lobos rapantes movían las cabezas exhalando aullidos lúgubres. Miraba Julián fasci-
nado hacia lo alto de la torre, cuando vio en ella alarmante figurón: un caballero con visera calada, todo cubierto de hierro: y aunque ni un dedo de la mano se le
descubría, con el don adivinatorio que se adquiere soñando, Julián percibía al través de la celada la cara de
don Pedro. Furioso, amenazador, enarbolaba don Pedro
un arma extraña, una bota de acero, que se disponía a
dejar caer sobre la cabeza del capellán. Éste no hacía
movimiento alguno para desviarse, y la bota tampoco acababa de caer; era una angustia intolerable, una agonía
sin término; de repente sintió que se le posaba en el
hombro una lechuza feísima, con greñas blancas. Quiso
gritar: en sueños el grito se queda siempre helado en la

* del sueño.

garganta. * La lechuza reía silenciosamente. Para huir de ella, saltaba el foso; mas éste ya no era foso, sino la represa del molino: el castillo feudal también mudaba de hechura sin saberse cómo: ahora se parecía a la clásica torre que tienen en las manos las imágenes de Santa Bárbara: una construcción de cartón pintado, hecha de sillares muy cuadraditos, y a cuya ventana asomaba un rostro de mujer pálido, descompuesto... Aquella mujer sacó un pie, luego otro... fue descolgándose por la ventana abajo... ¡Qué asombro! Era la sota de bastos, ¡la mismísima sota de bastos, muy sucia, muy pringosa! Al pie del muro la esperaba el caballo de espadas, una rara alimaña azul, con la cola rayada de negro. Mas a poco Julián reconoció su error: ¡qué caballo de espadas! No era sino San Jorge en persona, el valeroso caballero andante de las celestiales milicias, con su dragón debajo, un dragón que parecía araña, en cuya tenazuda boca hundía la lanza con denuedo... Brillante y aguda, la lanza descendía, se hincaba, se hincaba... Lo sorprendente es que el lanzazo lo sentía Julián en su propio costado... Lloraba muy bajito, queriendo hablar y pedir misericordia: nadie acudía en su auxilio, y la lanza la tenía ya atravesando de parte a parte... Despertó repentinamente, resintiéndose de una punzada dolorosa en la mano derecha, sobre la cual había gravitado el peso del cuerpo todo, al acostarse del lado izquierdo, posición favorable a las pesadillas.

* se queda helado en la garganta siempre.

XX

Los sueños de las noches de terror suelen parecer risibles apenas despunta la claridad del nuevo día: pero
Julián, al saltar de la cama, no consiguió vencer la impresión del suyo. Proseguía el hervor de la imaginación sobre-
excitada: miró por la ventana, y el paisaje le pareció
tétrico y siniestro: verdad es que entoldaban la bóveda
celeste nubarrones de plomo con reflejos lívidos, y que
el viento, sordo unas veces y sibilante otras, doblaba los
árboles con ráfagas repentinas. El capellán bajó la escalera de caracol con ánimo de decir su misa, que a causa
del mal estado de la capilla señorial acostumbraba celebrar en la parroquia. Al regresar y acercarse a la entrada
de los Pazos, un remolino de hojas secas le envolvió los
pies, una atmósfera fría le sobrecogió, y la gran huronera
de piedra se le presentó imponente, ceñuda y terrible,
con aspecto de prisión, como el castillo que había visto
soñando. El edificio, bajo su toldo de negras nubes, con
el ruido temeroso del cierzo que lo fustigaba, era amenazador y siniestro. Julián penetró en él con el alma en un
puño. Cruzó rápidamente el helado zaguán, la cavernosa
cocina, y atravesando los salones solitarios se apresuró a
refugiarse en la habitación de Nucha, donde acostumbra-
ban servirle el chocolate por orden de la señorita.

Encontró a ésta algo más desemblantada que de costumbre. Al abatimiento que de ordinario se revelaba en

su rostro afilado, * se agregaba una contracción y un azoramiento, indicios de gran tirantez nerviosa. Tenía a la niña en brazos, y al ver a Julián, le hizo rápidamente seña de que no chistase ni se menease, que el angelito andaba en tratos de aletargarse al calor del seno maternal. Inclinada sobre la criatura, Nucha le echaba el aliento para mejor adormecerla, y arreglaba con febriles movimientos el pañolón calcetado que envolvía, como el capullo a la oruga, aquella vida naciente. Pestañeó la niña dos o tres veces, y luego cerró los ojitos, mientras su madre no cesaba de arrullarla con una *nana* aprendida del ama, una especie de gemido cuya base era el triste *¡lai... lai!* la queja lenta y larga de todas las canciones populares en Galicia. El canto fue descendiendo hasta concluir en la pronunciación melancólica y cariñosa de una sola letra, la *e* prolongada; y levantándose en puntas de pies, Nucha depositó a su hija en la cuna muy delicada y cuidadosamente, pues la chiquilla era tan lista —en opinión de su madre— que distinguía al punto la cuna del brazo, y era capaz de despertar del sopor más profundo si se enteraba de la sustitución.

Por lo mismo Julián y Nucha se hablaron muy de quedo, mientras la señorita manejaba la aguja de *crochet* calcetando ** unos zapatitos que parecían bolsas. Julián empezó por preguntar si se le había quitado el susto de la noche anterior.

—Sí, pero todavía estoy no sé cómo.

—Yo tampoco les tengo afición a esos bichos asquerosos... No los había visto tan gordos hasta que vine a la aldea. En el pueblo apenas los hay.

—Pues yo —contestó Nucha— era antes muy valiente, pero desde... que nació la pequeña, no sé qué me pasa: parece que me he vuelto medio tonta, que tengo miedo a todo...

Interrumpió la labor, y alzó la cara: sus grandes ojos estaban dilatados, sus labios ligeramente trémulos.

---

* afilado rostro.
** tejiendo.

—Es una enfermedad, es una manía; ya lo conozco, pero no lo puedo remediar, por más que hago. Tengo la cabeza debilitada; no pienso sino en cosas de susto, en espantos... ¿Ve usted qué chillidos di ayer por la dichosa araña? Pues la noche, cuando me quedo sola con la niña... —porque el ama durmiendo es lo mismo que si estuviese muerta; aunque le disparen al oído un cañón de a ocho no se mueve— haría a cada paso escenas por el estilo, si no me dominase. No se lo digo a Juncal por vergüenza; pero veo cosas muy raras. La ropa que cuelgo me representa siempre hombres ahorcados, o difuntos que salen del ataúd con la mortaja puesta: no importa que mientras está el quinqué encendido, antes de acostarme, la arregle así o asá; al fin toma esas hechuras extravagantes aun no bien apago la luz y enciendo la lamparilla. Hay veces que distingo personas sin cabeza: otras al contrario les veo la cara con todas sus facciones, la boca muy abierta y haciendo muecas... Esos mamarrachos que hay pintados en el biombo se mueven; y cuando crujen las ventanas con el viento, como esta noche, me pongo a cavilar si son almas del otro mundo que se quejan...

—¡Señorita! —exclamó dolorosamente Julián—. ¡Eso es contra la fe! No debemos creer en aparecidos ni en brujerías.

—¡Si yo no creo! —repuso la señorita riendo nerviosamente—. ¿Usted se figura que soy como el ama, que dice que ha visto en realidad la *Compaña*,[117] con su procesión

---

[117] La creencia popular más arraigada y general en Galicia es la de la Santa Compaña, restos, sin duda, de una religiosidad arcaica, precristiana. Se trata de una procesión de almas en pena que, guiadas por un vivo, recorre los caminos por la noche llevando en la mano una luz. El vivo que la conduce —al que se puede reconocer porque pierde el color y se va quedando como la cera— intentará pasar su cruz o vela a otro vivo para quedar liberado. La persona que se encuentra a la Compaña tiene que cruzar los dedos o los brazos sobre el pecho (según los lugares hay distintos conjuros, pero ésos son los más generales) para evitar que lo incorporen a la procesión (véase Ana Liste, *Galicia: brujería, superstición y mística*, Penthalón ediciones, Madrid, 1981).

de luces allá a las altas horas? En mi vida he dado crédito a paparruchas semejantes: por eso digo que debo de estar enferma, cuando me persiguen visiones y vestigios... Lo que siempre me porfía el señor * de Juncal: fortalecerse, criar sangre... Lástima que la sangre no se compre en la tienda..., ¿no le parece a usted?

—O que... los sanos no se la podamos regalar a... los que... la necesitan...

Dijo esto el presbítero titubeando, poniéndose encendido hasta la nuca, porque su impulso primero había sido exclamar: «Señorita Marcelina, aquí está mi sangre a la disposición de usted.»

El silencio producido por arranque tan vivo duró algunos segundos, durante los cuales ambos interlocutores miraron fijamente, distraídos y ensimismados, el paisaje que se alcanzaba desde la ancha y honda ventana fronteriza. Al pronto no lo vieron: luego su efecto * sombrío les fue entrando mal de su grado por los ojos hasta el alma. Eran las montañas negras, duras, macizas en apariencia bajo la oscurísima techumbre del cielo tormentoso: era el valle alumbrado por las claridades pálidas de un angustiado sol: era el grupo de castaños, inmóvil unas veces, otras violentamente sacudido por la racha del ventarrón furioso y desencadenado... A un mismo tiempo exclamaron los dos, capellán y señorita:

—¡Qué día tan triste!

Julián reflexionaba en la rara coincidencia de los terrores de Nucha y los suyos propios, y pensando alto, prorrumpía:

—Señorita, también esta casa... vamos, no es por decir mal de ella, pero... es un poco *miedosa*. ¿No le parece?

Los ojos de Nucha se animaron, como si el capellán le hubiese adivinado un sentimiento que no se atrevía a manifestar.

—Desde que ha venido el invierno —murmuró hablando consigo misma— no sé qué tiene ni qué trazas saca...

---

* La tema constante del señor.
* aspecto.

que no me parece la misma... Hasta las murallas se han
vuelto más gordas y la piedra más oscura... Será una tontería, ¡ya sé que lo será!, pero no me atrevo a salir de
mi habitación, yo que antes revolvía todos los rincones
y andaba por todas partes... Y no tengo remedio sino dar
una vuelta por ella... necesito ver si hay abajo, en el sótano, arcones para la ropa blanca... Hágame el favor de
venir, Julián, ahora que la niña duerme... Quiero quitar-
me de la cabeza estas aprensiones y estas tontunas.

Intentó el capellán disuadirla: temía que se cansase, que
se enfriase al atravesar los salones, al bajar al claustro;
la señorita no dio más respuesta que dejar la labor, envol-
verse en su mantón y echar a andar. Cruzaron a buen paso
la fila de habitaciones extensas, desamuebladas, casi va-
cías, donde las pisadas retumbaban sordamente. De tiempo en tiempo, Nucha volvía la cabeza atrás a ver si la seguía su acompañante: y el ademán de volverla revelaba
alteración y zozobra. En la diestra columpiaba un manojo
de llaves. Salieron al claustro superior, y por una escalerilla muy pendiente descendieron al inferior, cuyas arcadas eran de piedra.

Llegados al patín que cerraba el grave claustro, Nucha
señaló a un pilar que tenía incrustada una argolla de hierro, de la cual colgaba aún un eslabón comido de orín.

—¿Sabe usted qué era esto? —murmuró con apaga-
da voz.

—No sé —respondió Julián.

—Dice Pedro —explicó la señorita— que estuvo ahí la
cadena con que tenían sujeto sus abuelos a un negro esclavo... ¿No parece mentira que se hiciesen semejantes
crueldades? ¡Qué tiempo tan malos, Julián!

—Señorita..., a don Máximo Juncal, que no piensa más
que en política, todo se le vuelve hablar de eso; pero mire
usted, en cada tiempo hay su legua de mal camino...
Bastantes barbaridades hacen hoy en día, y la religión
anda perdida desde estas grescas.

—Pero como aquí —observó Nucha, formulando sencillamente una observación histórico-filosófica de bastante
alcance— no ve uno sino las atrocidades de los señores

de otro tiempo... parece que son las únicas que le dan
en qué pensar... ¿Por qué serán tan malos cristianos los
hombres? —añadió entreabiendo los labios con cándido
asombro.

El cielo se oscureció más en el momento de expresarse
así Nucha; un relámpago alumbró súbitamente las profundidades de las arcadas del claustro y el rostro de la
señorita, que adquirió a la luz verdosa el aspecto trágico
de una faz de imagen.

—¡Santa Bárbara bendita! —articuló piadosamente el
capellán, estremeciéndose—. Volvámonos arriba, señorita... Está tronando. Como este año no tuvimos *cordonazo
de San Francisco*..., [118] ya se ve, el equinoccio no quiere
pasar sin esto... ¿Subimos?

—No —resolvió Nucha, empeñada en combatir sus propios terrores—. Ésta es la puerta del sótano... ¿Cuál será
la llave?

La buscó algún tiempo en el manojo. Al introducirla
en la cerradura y empujar la puerta, otro relámpago bañó
de claridad fantasmagórica el sitio en que iba a penetrar;
rodó el carro del trueno, pausado al principio, después
ronco y formidable, como una voz hinchada por la cólera, y Nucha retrocedió con espanto.

—¿Qué sucede, señorita querida? ¿Qué sucede? —gritó
el capellán.

—¡Nada... Nada! —tartamudeó la señora de Ulloa—.
Se me figuró al abrir que estaba ahí dentro un perro muy
grande, sentado, y que se levantaba y se me echaba para
morderme... ¿Si no los tendré cabales? Pues mire usted
que juraría haberlo visto.

—¡El dulce Nombre! No, señorita, es que hace frío aquí,
es que truena, es que es una locura andar ahora revolvien-
do en los sótanos... Retírese usted, yo buscaré lo que haga
falta.

---

[118] Se conoce con el nombre de "cordonazo de San Francisco"
la perturbación atmosférica que suele producirse hacia el equinoccio de Otoño, coincidiendo aproximadamente con la festividad
de San Francisco de Asís (4 de octubre).

—No —replicó Nucha con energía—. Ya me carga de veras ser tan boba... Quiero entrar antes para que vea usted si comprendo perfectamente que todas son necedades... ¿Trae usted la cerilla? —gritó ya desde dentro.

El capellán la encendió, y a su luz menos que dudosa * vieron el sótano, mejor dicho, entrevieron las paredes destilando humedad, el confuso montón de objetos retirados allí por inservibles y pudriéndose en los rincones; el conjunto de cosas informes y por lo mismo temerosas y vagas. En la penumbra de aquel lugar, casi subterráneo, en el hacinamiento de vejestorios retirados por inservibles y entregados a las ratas, la pata de una mesa parecía un brazo momificado, la esfera de un reloj era la faz blanquecina de un muerto, y unas botas de montar carcomidas asomando por entre papeles y trapos despertaban en la fantasía la idea de un hombre asesinado y oculto allí. No obstante, Nucha, con paso resuelto, fue derecha al caos húmedo y medroso, y con la voz ahogada y conmovida de los que acaban de obtener un gran triunfo sobre sí mismos, gritó:

—Aquí está el arcón... Que me lo suban después...

Salió muy animada, satisfecha de su resolución, vencedora en la lucha cuerpo a cuerpo con el caserón que la asustaba. Al subir otra vez por la escalerilla, volvió a sobrecogerla el fragor de un trueno más hondo, poderoso y cercano que los anteriores. ¡Era preciso encender la vela del Santísimo y rezar el Trisagio!

Así lo hicieron al punto. La vela fue colocada sobre la cómoda de Nucha: un cirio bastante largo aún, de cera color * de naranja, con muchas lágrimas y un pábilo que chisporroteaba y no acababa de arder. Antes de arrodillarse, cerraron las maderas de la ventana, para evitar que la ojeada fulgurante del relámpago les deslumbrase a cada minuto. Rugía con creciente ira el viento, y la tronada se había situado sobre los Pazos, oyéndose su estruendo lo mismo que si corriese por el tejado un escuadrón de caballos a galope o si un gigante se entretuviese en arrastrar

* mortecina y dudosa.
* cera de color.

un peñasco y llevarlo a tumbos por encima de las tejas. ¡Con cuánto fervor empezó el capellán a guiar el Trisagio misterioso! Anonadándose ante la cólera divina, cuya violencia sacudía y hacía retemblar a los Pazos como si fuesen una choza, pronunciaba:

> *De la subitánea muerte*
> *del rayo y de la centella*
> *libra este Trisagio, y sella*
> *a quien lo reza: y advierte...*

Nucha, de repente, se incorporaba lanzando un chillido, y corría al sofá, donde se reclinaba lanzando interrumpidas carcajadas histéricas, que sonaban a llanto. Sus manos crispadas arrancaban los corchetes de su traje, o comprimían sus sienes, o se clavaban en los almohadones del sofá, arañándolos con furor... Aunque tan inexperto, Julián comprendió lo que ocurría: el espasmo inevitable, la explosión del terror reprimido, el pago del alarde de valentía de la pobre Nucha...

—¡Filomena, Filomena! Aquí, mujer, aquí... Agua, vinagre... el frasquito aquel... ¿Dónde está el frasco que vino de la botica de Cebre? Aflójele el vestido... Ya me vuelvo de espaldas, mujer, no necesitaba avisármelo... Unos pañitos fríos en las sienes... ¡Si truena, que truene! Deje tronar... Acuda a la señorita... Déle aire con este papel, aunque sea... ¿Ya está cubierta y floja? Se lo daré yo, poquito a poco... Que respire bien el vinagre...

XXI

Notóse días después alguna mejoría en el estado general de la señora de Ulloa, con lo cual el capellán revivió, y se le animó también el marchito semblante. El marqués andaba en extremo distraído organizando una cazata * a los lejanos montes de Castrodorna, más allá del río: el tiempo se aseguraba, las noches eran de helada, claras y glaciales, acarcábase el plenilunio y todo prometía feliz éxito. La víspera de la salida al cazadero vinieron a dormir a los Pazos el notario de Cebre, el señorito de Limioso, el cura de Boan, el de Naya y un cazador furtivo, escopeta negra infalible, conocida en el país por el alias de *Bico de rato* (hocico de ratón), mote apropiadísimo a la color tiznada de su cara, donde giraban dos ojuelos vivarachos. Llenóse la casa de ruido, de tilinteo de cascabeles, de cadencia de uñas de perros sobre los pisos de madera, de voces sonoras y de órdenes para tener en punto al amanecer todos los arreos de caza. La cena fue regocijada y ruidosa: se bromeó, se contaron de antemano las perdices que habían de sucumbir, se saborearon por adelantado las provisiones que se llevaban al monte, y se remojó previamente el gaznate con jarros de un tinto añejo que daba gloria. A la hora de los postres y del café, habiéndose retirado Nucha, que por el ansia de su niña se recogía temprano, subieron de la cocina Primitivo y el ratón, y los futuros compañeros de glorias y fatigas comenzaron a fraternizar fu-

* cacería.

mando y trincando a competencia. Era el momento más sabroso, el verdadero instante de felicidad espiritual para un cazador de raza: era el minuto de las anécdotas cinegéticas y, sobre todo, de los embustes.

Para éstos se establecía turno pacífico, pues nadie renunciaba a soltar su correspondiente bola, y crecían en magnitud conforme se enredaba la plática. Formaban círculo los cazadores, y a sus pies dormían enroscados los perros, con un ojo cerrado y otro entreabierto y de párpado convulso: a veces, cuando se aplacaban las risotadas y las frases chistosas, se oía a los canes *tocar la guitarra,* espulgarse a toda orquesta, ladrar por sueños, sacudir las orejas y suspirar con resignación. Nadie les hacía caso.

El hocico de ratón tiene la palabra:

—¡Pueda que no me lo crean y es tan cierto como que habemos de morir y la tierra nos ha de comer! Para más verdá fue un día de San Silvestre...

—Andarían las brujas sueltas —interrumpió el cura de Boan.

—Si eran *meigas* o era el *trasno,* [119] yo no lo sé; pero lo mismo que habemos de dar cuenta a Dios nuestro señor de nuestras *auciones,* me pasó lo que les voy a contar. Andaba yo tras de una perdiz agachadito, agachadito (y el ratón se agachaba en efecto, siguiendo su inveterada costumbre de representar cuanto hablaba) porque no llevaba perro ni diaño [120] que lo valiese, y estaba, con perdón de las barbas honradas que me escuchan, para montar a caballo de un vallado, cuando oigo ¡tras tris, tras tras!, ¡tipirí, tipirá!, el andar de una liebre; ¡más lista venía... que las *zantellas!* [121] Pues señor... *viro* la cabeza mismo así... ¡con perdón de las barbas! con mi escopeta más agarrada que la Bula... y de repente, ¡pan!, me pasa una cosa del otro mundo por encima de la cabeza, y me caigo del vallado abajo...

Explosión de preguntas, de risas, de protestas.

---

[119] Trasgo, duende.
[120] Diablo.
[121] Deformación fonética del castellano "centellas".

—¿Una cosa del otro mundo?

—¿Un ánima del Purgatorio?

—¿Pero él era persona o animal o qué mil rayos era?

—Abrir la puerta, que esta mentira no cabe en la habitación.

—¡Así Dios me salve y me dé la gloria como es verdad! —clamó el hocico de ratón, poniendo el semblante más compungido del mundo—. ¡Era, con perdón, la descarada de la liebre, que brincó por *riba* de mí y me tiró patas arriba!

La aclaración produjo verdadero delirio. Don Eugenio, el abad de Naya, se abría literalmente de risa, * apretándose las caderas con ambas manos, quejándose y derramando lágrimas; el marqués de Ulloa lanzaba carcajadas poderosas; hasta Primitivo modulaba una risa opaca y turbia. El bueno del ratón no podía ya entreabrir los labios para hablar sin que la hilaridad se desatase. En toda reunión de cazadores (gente amiga de bromas pesadas) hay un bufón, un juglar, un gracioso obligado, y este papel correspondía de derecho a la escopeta negra, que se prestaba a desempeñarlo de bonísima gana. Acostumbrado a pasarse los días y las noches al sereno, en espera de la liebre, del conejo o de la perdiz; hecho a apretarse la cintura con una cuerda, a la manera de los salvajes, en las muchas ocasiones en que le faltaba un mendrugo de pan que roer, el mísero ratoncillo era dichoso cuando le tocaba cazar con gente de pro, de la que se lleva al cazadero botas henchidas de lo añejo, *lacones* cocidos y cigarros: ufanábase cuando le celebraban sus patrañas: las narraba cada día con mayor seriedad, convicción y tono ingenuo, y a todas las chanzas respondía invocando a Dios y a los santos de la corte celestial en apoyo de sus aseveraciones estrambóticas.

De pie, con las manos en los bolsillos del pantalón, mapamundi de remiendos, y moviendo con risible rapidez nariz y boca, que tenía de color de unto rancio, aguardaba a que le pidiesen algún nuevo episodio tan verosímil

* literalmente se descalzaba de risa.

como el de la liebre; pero ahora el turno le correspondía a don Eugenio.

—¿Saben —decía medio llorando y salivando aún de risa— un paso que pasó entre el canónigo Castrelo y un señor muy chistoso, Ramírez de Orense?

—¡El canónigo Castrelo! —exclamaron el cura de Boan y el marqués—. ¡Qué apunte! ¡De órdago! Ese las suelta... como la torre de la Catedral.

—Pues verán, verán cómo encontró con la horma de su zapato donde menos se lo pensaba. Era una noche en el Casino, y estaban jugando al tresillo. Castrelo se puso, como de costumbre, a espetar cuentos de caza... ¡mentira todos! Después de que se hartó, quiso encajar uno descomunal * y dijo así muy serio: "Sabrán ustedes que una mañana salí yo al monte, y entre unas matas oí así... un ruido sospechoso. Me acerco muy despacito... el ruido seguía, dale que tienes. Me acerco más... y ya no me cabe duda de que hay allí escondida una pieza. Armo, apunto, disparo... ¡pum, pum! ¿Y qué creerán ustedes que maté, señores?" Todo el mundo a nombrar animales diferentes: que lobo, que zorro, que jabalí, y hasta hubo quien nombró a un oso... Castrelo a decir que no con la cabeza... hasta que por último saltó: "Pues ni zorro, ni lobo, ni jabalí... Lo que maté era... ¡un tigre de Bengala!"

—Hombre, don Eugenio... ¡No fastidiar! —gritaron unánimemente los cazadores. ¿Había de atreverse Castrelo?... ¿Cómo no le deshicieron el morro de una bofetada allí mismo?

Don Eugenio, no consiguiendo que le oyesen, hacía con la mano señas de que faltaba lo mejor del cuento.

—¡Paciencia! —exclamó por fin—. Tengan paciencia, que no se acabó. Pues señor, ya ustedes comprenderán que en el Casino se armó una gresca. Empezaron a insultar a Castrelo y a tratarlo de mentiroso en su cara. Sólo el señor de Ramírez estaba muy formal, y apaciguaba a los alborotadores: "No hay que asombrarse, no hay que asombrarse: yo les contaré a ustedes una cosa que me pasó

* la más gorda.

a mí cazando, que es más rara todavía que la del señor de Castrelo." El canónigo empieza a escamarse y la gente a atender. "Sabrán ustedes que una mañana salí yo al monte, y entre unas matas oí así... un ruido sospechoso. Me acerco muy despacito... el ruido seguía, dale que tienes. Me acerco más... ya no me cabe duda de que hay allí escondida una pieza. Armo... apunto... disparo... ¡pum, pum!... ¿Y qué creerán ustedes que maté, señor canónigo?" "¿Cómo demonios lo he de saber?" "Sería... un león." "¡Ca!" "¡Pues sería... un elefante!" "¡Caaa!" "Sería... ¡lo que usted guste, caramba!" "¡Una sota de bastos, señor de Castrelo! ¡Era una sota de bastos!"

Minutos de no entenderse. El ratón reía con una especie de hipo agudo; el señorito de Limioso ronca y gravemente; el cura de Boan, no sabiendo cómo desahogar el regocijo, pateaba en el suelo y abofeteaba a la mesa.

—¡Ey! —gritó don Eugenio—. *Bico-de-rato*, ¿no te has tropezado tú nunca con ningún tigre? Echa un vasito y cuéntanos si te encontraste alguno por ahí, *hom*.

Atizóse el ratón su medio cuartillo; brilláronle los ojuelos, limpió el labio con la bocamanga de la mugrienta chaqueta, y declaró con acento sincero y candoroso:

—Lo que es *trigues*... por estos montes no debe de los haber, que sino ya los tendría matado; pero les diré lo que me pasó un día de la Virgen de Agosto...

—¿A las tres y diez minutos de la tarde? —preguntó don Eugenio.

—No... habían de ser las once de la mañana, y puede que aún no las fuesen. ¡Pero créanme, como que esa luz nos está alumbrando! Venía yo de tirar a las tórtolas en un sembrado, y me encontré a la chiquilla del tío Pepe de Naya, que traía la vaca mismo cogida así (y hacía ademán de arrollarse una cuerda a la muñeca). "Buenos días." "Santos y buenos." "¿Me da las *rulas*?" "¿Y qué me das por ellas, rapaza?" "No tengo un *ichavo* triste." "Pues déjame mamar de la vaquilla, que rabio de sed." "Mame luego, pero no lo chupe todo." "Me arrodillo así (el ratón medio se hincó de hinojos ante el abad de Naya) y ordeñando en la palma de la mano, con perdón, zampo la leche. ¡Qué fresca! Vaya, rapaza... ¡San Antón te guarde la vaca!» Ando, ando, ando, ando, y al cuarto de legua de allí me entra un sueño por todo el cuerpo... como que me voy quedando tonto. "¡A escotar!" Me meto por el monte arriba, y llegando a donde hay unos tojos más altos que un cristiano, me tumbo así (con perdón) y saco el sombrero, y lo dejo de esta manera (reparen bien) sobre la yerba. Sueño fue, que hasta de allí a la hora y media no volví en mi acuerdo. Voy a apañar mi sombrero para largar... Lo mismo que todos nos habemos de morir y resucitar en la gloria del día del Juicio, me veo debajo una culebra más gorda que mi brazo *drecho*... ¡con perdón!

—¿Pero no que el izquierdo? —interrumpió don Eugenio picarescamente.

—¡Muchísimo más gorda! —continuó el ratón imperturbable, y toda rollada, rollada, rollada, que cabía allí debajo... ¡y durmiendo como una santa de Dios!

—¿Pero roncar, no roncaba?

—La condenada acudía al olor de la leche... y valió que le dio idea de esconderse en el chapeo... que las intenciones bien se las conocí... ¡eran de metérseme por la boca, con perdón de las barbas honradas!

Aunque se armó gran algazara, la moderó algún tanto el cura de Boan recordando las diversas ocasiones en que se oían contar casos análogos: culebras que se encontraban en los establos mamando del pezón de las vacas, otras que se deslizaban en la cuna de los niños para beberles la leche en el estómago...

Asistía Julián a la velada, entretenido y contento, porque la alegría y el humor de los cazadores le disipaba las ideas congojosas de algunos días atrás, el miedo a la Sabia, a Primitivo, a los Pazos, los lúgubres presentimientos acrecentados por la comunicación de los terrores nerviosos de Nucha. Don Eugenio, viéndole animado, le porfiaba para que fuese a hacerles una visita al cazadero: negábase Julián, pretextando la necesidad de decir misa, de rezar las horas canónicas: en realidad, era que no quería dejar enteramente sola a la señorita. Al cabo, tanto insistió don Eugenio, que hubo de prometer, aplazando para el último día.

—No ha de haber nada de eso —exclamó el bullicioso párroco...—. Mañana por la mañanita nos lo llevamos con nosotros... Se vuelve de allá pasado mañana temprano.

Toda resistencia hubiera sido inútil, y más en tal momento, cuando la jarana crecía y el vino menguaba en los jarros. Julián sabía que aquella gente maleante y retozona era capaz de llevarlo por fuerza si se negaba a ir de grado.

XXII

Tuvo, pues, que salir al romper el alba, dando diente con diente, caballero en la mansa pollinita, y siendo blanco de las bromas de los cazadores porque iba vestido de modo asaz impropio para la ocasión, sin zamarra, ni polainas de cuero, ni sombrerazo, ni armas ofensivas o defensivas de ninguna especie. El día asomaba despejado y magnífico: en las hierbas resplandecían las cristalizaciones de la escarcha: la tierra se estremecía de frío y humeaba levemente a la primer caricia del sol: el paso animado y gimnástico de los cazadores resonaba militarmente sobre el terreno endurecido por la helada.

Desde el cazadero, adonde llegaron a cosa de las nueve, desparramáronse por el monte. Julián, no sabiendo qué hacer de su persona, quedóse pegado a don Eugenio, y le vio realizar dos proezas cinegéticas y meter en el morral dos pollitos de perdiz tibios aún de la recién arrancada vida. Es de advertir que don Eugenio no gozaba fama de diestro tirador, por lo cual, al reunirse los cazadores a mediodía para comer en un repuesto encinar, el párroco de Naya invocó el testimonio de Julián para que asegurase que se las había visto tirar al vuelo.

—¿Y qué es tirar al vuelo, don Julián? —le preguntaron todos.

Como el capellán se quedó parado al hacerle tan insidiosa pregunta, ocurrióseles a los cazadores que sería cosa muy divertida darle a Julián una escopeta y un perro y

331

que intentase cazar algo. [122] Quieras que no quieras, fue preciso conformarse. Se le destinó el *Chonito,* perdiguero infalible, recastado, de hocico partido, el más ardiente y seguro de cuantos canes iban allí.

—En cuanto vea que el perro se para —explicábale don Eugenio al novel cazador, que apenas sabía por dónde coger el arma mortífera— se prepara usted y le anima para que entre... y al salir las perdices, les apunta y hace fuego cuando se tiendan... Si es la cosa más fácil del mundo...

Chonito caminaba con la nariz pegada al suelo: sus ijares se estremecían de impaciencia; de cuando en cuando se volvía para cerciorarse de que le acompañaba el cazador. De pronto tomó el trote hacia un matorral de uces, y repentinamente se quedó parado, en actitud escultural, tenso e inmóvil como si lo hubiesen fundido en bronce para colocar * en un zócalo.

—¡Ahora! —exclamó el de Naya—. Eh, Julián, mándele que entre...

—Entra, *Chonito,* entra —murmuró lánguidamente el capellán. El perro, sorprendido por el tono suave de la orden, vaciló: por fin se lanzó entre las uces, y al punto mismo se oyó un revoloteo, y el bando salió en todas direcciones.

—¡Ahora, condenado, ahora! ¡Ese tiro! —gritó don Eugenio.

Julián apretó el gatillo... Las aves volaron raudamente y se perdieron de vista en un segundo. *Chonito,* confuso, miraba al que había disparado, a la escopeta y al suelo: el hidalgo animal parecía preguntar con los ojos dónde se encontraba la perdiz herida, para portarla.

Media hora después se repitió la escena, y el desengaño de *Chonito.* Ni fue el último, porque más adelante, en un sembrado, aún levantó el can un bando tan numeroso, tan

---

[122] Don Eugenio debía de temer que creyesen que había matado los dos pollitos en el nido y no mientras volaban de ahí que invoque el testimonio de Julián, pero el desconcierto de éste revela, más que ignorancia sobre la caza, bobería, o que está con la cabeza en otra parte.

* colocarlo.

próximo y que salía tan a tiro, que era casi imposible no *tumbar* dos o tres perdices disparando a bulto. Otra vez hizo fuego Julián. El perdiguero ladraba de entusiasmo y de gozo... Mas ninguna perdiz cayó. Entonces *Chonito,* clavando en el capellán una mirada casi humana, llena de desprecio, volvió grupas y se alejó corriendo a todo correr, sin dignarse oír las imperativas voces con que lo llamaban...

No hay cómo encarecer lo que se celebró este rasgo de inteligencia a la hora de la cena. Se hizo chacota de Julián, y en penitencia de su torpeza, se le condenó a asistir inmediatamente, cansado y todo, a la espera de las liebres.

La luna de aquella noche de diciembre semejaba disco de plata bruñida colgado de una cúpula de cristal azul oscuro; * el cielo se ensanchaba y se elevaba por virtud de la serenidad y transparencia casi boreales de la atmósfera.

Caía helada, y en el aire parecía que se cruzaban millares de finísimas agujas, que apretaban las carnes y reconcentraban el calor vital en el corazón. Pero para la liebre, vestida con su abrigado manto de suave y tupido pelo, era noche de festín, noche de pacer los tiernos retoños de los pinos, la fresca hierba impregnada de rocío, las aromáticas plantas de la selva; y noche también de amor, noche de seguir a la tímida doncella de luengas orejas y breve rabo, sorprenderla, conmoverla y arrastrarla a las sombrías profundidades del pinar...

Tras de los pinos y matorrales se emboscaban en noches así los cazadores. Tendidos boca abajo, cubierto con un papel el cañón de la carabina a fin de que el olor de la pólvora no llegue a los finos órganos olfativos de la liebre, aplican el oído al suelo y así se pasan a veces horas enteras. Sobre el piso endurecido por el hielo resuena claramente el trotecillo irregular de la caza: entonces el cazador se estremece, se endereza, afianza en tierra la rodilla, apoya la escopeta en el hombro derecho, inclina el rostro y palpa nerviosamente el gatillo antes de apretarlo. A la claridad lunar divisa por fin un monstruo de fantás-

* cristal oscuro.

tico aspecto, pegando brincos prodigiosos, apareciendo y desapareciendo como una visión: la alternativa de la oscuridad de los árboles y de los rayos espectrales y oblicuos de la luna hace parecer enorme a la inofensiva liebre, agiganta sus orejas, presta a sus saltos algo de funambulesco y temeroso, a sus rápidos movimientos una velocidad que deslumbra. Pero el cazador, con el dedo ya en el gatillo, se contiene y no dispara. Sabe que el fantasma que acaba de cruzar al alcance de sus perdigones es la hembra, la Dulcinea perseguida y recuestada por innumerables galanes en la época del celo, a quien el pudor obliga a ocultarse de día en su gazapera, que sale de noche, hambrienta y cansada, a descabezar cogollos de pino, y tras de la cual, desalados y hechos almíbar, corren por lo menos tres o cuatro machos, deseosos de románticas aventuras. Y si se deja pasar delante a la dama, ninguno de los nocturnos rondadores se detendrá en su carrera loca, aunque oiga el tiro que corta la vida de su rival, aunque tropiece en el camino su ensangrentado cadáver, aunque el tufo de la pólvora le diga: "¡Al final de tu idilio está la muerte!"

No, no se pararán. Acaso el instinto de cobardía propio de su raza les moverá a agazaparse breves minutos detrás de un arbusto o de una peña; pero al primer imperceptible efluvio amoroso que les traiga la cortante brisa; al primer hálito de la hembra que se destaque del olor de la resina exhalado por los pinares, los fogosos perseguidores se lanzarán de nuevo y con más brío, ciegos de amor, convulsos de deseo, y el cazador que los acecha los irá tendiendo uno por uno a sus pies, sobre la hierba en que soñaron tener lecho * nupcial.

* tener el lecho.

XXIII

En el corazón de la tierna heredera de los Ulloas tenía
el capellán, desde hacía algún tiempo, un rival completamente feliz y victorioso: Perucho.

Le bastó presentarse para triunfar. Entró un día en la
punta de los pies, y sin ser sentido fue arrimándose a la
cuna. Nucha le ofrecía de vez en cuando golosinas y calderilla, y el rapaz, como suele suceder a las fieras domesti-
cadas, contrajo excesiva familiaridad y apego, y costaba
trabajo echarle de allí, encontrándosele por todas partes,
donde menos se pensaba, a manera de gatito pequeño vi-
ciado en el mimo y la compañía.

Muchísimo le llamó la atención la chiquitina al pronto.
Ni los pollos nuevos cuando rompían el cascarón, ni los
cachorros de la Linda, ni los recentales de la vaca, consi-
guieron nunca fijar así las miradas atónitas de Perucho.
No podía él darse cuenta de cómo ni por dónde había
venido tan gran novedad: sobre este tema, se perdía en
reflexiones. Rondaba la cuna incesantemente, poniéndose
en riesgo notorio de recibir algún pescozón del ama, y,
como no le expulsasen, se estaba buena pieza con el dedi-
to en la boca, absorto y embelesado, más parecido que
nunca a los amorcillos de los jardines que dicen con su
actitud: "silencio". Jamás se le había visto quieto tantas
horas seguidas. Así que la niña empezó a tener asomos
de conciencia de la vida exterior, dio claras muestras de
que si ella le interesaba a Perucho, no le importaba menos
Perucho a ella. Ambos personajes reconocieron en seguida

su mutua importancia, y a este reconocimiento siguieron evidentes señales de concordia y regocijo. Apenas veía la chiquilla a Perucho, brillaban sus ojuelos, y de su boca entreabierta salía, unido a la cristalina y caliente baba de la dentición, un amorosísimo gorjeo. Tendía ansiosamente las manos, y Perucho, comprendiendo la orden, acercaba la cabeza cerrando los párpados: entonces la pequeña saciaba su anhelo, tirando a su sabor del pelo ensortijado, metiendo los dedos de punta por boca, orejas y nariz; todo acompañado del mismo gorjeo, y entreverado con chillidos de alegría, cuando, por ejemplo, acertaba con el agujero de la oreja.

Pasados los dos o tres primeros meses de lactancia, el genio de los niños se agria, y sus llantos y rabietas son frecuentes, porque empiezan los fenómenos precursores de la dentición a molestarles. Cuando tal sucedía a su niña Nucha solía emplear con buen resultado el talismán de la presencia de Perucho. Un día que el berrenchín no cesaba, fue preciso acudir a expedientes más heroicos: sentar a Perucho en una silleta baja y ponerle en brazos a la chiquitina. Él se estaba quieto, inmóvil, con los ojos muy abiertos y fijos, sin osar respirar, tan hermoso, que daban ganas de comérselo. La chiquita, sin transición, había pasado de la furia a la bonanza, y reía abriendo un palmo de desdentada boca; reía con los labios, con el mirar, con los pies bailarines, que descargaban pataditas menudas en el muslo de Perucho. No se atrevía el rapaz ni a volver la cabeza; de puro encantado.

A medida que la chiquilla atendía más, Perucho se ingeniaba en traerle juguetes inventados por él, que la divertían infinito. No se sabe lo que aquel galopín discurría para encontrar a cada paso cosas nuevas, ya fuesen flores, ya pajaritos vivos, ya ballestas de caña, ya todo género de porquerías, que era lo que más entusiasmaba a la pequeña. Presentábase a lo mejor con una rana atada por una pata, perneando en grotescas contorsiones, o llegaba ufanísimo con un ratón acabadito de nacer, tan chico y asustado, que daba lástima. Tenía aquel cachidiablo la es-

pecialidad de los juguetes animados. En su *pucho* [123] roto
y agujereado almacenaba lagartijas, mariposas y *mariquitas de Dios;* en sus bosillos y seno, nidos, frutos y gusanos. La señorita le tiraba bondadosamente de las orejas.

—Como vuelvas a traer aquí tales ascos... verás, verás.
Te he de colgar de la chimenea como a los chorizos, para
que te ahumes.

Julián transigía con estas intimidades, mientras no sorprendió el secreto de otras harto menos inocentes. Desde
que madrugando había visto a Sabel salir del cuarto de
don Pedro, dábale un vuelco la sangre cada vez que tropezaba al chiquillo y notaba el afecto con que lo trataba
Nucha a veces.

Cierto día entró el capellán en la habitación de la señorita y encontró un inesperado espectáculo. En el centro
de la cámara humeaba un colosal barreñón de loza, lleno
de agua templada; y estrechamente abrazados y en cueros,
el chiquillo sosteniendo en brazos a la niña, estaban Perucho y la heredera de Ulloa en el baño. Nucha, en cuclillas,
vigilaba el grupo.

—No hubo otro medio de reducirla a bañarse —exclamó al advertir la admiración de Julián—, y como don Máximo dice que el baño le conviene...

—No me pasmo yo de ella —respondió el capellán—,
sino de él, que le teme más al agua que al fuego.

—A trueque de estar con la nena —replicó Nucha—
se deja él bañar aunque sea en pez hirviendo. Ahí los
tiene usted en sus glorias: ¿no parecen un par de her-
manitos?

Al pronunciar sin intención la frase, Nucha, desde el
suelo, alzaba la mirada hacia Julián. La descomposición
de la cara de éste fue tan instantánea, tan reveladora, tan
elocuente, tan profunda, que la señora de Moscoso, apoyándose en una mano, se irguió de pronto, quedándose
en pie frente a él. En aquel rostro consumido por la larga
enfermedad, y bajo cuya piel fina se traslucía la ramifica-
ción venosa; en aquellos ojos vagos, de ancha pupila y cór-

[123] Gorro.

nea húmeda, cercados de azulada ojera, vio Julián encenderse y fulgurar tras las negras pestañas una luz horrible, donde ardían la certeza, el asombro y el espanto. Calló. No tuvo ánimos para pronunciar una sola frase, ni disimulo para componer sus facciones alteradas.

La niña, en el tibio bienestar del baño, sonreía, y Perucho, sosteniéndola por los sobacos, hablándola con tierna algarabía de diminutivos cariñosos, la columpiaba en el líquido transparente, le abría los muslos para que recibiese en todas partes la frescura del agua, imitando con religioso esmero lo que había visto practicar a Nucha. Ocurría la escena en un salón de los más chicos de la casa, dividido en dos por descomunal y maltratadísimo biombo del siglo pasado, pintado harto fantásticamente con paisajes inverosímiles, árboles picudos en fila que parecían lechugas, montañas semejantes a quesos de San Simón, nubarrones de hechura de panecillos, y casas con techo colorado, dos ventanas y una puerta, siempre de frente al espectador. Ocultaba el biombo la cama de Nucha, de copete dorado y columnas salomónicas, y la cunita de la niña. Inmóvil por espacio de algunos segundos, la señorita recobró de improviso la acción. Se inclinó hacia el barreño y arrancó de golpe a su hija de brazos de Perucho.

La criatura, sorprendida y asustada por el brusco movimiento, interrumpida en su diversión, * rompió en llanto desconsolado y repentino; y su madre, sin hacerle caso, entró corriendo tras el biombo, la echó en la cuna y medio la arropó, volviendo a salir inmediatamente. Aún permanecía Perucho en el agua, asaz asombrado: la señorita le asió de los hombros, del pelo, de todas partes, y empujándole cruelmente, desnudo como estaba, le persiguió por el salón hasta expulsarle a empellones.

—Largo de aquí —decía más pálida que nunca y con los ojos llameantes—. Que no te vea yo entrar... Como vuelvas te azoto, ¿entiendes?, ¡te azoto!

Pasó tras del biombo otra vez, y Julián la siguió aturdido, sin saber lo que le sucedía. Con la cabeza baja, los

* interrumpida su diversión.

labios temblones, la señora de Moscoso arreglaba, sin
disimular el desatiento de las manos, los pañales de su
hija, cuyo llorar tenía ya inflexiones de pena como de
persona mayor. *

—Llame usted al ama —ordenó secamente Nucha.

Corrió Julián a obedecer. A la puerta del salón le cerraba el paso una cosa tendida en el suelo: alzó el pie: era
Perucho, en cueros, acurrucado. No se le oía el llanto:
veíase únicamente el brillo de los gruesos lagrimones y el
vaivén del acongojado pecho. Compadecido el capellán,
levantó a la criatura. Sus carnes, mojadas aún, estaban
amoratadas y yertas.

—Ven por tu ropa —le dijo—. Llévala a tu madre para
que te vista. Calla.

Insensible como un espartano al mal físico, Perucho
sólo pensaba en la injusticia cometida con él.

—No hacía mal... —balbució, ** ahogándose—. No-ha-
cí-a-mal... ningu...no...

Volvió Julián con el ama, pero la criatura tardó bastante en consolarse al pecho. Ponía la boquita en el pezón,
y de repente torcía la cara, hacía pucheros, iniciaba un
llanto quejumbroso. Nucha, con andar automático, salió
del retrete formado por el biombo y se acercó a la ventana, haciendo seña a Julián de que la siguiese. Y demuda-
dos ambos, se contemplaron algunos minutos silenciosamente, ella preguntando con imperiosa ojeada, él resuelto
ya a engañar, a mentir. Hay problemas que sólo lo son
planteados a sangre fría; en momentos de apuro, los re-
suelve el instinto con seguridad maravillosa. Julián estaba
determinado a faltar a la verdad sin escrúpulos.

Al cabo Nucha pronunció con sordo acento:

—No crea que es la primera vez que se me ocurre que
ese... chiquillo es... hijo de mi marido. Lo he pensado
ya; sólo que fue como un relámpago; de esas cosas que
desecha uno apenas las concibe. Ahora ya... ya estamos
en otro caso. Sólo con ver su cara de usted...

* las inflexiones propias de la pena en las personas mayores.
** balbuceó.

—¡Jesús! ¡Señorita Marcelina! ¿Qué tiene que ver mi cara?... No se acalore, le ruego que no se acalore... ¡Por fuerza esto es cosa del demonio! ¡Jesús mil veces!

—No, no me acaloro —exclamó ella respirando fuerte y pasándose por la frente la palma extendida.

—¡Válgame Dios! Señorita, a usted le va mal. Se le ha vuelto un color... Estoy viendo que le da el ataque. ¿Quiere la cucharadita?

—No, no, y no; esto no es nada; un poco de ahogo en la garganta. Esto lo... noto muchas veces; es como una bola que se me forma allí... Al mismo tiempo parece que me barrenan la sien... Al caso, al caso. Decláreme usted lo que sabe. No calle nada.

—Señorita... (Julián resolvió entonces, en su interior, apelar a eso que llaman subterfugio jesuítico, y no es sino natural recurso de cuantos, detestando la mentira, se ven compelidos a temer la verdad.) Señorita... Reniego de mi cara. ¡Lo que se le ha ido a ocurrir! Yo no pensaba en semejante cosa. No, señora, no.

La esposa hincó más sus ojos en los del capellán e hizo dos o tres interrogaciones concretas, terminantes. Aquí del jesuitismo, mejor dicho, de la verdad cogida por donde no pincha ni corta.

—Me puede creer; ya ve que no había de tener gusto en decir una cosa por otra: no sé de quién es el chiquillo. Nadie lo sabe de cierto. Parece natural que sea del querido de la muchacha.

—¿Usted está seguro de que tiene... querido?

—Como de que ahora es de día.

—¿Y de que el querido es un mozo aldeano?

—Sí, señora; un rapaz guapo por cierto: el que toca la gaita en las fiestas de Naya y en todas partes. Le he visto venir aquí mil veces, el año pasado, y... andaban juntos. Es más: me consta que trataban de sacar los papeles para casarse. Sí, señora: me consta. Ya ve usted que...

Nucha respiró de nuevo, llevándose la diestra a la garganta, que sin duda le oprimía el consabido ahogo. Sus facciones se serenaron un tanto, sin recobrar su habitual compostura y apacibilidad encantadora: persistía la arruga en el entrecejo, el extravío en el mirar.

—¡Mi niña —articuló en voz baja—, mi niña abrazada con él! Aunque usted diga y jure y perjure... Julián, esto hay que remediarlo. ¿Cómo voy a vivir de esta manera? ¡Ya me debía usted avisar antes! Si el chiquillo y la mujer no salen de aquí, yo me volveré loca. Estoy enferma; estas cosas me hacen daño... daño.

Sonrió con amargura y añadió:

—Tengo poca suerte... No he hecho mal a nadie, me he casado a gusto de papá, y mire usted ¡cómo se me arreglan las cosas!

—Señorita...

—No me engañe usted también (recalcó el *también*). Usted se ha criado en mi casa, Julián, y para mí es usted como de la familia. Aquí no cuento con otro amigo. Aconséjeme.

—Señorita —exclamó el capellán con fuego—, quisiera librarla de todos los disgustos que pueda tener en el mundo, aunque me costase sangre de las venas.

—O esa mujer se casa y se va —pronunció Nucha— o...

Interrumpió aquí la frase. Hay momentos críticos en que la mente acaricia dos o tres soluciones violentísimas, extremas, y la lengua, más cobarde, no se atreve a formularlas.

—Pero, señorita Marcelina, no se mate así —porfió * Julián—. Son figuraciones, señorita, figuraciones.

Ella le tomó las manos entre las suyas, que ardían.

—Dígale usted a mi marido que la eche, Julián. ¡Por amor de Dios y su madre santísima!

El contacto de aquellas palmas febriles, la súplica, turbaron al capellán de un modo inexplicable, y sin reflexionar exclamó:

—¡Tantas veces se lo he dicho!

—¡Ve usted! —repuso ella, sacudiendo la cabeza y cruzando las manos.

* insistió.

Enmudecieron. En la campiña se oía el ronco graznido de los cuervos; tras el biombo, la niña lloriqueaba, inconsolable. Nucha se estremeció dos o tres veces. Por último articuló, dando con los nudillos en los vidrios de la ventana:

—Entonces seré yo...

El capellán murmuró como si rezase:

—Señorita... Por Dios... No se revuelva la cabeza... Déjese de eso...

La señora de Moscoso cerró los ojos y apoyó la faz en los vidrios de la ventana. Procuraba contenerse: la energía y serenidad de su carácter querían * salir a flote en tan deshecha tempestad. Pero agitaba sus hombros un temblor, que delataba la tiranía del sistema nervioso sobre su debilitado organismo. El temblor, por fin, fue disminuyendo y cesando... Nucha se volvió, con los ojos secos y los nervios domados ya.

* quería.

XXIV

política
la produciron
1868

Poco después sufrió una metamorfosis el vivir entumecido y soñoliento de los Pazos. Entró allí cierta hechicera más poderosa que la señora María la Sabia: la política, si tal nombre merece el enredijo de intrigas y miserias que en las aldeas lo recibe. Por todas partes cubre el manto de la política intereses egoístas y bastardos, apostasías y vilezas; pero al menos, en las capitales populosas, la superficie, el aspecto, y a veces los empeños de la lid, presentan carácter de grandiosidad. Ennoblece la lucha la grandiosidad. Ennoblece la lucha la magnitud del palenque: asciende a ambición la codicia, y el fin material se sacrifica, en ocasiones, al fin ideal de la victoria por la victoria. En el campo, ni aun por hipocresía o histrionismo se aparenta el menor propósito elevado y general. Las ideas no entran en juego, sino solamente las personas, y en el terreno más mezquino: rencores, odios, rencillas, lucro miserable, vanidad microbiológica. Un combate naval en una charca.

Forzoso es reconocer no obstante que en la época de la revolución la exaltación política, la fe en las teorías llevada al fanatismo, lograba infiltrarse doquiera, saneando con ráfagas de huracán el mefítico ambiente de las intrigas cuotidianas * en las aldeas. Vivía entonces España pendiente de una discusión de Cortes, de un grito que se daba aquí o acullá, en los talleres de un arsenal o en los

* cotidianas.

343

vericuetos de una montaña; y cada quince días o cada mes, se agitaban, se debatían, se querían resolver definitivamente cuestiones hondas, problemas que el legislador, el estadista y el sociólogo necesitan madurar lentamente, meditar quizás años enteros antes de descifrarlos; y que una multitud en revolución decide en pocas horas, mediante una acalorada discusión parlamentaria, o una manifestación clamorosa y callejera. Entre el almuerzo y la comida se reformaba, se innovaba una sociedad; fumando un cigarrillo se descubrían nuevos principios, y en el fondo de la vorágine batallaban las dos grandes soluciones de raza, ambas fuertes porque se apoyaban en *algo* secular, lentamente sazonado al calor de la historia: la monarquía absoluta y la constitucional, por entonces disfrazada de monarquía democrática.

La conmoción del choque llegaba a todos lados, sin exceptuar las fieras montañas que cercaban * a los Pazos de Ulloa. También allí se politiqueaba. En las tabernas de Cebre, el día de la feria, se oía hablar de libertad de cultos, de derechos individuales, de abolición de quintas, de federación, de plebiscito [124] —pronunciación no garantizada, ** por supuesto—. Los curas, al terminar las funciones, entierros y misas solemnes, se demoraban en el atrio, discutiendo con calor algunos síntomas recientes y elocuentísimos, la primera salida de aquellos famosos *cuatro sa-*

---

* cercan.

[124] Eran, en efecto, los temas que se debatían en el momento. Tras la revolución de 1868, el Gobierno provisional convoca Cortes Constituyentes, elegidas ya por sufragio universal, que preparan y aprueban la Constitución de 1869. El programa democrático defendía, como principales logros de la revolución, el sufragio universal masculino, la libertad religiosa, la libertad de prensa y de asociación (que pasaron a la Constitución). Progresistas y unionistas impusieron una monarquía constitucional como forma de Gobierno, con la exclusión de Isabel II y sus descendientes. El partido republicano, cuyo máximo teórico era Pi y Margall, defendía el federalismo, la reducción del ejército y la abolición de las quintas, sistema de reclutamiento por sorteo que perjudicaba a las clases bajas, ya que los ricos podían comprar su exclusión.

** pronunciado como Dios quería.

cristanes, y otras menudencias. El señorito de Limioso, tradicionalista inveterado como su padre y abuelo, había hecho dos o tres misteriosas excursiones hacia la parte del Miño, cruzando la frontera de Portugal, y susurrábase que celebraba entrevistas en Tuy con ciertos pájaros; afirmábase también que las señoritas de Molende estaban ocupadísimas construyendo cartucheras y no sé qué más arreos bélicos, y a cada paso recibían secretos avisos de que se iba a practicar un registro en su casa.

Sin embargo, los entendidos y prácticos en la materia comprendían que cualquier intentona a mano armada en territorio gallego se quedaría en agua de cerrajas, y que por más rumores que corriesen acerca de armamentos y organización en Portugal, venidas de tropa, nombramientos de oficialidad, etc., la verdadera batalla que allí se librase no sería en los campos, sino en las urnas; no por eso más incruenta. Gobernaban a la sazón el país los dos formidables caciques abogado el uno y secretario el otro del Ayuntamiento de Cebre: esta villita y su región comarcana temblaban bajo el poder de entrambos. Antagonistas perpetuos, su lucha, como la de los dictadores romanos, no debía terminarse sino con la pérdida y muerte del uno. Escribir la crónica de sus hazañas, de sus venganzas, de sus manejos, * fuera cuento de nunca acabar. Para que nadie piense que sus proezas eran cosa de risa, importa advertir que alguna de las cruces que encontraba el viajante por los senderos, algún techo carbonizado, algún hombre sepultado en presidio para toda su vida, podían dar razón de tan encarnizado antagonismo.

Conviene saber que ninguno de los dos adversarios tenía ideas políticas, dándoseles un bledo de cuanto entonces se debatía en España; mas por necesidad estratégica, representaba y encarnaba cada cual una tendencia y un partido: Barbacana, moderado antes de la Revolución, se declaraba ahora carlista; Trampeta, unionista bajo O'Donnell, avanzaba hacia el último confín del liberalismo vencedor.

* trapisondas.

Barbacana era más grave, más autoritario, más obstinado e implacable en la venganza personal, más certero en asestar el golpe, más ávido e hipócrita, encubriendo mejor sus alevosas trazas para desmantecar al desventurado colono; era además hombre que prefería servirse de medios legales y manejar el código, diciendo que no hay tan seguro modo de acabar con un enemigo como empapelarlo; si no guarnecían tantas cruces los caminos por culpa de Barbacana, las cárceles hediondas del distrito antaño, y hogaño las murallas de Ceuta y Melilla, podían revelar hasta dónde se extendía su influencia. En cambio, Trampeta, si justificando su apodo no desdeñaba los enredos jurídicos, solía proceder con más precipitación y violencia que Barbacana, asegurando la retirada menos hábilmente; así es que su adversario le tuvo varias veces cogido entre puertas, y por punto no le aniquiló. Trampeta poseía en desquite gran fertilidad de ingenio, suma audacia, expedientes impensados con que salir de los más graves compromisos; Barbacana servía mejor para preparar desde su habitación una emboscada, hurtando el cuerpo después; Trampeta, para ejecutarla en persona y con fortuna. La comarca aborrecía a entrambos, pero Barbacana inspiraba más terror por su genio sombrío. En aquella ocasión Trampeta, encargado de representar las ideas dominantes y oficiales, se creía seguro de la impunidad, aunque quemase a medio Cebre y apalease, encausase y embargase al otro medio. Barbacana, con la superioridad de su inteligencia, y aun de su instrucción, comprendía dos cosas: primera, que se había arrimado a pared más sólida, a gente que no desampara a sus amigos; segunda, que cuando se le antojase pasarse con armas y bagajes al campo opuesto, conseguiría siempre hundir a Trampeta. Ya había tirado sus líneas para el caso próximo de la elección de diputados.

Trampeta, con actividad vertiginosa, *hacía la cama* al candidato del gobierno. Muy a menudo iba a la capital de provincia, a conferenciar con el gobernador: en tales ocasiones el secretario, calculando que hombre prevenido vale por dos, ni olvidaba las pistolas, ni omitía hacerse

escoltar por sus seides más resueltos, pues no ignoraba
que Barbacana tenía a sus órdenes mozos de pelo en
pecho, verbigracia, el temible Tuerto de Castrodorna.
Cada viaje era una viña para el bueno del secretario,
y muy beneficioso para los suyos: poco a poco las hechuras de Barbacana iban cayendo, y estancos, alguacilatos,
guardianía de la cárcel, peones camineros, toda la plan-
tilla oficial de Cebre, quedando a gusto de Trampeta. (Sólo
no pudo meterle el diente al juez, protegido en altas regiones por un pariente de la señora jueza, persona de viso.)
Obtuvo también que se hiciese la vista gorda en muchas
cosas, que se cerrasen los ojos en otras, y que respecto
a algunas sobreviniese ceguera total; y con esto y con las
facultades latas de que se hallaba investido, declaró, puesta la mano en el pecho, que respondía de la elección de
Cebre.

Durante este período, Barbacana se hacía el muerto,
limitándose a apoyar débilmente, como por compromiso,
al candidato propuesto por la Junta carlista orensana, y
recomendado por el Arcipreste de Loiro y los curas más
activos, como el de Boan, el de Naya, el de Ulloa. Bien
se dejaba comprender que Barbacana no tenía fe en el
éxito. El candidato era una excelente persona de Orense,
instruido, consecuentísimo tradicionalista, pero sin arraigo
en el país y con fama de poca malicia política. Sus mismos correligionarios no estaban a bien con él, por con-
ceptuarle más hombre de bufete que de acción e intriga.

Así las cosas, empezó a notarse que Primitivo, el montero mayor de los Pazos, venía a Cebre muy a menudo;
y como allí se repara todo, se observó también que, además de las acostumbradas estaciones en las tabernas, Primitivo se pasaba largas horas en casa de Barbacana. Éste
vivía casi bloqueado en su domicilio, porque Trampeta,
envalentonado con la embriaguez del poder, profería amenazas, asegurando que Barbacana recibiría su pago en una
corredoira (camino hondo). No obstante, el abogado se
arriesgó a salir en compañía de Primitivo, y viéronse ir
y venir curas influyentes y caciques subalternos, muchos
de los cuales fueron también a los Pazos, unos a comer,

otros por la tarde. Y como no hay secreto bien guardado entre tres, y menos entre tres docenas, el país y el Gobierno supieron pronto la gran noticia: el candidato de la Junta se retiraba de buen grado, y en su lugar Barbacana apoyaba, con el nombre de independiente, a don Pedro Moscoso, conocido por marqués * de Ulloa.

Desde que se enteró del complot, Trampeta pareció atacado del baile de San Vito. Menudeó viajes a la capital: eran de oír sus explicaciones y comentarios en el despacho del gobernador. Todo lo arma —decía él— ese cerdo cebado del Arcipreste, unido al faccioso del cura de Boan e instigando al usurero del mayordomo de los Pazos, el cual a su vez mete en danza al malcriado del señorito, que está enredado con su hija. ¡Vaya un candidato —exclamaba frenético—, vaya un candidato que los neos escogen! ¡Siquiera el otro era persona honrada! (Y alzaba mucho la voz al llegar a esto de la honradez.)

Viendo el Gobernador que el cacique perdía absolutamente la sangre fría, comprendió que el negocio andaba mal parado, y le preguntó severamente:

—¿No ha respondido usted de la elección, con cualquier candidato que se presentase?

—Sí señor, sí señor... —repuso apresuradamente Trampeta—. Sino que considérese: ¿quién contaba con semejante cosa del otro mundo?

Atropellándose al hablar de pura rabia y despecho, insistió en que nadie imaginaría que el marqués de Ulloa, un señorito que sólo pensaba en cazar, se echase a político; que a pesar de la gran influencia de la casa y de ejercer su nombre bastante prestigio entre los paisanos, ** la aristocracia montañesa y los curas, la tentativa importaría un comino si no la hubiese tomado de su cuenta Barbacana y no le ayudase un poderoso cacique subalterno, que antes fluctuaba entre el partido de Barbacana y el de Trampeta, pero en esta ocasión se había decidido, y era

* el marqués.
** los labriegos.

el mismo mayordomo de los Pazos, hombre resuelto y sutil como un zorro, que disponía de numerosos votos seguros, pues muchísima gente le debía cuartos; que tenía esquilmada la casa de Ulloa, a cuyas expensas se enriquecía con disimulo; y que este solemne bribón, al arrimo del gran encausador Barbacana, se alzaría con el distrito, si no se llevaba el asunto a rajatabla y sin contemplaciones.

Quien conozca poco o mucho el mecanismo electoral no dudará que el Gobernador hizo jugar el telégrafo para que sin pérdida de tiempo, y por más influencias que se atravesasen, fuese removido el juez de Cebre y las pocas hechuras de Barbacana que en el distrito restaban ya. Deseaba el Gobernador triunfar en Cebre sin apelar a recursos extraordinarios y arbitrariedades de monta, pues sabía que, si no era probable que jamás se levantasen allí partidas, en cambio la sangre humana manchaba a menudo mesas y urnas electorales; pero la nueva combinación le obligaba a no reparar en medios y conferir al insigne Trampeta poderes ilimitados...

Mientras el secretario se prevenía, el abogado no se dormía en las pajas. La aceptación del señorito, al pronto, le había vuelto loco de contento. No tenía don Pedro ideas políticas, aun cuando se inclinaba al absolutismo, creyendo inocentemente que con él vendría el restablecimiento de cosas que lisonjeaban su orgullo de raza, como por ejemplo, los vínculos y mayorazgos; fuera de esto, inclinábase al escepticismo indiferente de los labriegos, y era incapaz de soñar, como el caballeresco hidalgo de Limioso, en la quijotada de entrar por la frontera del Miño a la cabeza de doscientos hombres. Mas a falta de pasión política, le impulsó a aceptar la diputación su vanidad. Él era la primera persona del país, la más importante, la de origen más ilustre: su familia, desde tiempo inmemorial, figuraba al frente de la nobleza comarcana; en esto hizo hincapié el Arcipreste de Loiro para convencerle de que le correspondía la representación del distrito. Primitivo no desarrolló mucha elocuencia para apoyar la demostración del Arcipreste: limitóse a decir, empleando un expresivo plural y cerrando el puño:

—Tenemos al país así.

Desde que corrió la noticia comenzó el señorito a sentirse halagado por la especie de pleito-homenaje que se presentaron a rendirle infinidad de personas, todo el señorío de los contornos, el clero casi unánime, y los muchos adictos y partidarios de Barbacana, capitaneados por este mismo. A don Pedro se le ensanchaba el pulmón. Bien entendía que Primitivo estaba entre bastidores; pero al fin y al cabo, el incensado era él. Mostró aquellos días gran cordialidad y humor excelente y campechano. Hizo caricias a su hija y ordenó se le pusiese un traje nuevo, con bordados, para que la viesen así las señoritas de Molende, que se proponían no contribuir con menos de cien votos al triunfo del representante de la aristocracia montañesa. Él también —porque los candidatos noveles tienen su época de cortejos en que rondan * la diputación como se ronda a las muchachas, y se afeitan con esmero y tratan de lucir sus prendas físicas— cuidó algo más de su persona, lamentablemente desatendida desde el regreso a los Pazos, y como estaba entonces en el apogeo de su belleza, más bien masculina que varonil, las muñidoras electorales se ufanaban de enviar tan guapo mozo al Congreso. Por entonces, la pasión política sacaba partido hasta de la estatura, del color del pelo, de la edad.

Desde que empezó a hervir la olla, hubo en los Pazos mesa franca: se veía correr ** a Filomena y a Sabel por los salones adelante, llevando y trayendo bandejas con tostado, jerez y bizcochos; oíase el retintín de las cucharillas en las tazas de café, y el choque de los vasos. Abajo, en la cocina, Primitivo obsequiaba a sus gentes con vino del Borde y tarterones de bacalao, grandes fuentes de berzas y cerdo. A menudo se juntaban ambas mesas, la de abajo y la de arriba, y se discutía, y se reía y se contaban cuentos subidos de color, y se despellejaba a azadonazos —porque no cabe nombrar el escalpelo— a Trampeta y a los

* rondan a.
** corrían.

de su bando, removiendo entre risotadas, cigarros e inter-
jecciones, el inmenso detritus de trampas mayores y menores en que descansaba la fortuna del Secretario de Cebre.

—De esta vez —decía el cura de Boan, viejo terne y
firme que echaba fuego por los ojos y gozaba fama del
mejor cazador del distrito después de Primitivo—, de esta
vez los fastidiamos, ¡*quoniam!*

Nucha no asistía a las sesiones del comité. Se presentaba únicamente cuando las visitas eran tales que lo re-
querían; atendía a suministrar las cosas indispensables
para el perenne festín; pero huía de él. Tampoco Julián
bajaba sino rara vez a las asambleas, y en ellas apenas
descosía los labios, mereciendo por esto que el cura de
Ulloa se ratificase en su opinión de que los capellanes
atildados no sirven para nada de provecho. No obstante,
apenas averiguó el comité que Julián tenía bonita letra
cursiva y ortografía asaz correcta, se echó mano de él
para misivas de compromiso. Además, le cayó otra ocupación.

Sucedió que el Arcipreste de Loiro, que había conocido
y tratado mucho a la señora doña Micaela, madre de don
Pedro, quiso ver otra vez toda la casa, y también la capilla, donde algunas veces había dicho misa en vida de la
difunta, que esté en gloria. Don Pedro se la mostró de
mala gana, y el Arcipreste se escandalizó al entrar. Estaba
la capilla casi a tejavana: la lluvia corría por el retablo
abajo; las vestiduras de las imágenes parecían harapos;
todo respiraba el mayor abandono, el frío y tristeza especial de las iglesias descuidadas. Julián ya se encontraba
cansado de soltar indirectas al marqués sobre el estado
lastimoso de la capilla, sin obtener resultado alguno; mas
el asombro y las lamentaciones del Arcipreste arañaron
en la vanidad del señor de Ulloa, y consideró que sería
de buen efecto, en momentos tales, lavarle la cara, repa-
rarla un poco. Se retejó con bastante celeridad, y con la
misma un pintor, pedido a Orense, pintó y doró el retablo y los altares laterales, de suerte que la capilla parecía
otra, y don Pedro la enseñaba con orgullo a los curas,

a los señoritos, a la caciquería barbacanesca. Sólo faltaba ya trajear decentemente a los santos y recoser ornatos y mantelillos. De esta faena se encargó Nucha, bajo la dirección de Julián. Con tal motivo, refugiados en la capilla solitaria, no llegaba hasta ellos el barullo del club electoral. Entre el capellán y la señorita desnudaban a San Pedro, peinaban los rizos de la Purísima, ribeteaban el sayal de San Antón, fregoteaban la aureola del Niño Jesús. Hasta la boeta [125] de las ánimas del Purgatorio fue cuidadosamente lavada y barnizada de nuevo, y las ánimas en pelota, larguiruchas, acongojadas, rodeadas de llamas de almazarrón, salieron a luz en toda su edificante fealdad. Era semejante ocupación dulcísima para Julián: corrían las horas sin sentir en el callado recinto, que olía a pintura fresca y a espadaña traída por Nucha para adornar los altares; mientras armaba en un tallo de alambre una hoja de papel plateado o pasaba un paño húmedo por el vidrio de una urna, no necesitaba hablar: satisfacción interior y apacible le llenaba el alma. A veces, Nucha no hacía más que mandar la maniobra, sentada en una silleta baja con su niña en brazos (no quería apartarla de sí un instante). Julián trabajaba por dos: tenía una escala y se encaramaba a lo más alto del retablo. No se atrevía a preguntar nada acerca de asuntos íntimos, ni a averiguar si la señorita había tenido con su esposo conversación decisiva respecto a Sabel; pero notaba el aire abatido, las denegridas ojeras, el frecuente suspirar de la esposa, y sacaba de estos indicios la natural consecuencia. Otros síntomas percibió que le acaloraron la fantasía, dándole no poco en qué cavilar. Nucha mostraba vehemente exaltación del cariño maternal de algún tiempo a esta parte. Apenas se separaba de la chiquita, cuando desasosegada e inquieta, salía a buscarla, a ver qué le sucedía. En una ocasión no encontrándola donde presumía, * comenzó a exhalar gritos desgarradores, exclamando: "¡Me la roban... me la

_____

[125] Se llama así en gallego la arqueta o cepillo para las limosnas.
* pensaba.

roban!" Por fortuna el alma se acercaba ya trayendo a la pequeña en brazos. A veces la besaba con tal frenesí, que la criatura rompía en llanto. Otras se quedaba embelesada mirándola con dulce e inefable sonrisa; y entonces Julián recordaba siempre las imágenes de la Virgen Madre, atónita de su milagrosa maternidad. Mas los instantes de amor tranquilo eran breves, y continuos los de sobresalto y dolorosa ternura. No consentía a Perucho acercarse por allí. Su fisonomía se alteraba al divisar el * niño; y éste, arrastrándose por el suelo, olvidando sus travesuras diabólicas, sus latrocinios, su afición al establo, se emboscaba a la entrada de la capilla para ver salir a la nena y hacerle mil garatusas, que ella pagaba con risas de querubín, con júbilo desatinado, con el impulso de todo su cuerpecillo proyectado hacia adelante, impaciente por lanzarse de brazos del ama a los de Perucho.

Un día notó Julián en Nucha algo más serio aún: no ya expresión de melancolía, sino hondo decaimiento físico y moral. Sus ojos se hallaban encendidos y abultados, como de haber llorado mucho tiempo seguido; su voz era desmayada y fatigosa; sus labios estaban resecos, tostados por la calentura y el insomnio. Allí no se veía ya la espina del dolor que lentamente va hincándose, pero el puñal clavado de golpe hasta el pomo. Semejante espectáculo dio al traste con la prudencia del capellán.

—Usted está mala, señorita. A usted le pasa algo hoy.

Nucha meneó la cabeza intentando sonreír.

—No tengo nada.

Lo doliente y debilitado del acento la desmentía.

—Por Dios, señorita, no me responda que no... ¡Si lo estoy viendo! Señorita Marcelina... ¡Válgame mi patrono San Julián! ¡Que no he de poder yo servirle de algo, prestarle ayuda o consuelo! Soy una persona humilde, inútil; pero con la intención, señorita, soy grande como una montaña. ¡Quisiera, se lo digo con el corazón, que me mandase, que me mandase!

Hacía estas protestas esgrimiendo un paño untado de

* al.

tiza contra las sacras, [126], cuyo cerco de metal limpiaba con
denuedo, sin mirarlo.

Alzó Nucha los ojos, y en ellos lució un rayo instantáneo, un impulso de gritar, de quejarse, de pedir auxilio...
Al punto se apagó la llamarada, y encogiéndose de hombros levemente, la señorita repitió:

—No tengo nada, Julián.

En el suelo había una cesta llena de hortensias y rama
verde, destinada al adorno de los floreros; Nucha empezó
a colocarla con la destreza y delicadeza graciosa que demostraba en el desempeño de todos sus domésticos que-
haceres. Julián, entre embelesado y afligido, seguía con la
vista el arreglo de las azules flores en los tarros de loza, el
movimiento de las manos enflaquecidas al través de las
hojas verdes. Notó que caía sobre ellas una gota de agua,
gruesa, límpida, no procedente de la humedad del rocío
que aún bañaba las hortensias. Y casi al tiempo mismo
advirtió otra cosa, que le cuajó la sangre de horror: en
las muñecas de la señora de Moscoso se percibía una señal
circular, amoratada, oscura... Con lucidez repentina el
capellán retrocedió dos años, escuchó de nuevo los queji-
dos de una mujer maltratada a culatazos, recordó la cocina, el hombre furioso... Completamente fuera de sí dejó
caer las sacras, y tomó las manos de Nucha para convencerse de que en efecto existía la siniestra señal...

Entraban a la sazón por la puerta de la capilla muchas
personas; las señoritas de Molende, el juez de Cebre, el
cura de Ulloa, conducidos por don Pedro, que los traía allí
con objeto de que admirasen los trabajos de restauración.
Nucha se volvió precipitadamente; Julián, trastornado,
contestó balbuciendo al saludo de las señoritas. Primitivo,
que venía a retaguardia, clavaba en él su mirada directa
y escrutadora.

[126] "Cada una de las tres hojas, impresas o manuscritas, que en
sus correspondientes tablas, cuadros o marcos con cristales, se
suelen poner en el altar para que el sacerdote pueda leer cómo-
damente algunas oraciones y partes de la misa sin recurrir al mi-
sal" *(Dicc. de la RAE).*

XXV

Si unas elecciones durasen mucho, acabarían con quien las maneja, a puro cansancio, molimiento y tensión del cuerpo y del espíritu, pues los odios enconados, la perpetua sospecha de traición, las ardientes promesas, las amenazas, las murmuraciones, las correrías y cartas incesantes, los mensajes, las intrigas, la falta de sueño, las comidas sin orden, componen una existencia vertiginosa e inaguantable. Acerca de los inconvenientes prácticos del sistema parlamentario estaban muy de acuerdo la yegua y la borrica que, con un caballo recio y joven nuevamente adquirido por el mayordomo para su uso privado, completaban las caballerizas de los Pazos de Ulloa. ¡Buenas cosas pensaban ellos de las elecciones allá en su mente asnal y rocinesca, mientras jadeaban exánimes de tanto trotar, y humeaba todo su pobre cuerpo bañado en sudor!

¡Pues qué diré de la mula * en que Trampeta solía hacer sus excursiones a la capital! Ya las costillas le agujereaban la piel, de tan flaca como se había puesto. Día y noche estaba el insigne cacique atravesado en la carretera, y a cada viaje la elección de Cebre se presentaba más dudosa, más peliaguda, y Trampeta, desesperado, vociferaba en el despacho del gobernador que importaba desplegar fuerza, destituir, colocar, asustar, prometer y, sobre todo,

---

* mulita.

que el candidato cunero [127] del gobierno aflojase la bolsa, pues de otro modo el distrito se largaba, se largaba, se largaba de entre las manos.

—¿Pues no decía usted —gritó un día el gobernador con vehementes impulsos de mandar al infierno al gran secretario— que la elección no sería muy costosa; que los adversarios no podían gastar nada; que la Junta carlista de Orense no soltaba un céntimo, que la casa de los Pazos no soltaba un céntimo tampoco, porque a pesar de sus buenas rentas está siempre a la quinta pregunta?

—Ahí verá usted, señor —contestó Trampeta—. Todo eso es mucha verdad; pero hay momentos en que el hombre... pues... cambia sus *auciones,* como usted me enseña. (Trampeta tenía esta muletilla.) El marqués de Ulloa...

—¡Qué marqués ni qué calabazas! —interrumpió con impaciencia el gobernador.

—Bueno, es una costumbre que hay de llamarle así... Y mire usted que llevo un mes de *porclamar* en todos lados que no hay semejante marqués, que el gobierno le ha sacado el título para dárselo a otro más liberal, y que ese título de marqués quien se lo ha ofrecido es Carlos siete, para cuando venga * la Inquisición y el diezmo, como usted me enseña...

—Adelante, adelante —exclamó el gobernador, que aquel día debía de estar nervioso—. Decía usted que el marqués o lo que sea... en vista de las circunstancias...

—No reparará en un par de miles de duros más o menos, no ** señor.

—¿Si no los tenía, los habrá pedido?

—¡Catá! Los ha pedido a su suegro de Santiago; y como el suegro de Santiago no tiene tampoco una peseta disponible, como usted me enseña... héteme aquí que se los ha dado el suegro de los Pazos.

---

[127] Se llama así al candidato extraño al distrito y patrocinado por el Gobierno.
* vengan.
** señor.

—¿Se le cuentan dos suegros a ese candidato carlista? —preguntó el gobernador, que a su pesar se divertía con los chismes del secretario.

—No será el primero, como usted me enseña —dijo Trampeta riéndose de la chuscada. Ya entiende por quién hablo..., ¿eh?

—¡Ah!, sí, la muchacha esa que vivía en la casa antes de que Moscoso se casase, y de la cual tiene un hijo... Ya ve usted cómo me acuerdo.

—El hijo... el hijo será de quien Dios disponga, señor gobernador... Su madre lo sabrá... si es que lo sabe.

—Bien, eso para la elección importa un rábano... Al grano: los recursos de que Moscoso dispone...

—Pues se los ha facilitado el mayordomo, el Primitivo, el suegro *de cultis*... Y usted me preguntará: ¿cómo un infeliz mayordomo tiene miles de duros? Y yo respondo: prestando a réditos del ocho por ciento al mes, y más los años de hambre, y metiendo miedo a todo el mundo para que le paguen bien y no le nieguen una miserable deuda de un duro... Y usted dirá: ¿de dónde saca ese Primitivo o ese ladrón el dinero para prestar? Y yo replico: del bolsillo de su mismo amo, robándole en la venta del fruto, dándolo a un precio y abonándoselo a otro, engañándole en la administración y en los arriendos, pegándosela, como usted me enseña, por activa y por pasiva... Y usted dirá...

Este modo dialogado era un recurso de la oratoria trampetil, del cual echaba mano cuando quería persuadir al auditorio. El gobernador le interrumpió:

—Con permiso de usted lo diré yo mismo. ¿Qué cuenta le tiene a ese galopín prestarle a su amo los miles de duros que tan trabajosamente le ha cogido?

—¡Me caso!... —votó el secretario—. Los miles de duros, como usted me enseña, no se prestan sin hipoteca, sin garantías de una *clas* o de otra, y el Primitivo no ha nacido en el año de los tontos. Así queda seguro el capital y el amo sujeto.

—Comprendo, comprendo —articuló con viveza el gobernador. Queriendo dar una muestra de su penetración, añadió: "Y le conviene sacar diputado al señorito, para disponer de más influencia en el país y poder hacer todo cuanto le acomode..."

Trampeta miró al funcionario con la mezcla de asombro y de gozosa ironía que las personas de educación inferior muestran cuando oyen a las más elevadas decir una simpleza gorda.

—Como usted me enseña, señor gobernador —pronunció— no hay nada de eso... Don Pedro, diputado de oposición o independiente o conforme les dé la gana de llamarle, servirá de tanto a los suyos como la carabina de Ambrosio... Primitivo, arrimándose a un servidor de usted o al judío, con perdón, de Barbacana, conseguiría lo que quisiese, ¿eh?, sin necesidad de sacar diputado al amo... Y Primitivo, hasta que le dio la ventolera, siempre fue de los míos... Zorro como él, no lo hay en toda la provincia... Ése ha de acabar por envolvernos a Barbacana y a mí.

—Y entonces Barbacana ¿por qué se ha declarado a favor del señorito?

—Porque Barbacana va con los curas a donde lo lleven. Ya sabe lo que hace... usted, un suponer, está ahí hoy y se larga mañana; pero los curas están siempre, y lo mismo el señorío... los Limiosos, los Méndez...

Y dando suelta al torrente de su rencor, el cacique añadió apretando los puños:

—¡Me caso con Dios! Mientras no hundamos a Barbacana, no se hará nada en Cebre.

—¡Corriente! Pues facilítenos usted la manera de hundirlo. Ganas no faltan.

Trampeta se quedó un rato pensativo, y con la cuadrada uña del pulgar, quemada del cigarro, se rascó la perilla.

—Lo que yo cavilo, es ¿qué cuenta * le tendrá al raposo de Primitivo esta diputación del amo?... Ahora se aprovecha de dos cosas: lo que le pilla como hipoteca y lo que le mama corriendo con los gastos electorales y presentándole luego, como usted me enseña, las cuentas del Gran

---

* que rayo de cuenta.

Capitán... Pero si vencen y me hacen diputado a mi señor don Pedro, y éste vuela para *Madrí*, y allí pide cuartos por otro lado, que sí pedirá, y abre el ojo para ver las picardías de su mayordomo, y no se vuelve a acordar de la moza ni del chiquillo... entonces...

Tornó a rascarse la perilla, suspenso y meditabundo, como el que persigue la solución de un problema muy intrincado. Sus agudísimas facultades intelectuales estaban todas en ejercicio. Pero no daba con el cabo de la madeja.

—Al caso —insistió el gobernador—. De lo que se trata es de que no nos derroten vergonzosamente. El candidato es primo del ministro; hemos respondido de la elección.

—Contra el candidato de la Junta de Orense.

—¿Piensa usted que allá admiten esas distinciones? Estamos a triunfar contra cualquiera. No andemos con circunloquios; ¿cree usted que vamos a salir rabo entre piernas? * ¿Sí o no?

Trampeta permanecía indeciso. Al cabo levantó la faz, con el orgullo de un gran estratégico, seguro siempre de inventar algún ardid para burlar al enemigo.

—Mire usted —dijo— hasta la fecha Barbacana no ha podido acabar con este cura, aunque me ha jugado dos o tres buenas... Pero a jugarlas no me gana él ni Dios... Sólo que a mí no se me ocurren las mejores tretas hasta que tocan a romper el fuego... Entonces ni el diablo discurre lo que yo discurro. Tengo aquí —y se dio una puñada en la negruzca frente— una cosa que rebulle, pero que aún no sale por más que hago... Saldrá, como usted me enseña, cuando llegue el mismísimo punto *resfinado* de la ocasión...

Y blandiendo el brazo derecho repetidas veces de arriba abajo, como un sable, añadió en voz hueca:

—Fuera miedo. ¡Se gana!

Mientras el secretario cabildeaba con la primera autoridad civil de la provincia, Barbacana daba audiencia al

* con el rabo entre las piernas.

Arcipreste de Loiro, que había querido ir en persona a tomar noticias de cómo andaban los negocios por Cebre, *
y se arrellanaba en el despacho del abogado, sorbiendo,
por *jusique* [128] de plata, polvos de un rapé Macuba, que
acaso nadie gastaba ya sino él en toda Galicia, y que le
traían de contrabando, con gran misterio y cobrándole un
dineral.

El Arcipreste, a quien en Santiago conocían por el apodo de *Sobres de Envelopes,* a causa de una candorosa pregunta en mal hora formulada en una tienda, había sido
en otro tiempo, cuando simple abad de Anles, el mejor
instrumento electoral conocido. Dijéronle una vez que iba
perdida la elección que él manejaba; gritó él furioso:
"¿Perder el cura de Anles una elección?", y al gritar,
dio el más soberano puntapié a la urna, que era un puchero, haciéndola volar en miles de pedazos, desparraman-
do las cédulas y logrando, con tan sencillo expediente, que
su candidato triunfase. La hazaña le valió la gran cruz de
Isabel la Católica. En el día, obesidad, años y sordera le
impedían tomar parte activa, pero quedábale la afición
y el compás, no habiendo para él cosa tan gustosa como
un electoral cotarro.

Siempre que el Arcipreste venía a Cebre, pasaba un
ratito en el estanco y cartería, donde se charlaba de política por los codos, se leían papeles de Madrid, y se en-
mendaba la plana a todos los gobernantes y estadistas
habidos y por haber, oyéndose a menudo frases del corte
siguiente: "Yo presidente del Consejo de Ministros, arreglo eso de una plumada." "Yo que Prim, no me arredro
por tan poco.» Y aún solía levantarse la voz de algún
tonsurado exclamando: "Pónganme a mí donde está el
papa, y verán cómo lo resuelvo mucho mejor en un pe-
riquete."

Al salir de casa de Barbacana, encontró el Arcipreste

---

* en Cebre.
[128] Era un recipiente pequeño de cuello largo acabado en agujeros que se aplicaban a la nariz para sorber los polvos de tabaco. Se usaba, sobre todo, en Galicia y Asturias.

en la cartería al juez y escribano, y a la puerta a don Eugenio, desatando su yegua de una argolla y dispuesto a montar.

—Aguárdate un poco, Naya —le dijo familiarmente, dándole, según costumbre entre curas, el nombre de su parroquia—. Voy a ver los partes de los periódicos, y después nos largamos juntos.

—Yo tomo hacia los Pazos.

—Yo también. Di allá en la posada que me traigan aquí la mula.

Cumplió don Eugenio el encargo diligentemente, y a poco ambos eclesiásticos, envueltos en cumplidos montecristos, [129] atados los sombreros por debajo de la barba con un pañuelo para que no se los llevase el viento fuerte que corría, bajaban el repecho de la carretera al sosegado paso de sus monturas. Naturalmente hablaban de la batalla próxima, del candidato y de otras particularidades referentes a la elección. El Arcipreste lo veía todo muy de color de rosa, * y estaba tan cierto de vencer, que ya pensaba en llevar la música de Cebre a los Pazos para dar serenata al diputado electo. Don Eugenio, aunque animado, no se las prometía tan felices. El gobierno dispone de mucha fuerza, ¡qué diantre! y cuando ve la cosa mal parada, recurre a la coacción, haciendo las elecciones por medio de la Guardia Civil. Todo eso de Cortes era, según dicho del abad de Boán, una solemnísima farsa.

—Pues por esta vez —contestaba el Arcipreste, manoteando y bufando para desenredarse de la esclavina del montecristo, que el viento le envolvía alrededor de la cara— por esta vez, les hemos de hacer tragar saliva. Al menos el distrito de Cebre enviará al congreso una persona decente, hijo del país, jefe de una casa respetable y antigua, que nos conoce mejor que esos pillastres venidos de fuera.

—Eso es muy cierto —respondió don Eugenio, que rara vez contradecía de frente a sus interlocutores—; a

---

[129] Abrigo en forma de capa de tela fuerte.

* todo de color de rosa.

mí me gusta, como al que más, que la casa de los Pazos de Ulloa represente a Cebre; y si no fuese por cosas que todos sabemos...

El Arcipreste, muy grave, sorbió el *fusique* o cañuto. Amaba entrañablemente a don Pedro, a quien, como suele decirse, había visto nacer, y además profesaba el principio de respetar la alcurnia.

—Bien, hombre, bien —gruñó—: dejémonos de murmuraciones... Cada uno tiene sus defectos y sus pecados, y a Dios dará cuenta de ellos. No hay que meterse en vida ajenas.

Don Eugenio, como si no entendiese, insistió, repitiendo cuanto acababa de oír en la cartería de Cebre, donde se bordaban con escandalosos comentarios las noticias dadas por Trampeta al gobernador de la provincia. Todo lo refería gritando bastante, a fin de que el punto de sordera del Arcipreste, agravado por el viento, no le impidiese percibir lo más sustancial del discurso. El travieso y maleante clérigo gozaba lo indecible viendo al Arcipreste sofocado, abotargado, con la mano en la oreja a guisa de embudo, o introduciendo rabiosamente el *fusique* en las narices. Cebre, según don Eugenio, hervía en indignación contra don Pedro Moscoso; los aldeanos lo querían bien; pero en la villa, dominada por gentes que protegía Trampeta, se contaban horrores de los Pazos. De algunos días acá, justamente desde la candidatura del marqués, se había despertado en la población de Cebre un santo odio al pecado, una reprobación del concubinato y la bastardía, un sentimiento tan exquisito de rectitud y moralidad, que asombraba; siendo de advertir que este acceso de virtud se notaba únicamente en los satélites del secretario, gente en su mayoría de la cáscara amarga y nada edificante * en su conducta. Al enterarse de tales cosas, el Arcipreste se amorataba de furor.

—¡Fariseos, escribas! —rebufaba—. ¡Y luego nos llamarán a nosotros hipócritas! ¡Miren ustedes qué recato, qué decoro y qué vergüenza les ha entrado a los incir-

* de la cáscara amarga, nada edificante.

cuncisos de Cebre! (En boca del Arcipreste, *incircunciso* era tremenda injuria.) Como si el que más y el que menos de ese atajo de tunantes no tuviese hechos méritos para ir a presidio... ¡y al palo, sí señor, al palo!

Don Eugenio no podía contener la risa.

—Hace siete años, la friolera de siete años —tartamudeó el Arcipreste calmándose un poco, pero respirando trabajosamente a causa del mucho viento—, siete añitos que en los Pazos sucede... eso que tanto les asusta ahora... y maldito si se han acordado de decir esta boca es mía—. Pero con las elecciones... ¡Qué condenado de aire! Vamos a volar, muchacho.

—Pues aún murmuran cosas peores —gritó el de Naya.

—¿Eh? Si no se oye nada con este vendaval.

—Que aún dicen cosas más serias —voceó don Eugenio, pegando su inquieta yegüecilla a la reverenda mula del Arcipreste.

—Dirán que nos van a fusilar a todos... Lo que es a mí, ya me amenazó el secretario con formarme siete causas y meterme en chirona.

—Qué causas ni qué... Baje usted la cabeza... Así... Aunque estamos solos no quiero gritar mucho...

Agarrado don Eugenio al montecristo de su compañero, le explicó desde cerca algo que las alas del nordeste se llevaron aprisa, con estridente y burlón silbido.

—¡Caramelos! —rugió el Arcipreste, sin que se le ocurriese una sola palabra más. Tardó aún cosa de dos minutos en recobrar la expedición de la lengua y en poder escupir al ventarrón, cada vez más desencadenado y furioso, una retahíla de injurias contra los infames calumniadores del partido de Trampeta. El granuja de don Eugenio le dejó desahogar, y luego añadió:

—Aún hay más, más.

—¿Y qué más puede haber? ¿Dicen también que el señorito don Pedro sale a robar a los caminos? ¡Canalla de incircuncisos ésos, sin más Dios ni más ley que su panza!

—Aseguran que la noticia viene por persona de la misma casa.

—¿Eeeeh? Cargue el diablo con el viento.

—Que la noticia viene por persona de la misma casa de los Pazos... ¿Ya me entiende usted? Y don Eugenio guiñó el ojo.

—Ya entiendo, ya... ¡Corazones de perro, lenguas de escorpión! Una señorita que es la honradez en persona, de una familia tan buena no despreciando a nadie... ¡y calumniarla, y para más con un ordenado de misa! ¡Liberaluchos indecentes, de estos de por aquí, que se venden tres al cuarto! ¡Pero cómo está el mundo, Naya, cómo está el mundo!

—Pues también añaden...

—¡Caramelos! ¿Acabarás hoy? ¡Qué tormenta se prepara, María Santísima! ¡Qué viento... qué viento!

—Atiéndame, que esto no lo dicen ellos, sino Barbacana. Que esa persona de la casa —Primitivo, vamos— nos va a hacer una perrería gorda en la elección.

—¿Eeeh? ¿Tú *seque* chocheas? Para, mula, a ver si oigo mejor. ¿Que Primitivo...?

—No es seguro, no es seguro, no es seguro —vociferó el abad de Naya que se divertía más que en un sainete.

—¡Por vida de lo que malgasto, que esto ya pasa de raya! Hazme el favor de no volverme loco, ¿eh?, que para eso bastante tengo * con el viento maldito. ¡No quiero oír más! —Declaró esto en ocasión que su montecristo se alzaba rápidamente a impulsos de una ráfaga mayor, y se volvía todo hacia arriba, dejando al Arcipreste como suelen pintar a Venus en la concha. Así que logró remediar el percance, hizo trotar a su mula, y no se oyó en el camino más voz que la del nordeste, que allá a lo lejos, sacudiendo castañares y robledales, remedaba ** majestuosa sinfonía.

* tengo bastante.
** entonaba.

XXVI

Amortiguada la primera impresión, no se atrevía Julián a interrogar a Nucha sobre lo que había visto. Hasta recelaba ir al cuarto de la señorita. Algún fundamento tenía este recelo. Aunque de suyo confiado, creía notar el capellán que le espiaban. ¿Quién? Todo el mundo: Primitivo, Sabel, la vieja bruja, los criados. Como sentimos de noche, sin verla, la niebla húmeda que nos penetra y envuelve, así sentía Julián la desconfianza, la malevolencia, la sospecha, la odiosidad que iba * espesándose en torno suyo. Era cosa indefinible, pero patente. En dos o tres funciones a que asistió, figurósele que los curas le hablaban con acento hostil, que el Arcipreste le examinaba frunciendo el entrecejo, y que únicamente don Eugenio le manifestaba la acostumbrada cordialidad. Pero acaso fuesen éstas vanas cavilaciones, y quizá soñaba también al imaginarse que, a la mesa, don Pedro seguía continuamente la dirección de sus ojos y acechaba sus movimientos. Esto le fatigaba tanto más cuanto que un irresistible anhelo le obligaba a mirar a Nucha muy a menudo, reparando a hurtadillas si estaba más delgada, si comía con buen apetito, si se notaba *algo* nuevo en sus muñecas. La señal, oscura el primer día, fue verdeando y desapareciendo.

La necesidad de ver a la niña acabó por poder más que las vacilaciones de Julián. Arreglada ya la capilla,

* iban.

sólo en la habitación de su madre podía verla, * y allí fue, no bastándole el beso robado en el corredor, ** cuando el ama lo cruzaba con la nena en brazos. Iba la criatura saliendo de esa edad en que los niños parecen un lío de trapos, y sin perder la gracia y atractivo del ser indefenso y débil, tenía el encanto de la personalidad, de la soltura cada vez mayor de sus movimientos y conciencia de sus actos. Ya adoptaba posturas de ángel de Murillo; ya cogía un objeto y acertaba a llevarlo a la cálida boca, en la impaciencia de la dentición retrasada; ya ejecutaba con indecible monería ese movimiento cautivador entre todos los de los niños pequeños, de tender no sólo los brazos, sino el cuerpo entero, con abandono absoluto, hacia la persona que les es simpática; actitud que las nodrizas llaman *irse con la gente*. Hacía tiempo que la pequeña redoblaba la risa, y su carcajada melodiosa, repentina y breve, era sólo comparable a gorjeo de pájaro. Ningún sonido articulado salía aún de su boca, pero sabía expresar divinamente, con las onomatopeyas que según ciertos filólogos fueron base del lenguaje primitivo, [130] todos sus afectos y antojos; en su cráneo, que empezaba a solidificarse, por más que en el centro latiese aún la abierta mollera, se espesaba el pelo, de día en día más oscuro, suave aún como piel de topo; sus piececitos se desencorvaban, y los dedos, antes retorcidos, el pulgar vuelto hacia arriba, los otros botoncillos de rosa hacia abajo, se habituaban a la estación horizontal que exige el andar humano. Cada uno de estos grandes progresos en el camino de la vida era sorpresa y placer inefable para Julián, confirmando su dedicación paternal al ser que le dispensaba el favor insigne de tirarle de la cadena del reloj, manosearle los botones del chaleco, ponerle como nuevo de baba y leche. ¡Qué no haría él por servir de algo a la nenita idolatrada! A veces el cariño le inspiraba ideas fero-

---

* sólo podía verla en la habitación de su madre.
** en el pasillo.
[130] Típico comentario de autor de la Pardo Bazán, que gusta de demostrar sus conocimientos en toda clase de disciplinas.

res, como agarrar un palo y moler las costillas a Primitivo; coger un látigo y dar el mismo trato a Sabel. Pero
¡ay! Nadie puede usurpar el puesto del amo de casa, del
jefe de la familia; y el jefe... Al capellán le pesaba en
el alma la fundación de aquel hogar cristiano. Recta había sido la intención, y amargo el fruto. ¡Sangre del corazón daría él por ver a Nucha en un convento!

¿Qué arbitrio adoptar ya? Julián presentía los inmen-
sos inconvenientes de su intervención directa. Seguro de
la teoría, firme en el terreno hasta morir, faltábale la vigorosa palanca de los actos humanos, la iniciativa. En
aquella casa es indudable que andaban muchas cosas desquiciadas, otras torcidas y fuera de camino, el capellán
asistía al drama, temía un desenlace trágico, sobre todo
desde la famosa señal en las muñecas, que no le salía de
la acalorada imaginación; mostrábase taciturno; su color
sonrosado se trocaba en amarillez de cera: rezaba más
aún que de costumbre; ayunaba; decía la misa con el
alma elevada, como la diría en tiempos de martirio; deseaba ofrecer la existencia por el bienestar de la señorita;
pero, a no ser en uno de sus momentos de arrechucho
puramente nervioso, no podía, no sabía, no acertaba a dar
un paso, a adoptar una medida —aunque ésta fuese tan
fácil y hacedera como escribir cuatro renglones a don Manuel Pardo de la Lage, informándole de lo que ocurría a
su hija—. Siempre encontraba pretextos para aplazar toda
acción, tan socorridos como éste, verbigracia:

—Dejemos que pasen las elecciones.

Las elecciones le infundían esperanzas de que, si el señorito, elegido diputado, salía de la huronera, de entre la
gente inicua que lo prendía en sus redes, era posible que
Dios le tocase en el corazón y mudase de conducta.

Una cosa preocupaba mucho al buen capellán: ¿el señorito se iría solo a Madrid, o llevaría a su mujer y a la
pequeña? Julián ponía a Dios por testigo de que deseaba
esto último, si bien al pensar que podía suceder le entraba una hipocondría mortal. La idea de no ver más a nené
durante meses o años, de no tenerla en las rodillas montada
a *caballito,* de quedarse allí, frente a frente con Sabel,

como en oscuro pozo habitado por una sabandija, le era intolerable. Duro le parecía que se marchase la señorita, pero lo de la niña... lo de la niña...

—Si me la dejasen —pensaba— la cuidaría yo perfectamente.

Acercábase la batalla decisiva. Los Pazos eran un jubileo, un ir y venir de adictos y correveidiles, un entrar y salir de mensajes, de órdenes y contraórdenes, que le daban semejanza con un cuartel general. Siempre había en las cuadras caballos o mulas forasteras, masticando abundante pienso, y en los anchos salones se oía crujir incesante de botas altas, pisadas de fuertes zapatos, cuando no pateo de zuecos. Julián se tropezaba con curas sofocados, respirando bélico ardor, que le hablaban de *los trabajos*, pasmándose de ver que no tomaba parte en nada... ¡En tan solemne y crítica ocasión, el capellán de los Pazos no tenía derecho a dormir ni a comer!

Seguía reparando que algunos abades se mostraban con él así como airados o resentidos, en especial el Arcipreste, el más encariñado con la casa de Ulloa; pues mientras el cura de Boán y aun el de Naya atendían sobre todo al triunfo político, el Arcipreste miraba principalmente al esplendor del hidalgo solar, al buen nombre de los Moscosos.

Todo anunciaba que el señor de los Pazos se llevaría el gato al agua, a pesar del enorme aparato de fuerza desplegado por el gobierno. Se contaban los votos, se hacía un censo, se sabía que la superioridad numérica era tal, que las mayores diabluras de Trampeta no la echarían abajo. No disponía el gobierno en el distrito sino de lo que, pomposamente hablando, puede llamarse el elemento oficial. Si es verdad que éste influye mucho en Galicia, merced al carácter sumiso de los labriegos, allí en Cebre no podía contrapesar la acción de curas y señoritos reunidos en torno del formidable cacique Barbacana. El Arcipreste resoplaba de gozo. ¡Cosa rara! Barbacana mismo era el único que no se las contaba felices. Preocupado y de peor humor a cada instante, torcía el gesto cuando al

gún cura entraba en su despacho frotándose las manos
de gusto, a noticiarle adhesiones, caza de votos.

¡Qué elecciones aquéllas, Dios eterno! ¡Qué lid reñidísima, qué disputar el terreno pulgada a pulgada, empleando todo género de zancadillas y ardides! Trampeta parecía
haberse convertido en media docena de hombres para tram-
petear a la vez en media docena de sitios. Trueques de
papeletas, retrasos y adelantos de hora, falsificaciones,
amenazas, palos, no fueron arbitrios peculiares de esta
elección, por haberse ensayado en otras muchas; pero
uniéronse a las estratagemas usuales algunos rasgos de ingenio sutil, enteramente inéditos. En un colegio, las capas
de los electores del marqués se rociaron de aguarrás y se
les prendió fuego disimuladamente por medio de un fósforo, con que los infelices salieron dando alaridos, y no
aparecieron más. En otro se colocó la mesa electoral en
un descanso de escalera; los votantes no podían subir sino
de uno en uno, y doce paniaguados de Trampeta, haciendo
fila, tuvieron interceptado el sitio durante toda la maña-
no, moliendo muy a su sabor a puñadas y coces a quien
intentaba el asalto. Picardía discreta y mañosa fue la prac-
ticada en Cebre mismo.

Acudían allí los curas acompañando y animando al rebaño de electores, a fin de que no se dejasen dominar por
el pánico en el momento de depositar el voto. Para evitar
que "se la jugasen", don Eugenio, valiéndose del derecho
de intervención, sentó en la mesa a un labriego de los más
adictos suyos, con orden terminante de no separar la vista
un minuto de la urna. "¿Tú entendiste, Roque? No me
apartas los ojos de ella, así se hunda el mundo." Insta-
lóse el payo, apoyando los codos en la mesa y las manos
en los carrillos, contemplando de hito en hito la misteriosa
olla, tan fijamente como si intentase alguna experiencia
de hipnotismo. Apenas alentaba, ni se movía más que si
fuese hecho de piedra. Trampeta en persona, que daba sus
vueltas por allí, llegó a impacientarse viendo al inmóvil
testigo, pues ya otra olla rellena de papeletas, cubiertas
a gusto del alcalde y del secretario de la mesa, se escon-

día debajo de ésta, aguardando ocasión propicia de sustituir a la verdadera urna. Destacó, pues, un seide [131] encargado de seducir al vigilante, convidándole a comer, a echar un trago, recurriendo a todo género de insinuaciones halagüeñas. Tiempo perdido: el centinela ni siquiera miraba de reojo para ver a su interlocutor: su cabeza redonda, peluda, sus salientes mandíbulas, sus ojos que no pestañeaban, parecían imagen de la misma obstinación. Y era preciso sacarle de allí, porque se acercaba la hora sacramental, las cuatro, y había que ejecutar el escamoteo de la olla. Trampeta se agitó, hizo a sus adláteres preguntas referentes a la biografía del vigilante, y averiguó que tenía un pleito de tercería en la Audiencia, por el cual le habían embargado los bueyes y los frutos. Acercóse a la mesa disimuladamente, púsole una mano en el hombro, y gritó: "¡Fulano... ganaste el pleito!" Saltó el labriego, electrizado: "¡Qué me dices, hombre!" Se falló en la Audiencia ayer." "Tú loqueas." "Lo que oyes." En este intervalo el secretario de la mesa verificaba el trueque de pucheros: ni visto ni oído. El alcalde se levantó con solemnidad: "¡Señores... se va a proceder al *discutinio!*" Entre la gente en tropel: comienza la lectura de papeletas: míranse los curas atónitos, al ver que el nombre de su candidato no aparece: "¿Tú te moviste de ahí?", pregunta el abad de Naya al centinela. "No señor", responde éste con tal acento de sinceridad, que no consentía sospecha. * "Aquí alguien nos vende", articula el abad de Ulloa en voz bronca, mirando desconfiadamente a don Eugenio. Trampeta, con las manos en los bolsillos, ríe a socapa.

Tales amaños mermaron de un modo notable la votación del marqués de Ulloa, dejando circunscrita la lucha, en el último momento, a disputarse un corto número de votos, del cual dependía la victoria. Y llegado el instante crítico, cuando los ulloístas se juzgaban ya dueños del campo, inclinaron la balanza del lado del gobierno defec-

---

[131] Voz gallega: seguidor fanático, incondicional.
* que ninguna sospecha cabe.

ciones completamente impensadas, por no decir abomina-
bles traiciones, de personas con quienes se contaba en
absoluto, habiendo respondido de ellas la misma casa de
los Pazos, por boca de su mayordomo. Golpe tan repentino y alevoso no pudo prevenirse ni evitarse. Primitivo,
desmintiendo su acostumbrada impasibilidad, dio rienda *
a una cólera furiosa, desatándose en amenazas absurdas
contra los tránsfugas.

Quien se mostró estoico fue Barbacana. La tarde que se
supo la pérdida definitiva de la elección, el abogado estaba en su despacho, rodeado de tres o cuatro personas.
Ahogándose como ballena encallada en una playa y a
quien el mar deja en seco, entró el Arcipreste, morado
de despecho y furor. Desplomóse en un sillón de cuero;
echó ambas manos a la garganta, arrancó el alzacuello, los
botones de camisa y almilla; y trémulo, con los espejuelos
torcidos y el *fusique* oprimido en el crispado puño izquierdo, se enjugó el sudor con un pañuelo de hierbas. La serenidad del cacique le sacó de tino.

—¡Me pasmo, caramelos! Me pasmo de verle con esa
flema! ¿O no sabe lo que pasa?

—Yo no me apuro por cosas que están previstas. En
materia de elecciones no se me coge a mí de susto.

—¿Usted se esperaba lo que ocurre?

—Como si lo viera. Aquí está el abad de Naya, que
puede responder de que se lo profeticé. No atestiguo con
muertos.

—Verdad es —corroboró don Eugenio, harto compungido.

—¿Y entonces, santo de Dios, a qué tenernos embro-
mados?

—No les íbamos a dejar el distrito por suyo sin dispu-
társelo siquiera. ¿Les gustaría a ustedes? Legalmente, el
triunfo es nuestro.

—Legalmente... ¡Toma, caramelos! ¡Legalmente sí, pero
vénganos con legalidades! ¡Y esos Judas condenados que

---

* manifestó.

nos faltaron cuando precisamente pendía de ellos la cosa! ¡El herrero de Gondás; los dos Ponlles; el albéitar...! [132]

—Ésos no son Judas, no sea inocente, señor Arcipreste: ésa es gente mandada, que acata una consigna. El Judas es otro.

—¿Eeeeh? Ya entiendo, ya... ¡Hombre, si es cierta esa maldad —que no puedo convencerme, que se me atraganta— aún sería poco para el traidor el castigo de Judas! Pero usted, santo, ¿por qué no le atajó? ¿Por qué no avisó? ¿Por qué no le arrancó la careta a ese pillo? Si el señor marqués de Ulloa supiese que tenía en casa al traidor, con atarlo al pie de la cama y cruzarlo a latigazos... ¡Su propio mayordomo! No sé cómo pudo usted estarse así con esa flema.

—Se dice luego; pero mire usted, cuando la elección estriba en una persona, y no cabe cerciorarse de si está de buena o mala fe, de poco sirve revelar sospechas... Hay que aguardar el golpe atado de pies y manos... son cosas que se ven a la prueba, y si salen mal, se debe callar y *guardarlas*...

Al pronunciar la palabra *guardarlas,* el cacique se daba una puñada en el pecho, cuya concavidad retumbó sordamente, lo mismo que debía retumbar la de San Jerónimo cuando el Santo la hería con el famoso pedrusco.

Y algo se asemejaba Barbacana al tipo de los San Jerónimos de escuela española amojamados y huesudos, caracterizados por la luenga y enmarañada barba y el sombrío fuego de las pupilas negras. [133]

—De aquí no salen —añadió con torvo acento— y aquí no pierden el tiempo, que todavía nadie se la hizo a Barbacana sin que algún día se la pagase. Y respecto del Judas ¿cómo quería usted que lo pudiésemos desenmascarar, si ahora, lo mismo que en tiempo de la pasión de Nuestro

---

[132] Del árabe "al béitar", 'veterinario', que en gallego dio "albeite". En tiempos de doña Emilia era ya un arcaísmo conservado sólo en ambientes rurales.

[133] Se refiere al San Jerónimo de Ribera (1591-1652), que se encuentra en el Museo del Prado.

Señor Jesucristo, tenía la bolsa en la mano? A ver, señor Arcipreste; ¿quién nos ha facilitado las municiones para esta batalla?

—¿Que quién las ha facilitado? En realidad, de verdad, la casa de Ulloa.

—¿Las tenía disponibles? ¿Sí o no? Ahí está el toque. Como esas casas no son más que vanidad y vanidad, por no confesar que le faltaban los cuartos y no pedirlos a una persona de conocida honradez, pongo, por ejemplo, un servidor, va y los recibe de un pillastre; de una sanguijuela que le está chupando cuanto posee.

—Buenas cosas van a decir de nosotros los badulaques de la Junta de Orense. Que somos unos estafermos y que no servimos para nada. ¡Perder una elección! Es la primera vez de mi vida.

—No. Que escogimos un candidato muy simple. Hablando en plata, eso es lo que dirá la Junta de Orense.

—Poco a poco —exclamó el Arcipreste dispuesto a romper lanzas por su caro señorito—. No estamos conformes...

Aquí llegaban de su plática, y el auditorio, que se componía, además del abad de Naya, del de Boán y del señorito de Limioso, guardaba el silencio de la humillación y la derrota. De repente un espantoso estruendo, formado por los más discordantes y fieros ruidos que pueden desgarrar el tímpano humano, asordó la estancia. Sartenes rascadas con tenedores y cucharas de hierro; tiestos de cocina tocados como címbalos; cacerolas dentro de las cuales se agitaba en vertiginoso remolino un molinillo de batir chocolate; peroles de cobre en que tañían broncas campanadas fuertes manos de almirez; latas atadas a un cordel y arrastradas por el suelo; trébedes repicados con varillas de hierro; y por cima de todo, la lúgubre y ronca voz del cuerno, y la horrenda vociferación de muchas gargantas humanas, con esa cavernosidad que comunica a la laringe el exceso de vino en el estómago. Realmente acababan los bienaventurados músicos de agotar una redonda corambre, [134] que en la Casa Consistorial les había brinda-

[134] Un odre.

do la munificencia del secretario. Por entonces aún ignoraban los electores campesinos ciertos refinamientos, y no sabían pedir del *vino que hierve y hace espuma*, como algunos años después, contentándose con buen tinto empecinado del Borde. Al través de las vidrieras de Barbacana penetraba, junto con el sonido de los hórridos instrumentos y descompasada gritería, vaho vinoso, el olor tabernario de aquella patulea, ebria de algo más que del triunfo. El Arcipreste se enderezaba los espejuelos; su rostro congestionado revelaba inquietud. El cura de Boán fruncía el cano entrecejo. Don Eugenio se inclinaba a echarlo todo a broma. El señorito de Limioso, resuelto y tranquilo, se aproximó a la ventana, alzó un visillo y miró.

La cencerrada proseguía, implacable, frenética, azotando y arañando el aire como una multitud de gatos en celo el tejado donde pelean; súbitamente, de entre el alboroto grotesco se destacó un clamor que en España siempre tiene mucho de trágico: un *muera*.

—¡Muera el Terso!

Un enjambre de *mueras* y *vivas* salió tras el primero.

—¡Mueran los curas!

—¡Muera la tiranía!

—¡Viva Cebre y nuestro diputado!

—¡Viva la Soberanía Nacional!

—¡Muera el marqués de Ulloa!

Más enérgico, más intencionado, más claro que los restantes, brotó este grito:

—¡Muera el ladrón *faucioso* Barbacana!

Y el vocerío, unánime, repitió:

—¡Mueraaaa!

Instantáneamente apareció junto a la mesa del abogado un hombre de siniestra catadura, hasta entonces oculto en un rincón. No vestía como los labriegos, sino como persona de baja condición en la ciudad: chaqueta de paño negro, faja roja y hongo gris: patillas cortas, de boca de hacha, redoblaban la dureza de su fisonomía, abultada de pómulos y ancha de sienes. Uno de sus hundidos ojuelos verdes relucía felinamente; el otro, inmóvil y cubierto con gruesa nube blanca, semejaba hecho de cristal cuajado.

Abriendo Barbacana el cajón de su pupitre, sacaba de él dos enormes pistolas de arzón, [135] prehistóricas sin duda, y las reconocía para cerciorarse de que estaban cargadas. Mirando al aparecido fijamente, pareció ofrecérselas con leve enarcamiento de cejas. Por toda respuesta, el Tuerto de Castrodorna hizo asomar al borde de su faja el extremo de una navaja de cachas amarillas, que volvió a ocultar al punto. El Arcipreste, que había perdido los bríos con la obesidad y los años, sobresaltóse mucho.

—Déjese de calaveradas, mi amigo. Por si acaso, me parece oportuno salir por la puerta de atrás. ¿Eh? No es cosa de aguardar a que esos incircuncisos vengan aquí a darle a uno tósigo.

Mas ya el cura de Boán y el señorito de Limioso, unidos al Tuerto, formaban un grupo lleno de decisión. El señorito de Limioso, no desmintiendo su vieja sangre hidalga, aguardaba sosegadamente, sin fanfarronería alguna, pero con impávido corazón; el abad de Boán, nacido con más vocación de guerrillero que de misacantano, apretaba con júbilo la pistola, olfateaba el peligro, y a ser caballo, hubiera * relinchado de gozo; el Tuerto, encogido y crispado como un tigre, se situaba detrás de la puerta a fin de destripar a mansalva al primero que entrase.

—No tenga miedo, señor Arcipreste... —murmuró gravemente Barbacana—. Perro que ladra no muerde. Ni a romperme un vidrio se atreverán esos bocalanes. Pero conviene estar dispuesto, por si acaso, a enseñarles los dientes.

Resonaban nutridos y feroces los *mueras;* mas, en efecto, ni una piedra sola venía a herir los cristales. El señorito de Limioso se acercó otra vez, levantó el visillo, y llamó a don Eugenio.

—Mire, Naya, mire para aquí... Buena gana tienen de subir ni de tirar piedras... Están bailando.

---

[135] Se llevaban guardadas en sus correspondientes fundas en el arzón de la silla de montar.

* hubiese.

Don Eugenio se llegó a la vidriera y soltó la carcajada. Entre la patulea de beodos, dos seides de Trampeta, carcelero el uno, el otro alguacil, trataban de calentar a algunos de los que chillaban más fuerte, para que atacasen la morada del abogado; señalaban a la puerta, indicaban con ademanes elocuentes lo fácil que sería echarla abajo y entrar. Pero los borrachos, que no por estarlo perdían la cautelosa prudencia, el saludable temor que inspira el cacique al labriego, se hacían los desentendidos, limitándose a berrear, a herir cazos y sartenes con más furia. Y en el centro del corro, al compás de los almireces y cacerolas, brincaban como locos los más tomados de la bebida, los verdaderos pellejos.

—Señores —dijo en grave y enronquecida voz Ramón Limioso—. Es siquiera una mala vergüenza que esos pillos nos tengan aquí sitiados... Me dan ganas de salir y pegarles una corrida, que no paren hasta el Ayuntamiento.

—Hombre —gruñó el abad de Boán—, usted poco habla, pero bueno. Vamos a meterles miedo, ¡quoniam! Estornudando solamente espanto yo media docena de esos pellejones.

No pronunció el Tuerto palabra; únicamente su ojo verdoso se encendió con fosfórica luz, y miró a Barbacana como pidiéndole permiso de tomar parte en la empresa. Barbacana hizo con la cabeza señal afirmativa, pero le indicó al mismo tiempo que guardase la navaja.

—Tiene razón —exclamó el hidalgo de Limioso enderezando la cabeza y dilatando las ventanillas de la nariz con altanera expresión muy desusada en su lánguida y triste faz—. A esa gente, a palos y latigazos se les sacude el polvo. No ensuciar un arma que uno usa para el monte, para las perdices y las liebres que valen más que ellos (fuera el alma).

Y al decir *fuera el alma,* persignóse el señorito.

—Tengan miramiento, hombre, tengan miramiento —murmuraba el Arcipreste difícilmente, extendiendo las manos como para calmar los ánimos irritados. (¡Cuán lejos estaban los tiempos belicosos en que aseguraba una elección a puntapiés!)

Barbacana no se opuso a la hazaña, al contrario, pasó a otra estancia y volvió con un haz de junquillos, palos y bastones. El cura de Boán no quiso más garrote que el suyo, que era formidable: Ramón Limioso, fiel a su desdén de la grey villana, asió el látigo más delgado, un latiguillo de montar. El Tuerto empuñó una especie de tralla, que manejada por diestra vigorosa, debía de ser de * terrible efecto.

Bajaron cautelosamente la escalera, cuidando de no zapatear, previsión que el endiablado estrépito de la cencerrada hacía de todo punto ociosa. Tenía la puerta su tranca y los cerrojos corridos, medida de precaución adoptada por la cocinera del abogado así que oyó estruendo de motín. El abad de Boán los descorrió impetuosamente, el Tuerto sacó la tranca, giró la llave en la cerradura, y clérigos y seglares se lanzaron contra la canalla sin avisar ni dar voces, con los dientes apretados, chispeantes los ojos, blandiendo látigos y esgrimiento garrotes.

No habrían transcurrido cinco minutos cuando Barbacana, que por detrás de los visillos registraba el teatro del combate, sonrió silenciosamente, o más bien regañó los labios descubriendo la amarilla dentadura, y apretó con nerviosa violencia la barandilla de la ventana. En todas direcciones huían los despavoridos borrachos, chillando como si los cargase un regimiento de caballería a galope: algunos tropezaban y caían de bruces, y la tralla del Tuerto se les enroscaba alrededor de los lomos arrancándoles alaridos de dolor. Fustigaba el hidalgo de Limioso con menos crueldad, pero con soberano desprecio, como se fustiga a una piara de marranos. El cura de Boán sacudía estacazo limpio, con regularidad y energía infatigables. El de Naya, incapaz de mantenerse dentro de los límites de su papel justiciero, insultaba, reía y vapuleaba a un mismo tiempo a los beodos.

—¡Anda, tinaja, cuba, mosquito! ¡Toma, toma, para que vuelvas otra vez, pellejo, odre! ¡Ve a dormir la mona, cuero! ¡A la taberna con tus huesos, *larpán,* tonel de mos-

* surtiría.

to! ¡A la cárcel, borrachos, a vomitar lo que tenéis en esas tripas!

Limpia estaba la calle; más limpia ya que una patena: silencio profundo había sustituido al vocerío, a los *mueras* y a la cencerrada feroz. Por el suelo quedaban esparcidos despojos de la batalla: cazos, almireces, cuernos de buey. En la escalera se oía el ruido * de los vencedores que subían celebrando el fácil triunfo. Delante de todos entró don Eugenio, que se echó en una butaca partiéndose a carcajadas y palmoteando. El cura de Boán le seguía limpiándose el sudor. Ramón Limioso, serio y aún melancólico, se limitó a entregar a Barbacana el latiguillo, sin despegar los labios.

—¡Van... buenos! —tartamudeó el abad de Naya reventando de risa.

—¡Yo *mallé* en ellos... como quien *malla* en centeno! —exclamó respirando con placer el de Boán.

—Pues yo —explicó el hidalgo— si supiese que habían de ser tan cobardes y echar a correr sin volvérsenos siquiera, a fe que no me tomo el trabajo de salir.

—No se fíen —observó el Arcipreste—. Ahora en el Ayuntamiento los avergüenza Trampeta, y capaz es de venir acá en persona con los incircuncisos a darle un susto al señor Licenciado. (Así llamaban a Barbacana familiarmente sus amigos.) Por si acaso es prudente que estos señores pasen aquí la noche. Yo tengo que misar mañana en Loiro, y mi hermana estará muerta de miedo... que sino...

—Nada de eso —replicó perentoriamente Barbacana—. Estos señores se vuelven cada uno a su casa. No hay cuidado ninguno. A mí... me basta con este mozo —añadió señalando al Tuerto, agazapado otra vez en su rincón.

No fue posible reducir al cacique a que aceptase la guardia de honor que le ofrecían. Por otra parte, no se notaba síntoma alguno de que hubiese de alterarse el orden nuevamente. Ni se oían a lo lejos vociferaciones de electores victoriosos. El soñoliento silencio de los pueble-

* el bullicio.

cillos pequeños y sin vida pesaba sobre la villa de Cebre. Tres héroes de la gran batida y el Arcipreste con ellos salieron a caballo hacia la montaña. No iban cabizbajos, a fuer de muñidores electorales derrotados, sino llenos de regocijo, con gran cháchara y broma, celebrando a más y mejor la somanta administrada a los borrachines cencerreadores. Don Eugenio estaba inspirado, oportuno, bullanguero, ocurrentísimo en una palabra; había que oírle remedar los aullidos y la caída de los ebrios en el lodo de la calle, y el gesto que ponía el cura de Boán al *majar* en ellos.

Barbacana se quedó solo con el Tuerto. Si alguno de los molidos músicos de la cencerrada se atreviese a asomar la cabeza y mirar hacia las ventanas del cacique, vería que, por fanfarronada o por descuido, no estaban cerradas las maderas, y podría distinguir al través de los visillos y destacándose sobre el fondo de la habitación alumbrada por el quinqué, las cabezas del abogado y de su feroz defensor y seide. Sin duda hablaban de algo importante, porque la plática fue larga. Una hora o algo más corrió desde que encendieron la luz hasta que las maderas se cerraron, quedando la casa silenciosa, torva y sombría como quien oculta algún negro secreto.

XXVII

La persona en quien se notó mayor sentimiento por la pérdida de las elecciones, fue Nucha. Desde la derrota, se desmejoró más de lo que estaba, y creció su abatimiento físico y moral. Apenas salía de su habitación donde vivía esclava de su niña, cosida a ella día y noche. En la mesa, mientras comía poco y sin gana, guardaba silencio, y a veces Julián, que no apartaba los ojos de la señorita, la veía mover los labios, cosa frecuente en las personas poseídas de una idea fija, que hablan para sí, sin emitir la voz. Don Pedro, como nunca huraño, no se tomaba el trabajo de intentar un asomo de conversación. Mascaba firme, bebía seco, y tenía los ojos fijos en el plato, cuando no en las vigas del techo; jamás en sus comensales.

Tan deshecha y acabada le parecía al capellán la señorita, que un día se atrevió, venciendo recelos inexplicables, a llamar aparte a don Pedro, preguntándole en voz entrecortada si no sería bueno avisar al señor de Juncal, para que viese...

—¿Está usted loco? —respondió don Pedro fulminándole una mirada despreciativa—. ¿Llamar a Juncal... después de lo que trabajó contra mí en las elecciones? Máximo Juncal no atravesará más las puertas de esta casa.

No replicó el capellán, pero pocos días después, volviendo de Naya, se tropezó con el médico. Éste detuvo su caballejo, y, sin apearse, contestó a las preguntas de Julián.

—Puede ser grave... Quedó muy débil del parto, y necesitaba cuidados exquisitos... Las mujeres nerviosas sanan

del cuerpo cuando se les tranquiliza y se les distrae el espíritu... Mire, Julián, tendríamos que hablar para seis
horas si yo le dijese todo lo que pienso de esa infeliz señorita, y de esos Pazos... Punto en boca... Bonito diputado
querían ustedes enviar a las Cortes... Más valdría que sus
padres lo hubiesen mandado a la escuela.

Puede ser grave... Esto principalmente se estampó * en
el pensamiento de Julián. Sí que podía ser grave: ¿y de
qué medios disponía él, para conjurar la enfermedad y la
muerte? De ninguno. Envidió a los médicos. Él sólo tenía
facultades para curar el espíritu: ni aún ésas le servían,
pues Nucha no se confesaba con él: y hasta la idea de
que se confesase, de ver desnuda un alma tan hermosa,
le turbaba y confundía. **

Muchas veces había pensado en semejante probabilidad:
cualquier día era fácil que Nucha, por necesidad de desahogo y de consuelo, viniese a echársele a los pies en el
tribunal de la penitencia y a demandarle *** consejos, fuerza, resignación. "¿Y quién soy yo —se decía Julián— para
guiar a una persona como la señorita Marcelina?" Ni
tengo edad, ni experiencia, ni sabiduría suficiente: y lo
peor es que también me falta virtud, porque yo debía aceptar gustoso todos los padecimientos de la señorita, creer
que Dios se los envía para probarla, para acrecentar sus
méritos, para darle mayor cantidad de gloria en el otro
mundo... y soy tan malo, tan carnal, tan ciego, tan inepto,
que me paso la vida dudando de la bondad divina porque
veo a esta pobre señora entre adversidades y tribulaciones
pasajeras... Pues no ha de ser así, resolvía el capellán con
esfuerzo. He de abrir los ojos, que para eso tengo la luz
de la fe, negada a los incrédulos, a los impíos, a los que
están en pecado mortal. Si la señorita me viene a pedir
que le ayude a llevar la cruz, enseñémosle a que la abrace
amorosamente. Es necesario que comprenda ella, y yo también, lo que significa esa cruz. Con ella se va a la felicidad

---

* se clavó.
** le confundía y turbaba.
*** solicitando.

única y verdadera. Por muy dichosa que fuese la señorita aquí en el mundo, vamos a ver, ¿cuánto tiempo y de qué manera podría serlo? Aunque su marido la... estimase como merece, y la pusiese sobre las niñas de sus ojos, ¿se libraría por eso de contrariedades, enfermedades, vejez y muerte? Y cuando llega la hora de la muerte, ¿qué importa ni de qué sirve haber pasado un poco más alegre y tranquila esta vidilla perecedera y despreciable?

Tenía Julián a la mano siempre * un ejemplar de la Imitación de Cristo; era la modesta edición de la Librería religiosa, y castiza y admirable traducción del padre Nieremberg. Al frente de la portada había un grabado, bien ínfimo como obra de arte, que proporcionaba al capellán mucho alivio cada vez que fijaba sus ojos en él. Representaba una colina, el Calvario; y por el estrecho sendero que conducía al lugar del suplicio, iba subiendo lentamente Jesús, con la cruz acuestas, y el rostro vuelto hacia un fraile que allá en lontananza se echaba otra cruz al hombro. Aunque malo el dibujo y peor el desempeño, respiraba aquel grabado una especie de resignación melancólica, adecuada a la situación moral del presbítero. Y después de haberlo contemplado despacio, parecíale sentir en los hombros una pesadumbre abrumadora y dulcísima a la vez, y una calma honda, como si se encontrase —calculaba él para sí— sepultado en el fondo del mar, y el agua le rodease por todas partes, sin ahogarle. Entonces leía párrafos del libro de oro, que se le entraban en el alma a manera de hierro enrojecido en la carne:

"¡Por qué temes, pues, tomar la cruz, por la cual se va al reino? En la cruz está la salud, en la cruz está la vida, en la cruz está la defensa de los enemigos, en la cruz está la infusión de la suavidad soberana, en la cruz está la fortaleza del corazón, en la cruz está el gozo del espíritu, en la cruz está la suma virtud, en la cruz está la perfección de la santidad... Toma, pues, tu cruz, y sigue a Jesús... Mira que todo consiste en la cruz, y todo está

* siempre a la mano.

en morir; y no hay otro camino para la vida y para la verdadera paz, que el de la santa cruz y continua mortificación... Dispón y ordena todas las cosas según tu querer, y no hallarás sino que has de padecer algo o de grado o por fuerza; y así siempre hallarás la cruz, porque o sentirás dolor en el cuerpo, o padecerás tribulación en el espíritu... Cuando llegares al punto de que la aflicción te sea dulce y gustosa por amor de Cristo, piensa entonces que te va bien, porque hallaste el paraíso en la tierra..."

—¡Cuándo llegaré yo a este estado de bienaventuranza, Señor! —murmuraba Julián poniendo una señal en el libro—. Había oído algunas veces que Dios concede lo que se le pide mentalmente en el acto de consagrar la hostia, y con muchas veras le pedía llegar al punto de que su cruz... No, la de la pobre señorita, le fuese dulce y gustosa, como decía Kempis...

A la misa en la capilla remozada asistía siempre Nucha, oyéndola toda de rodillas, y retirándose cuando Julián daba gracias. Sin volverse ni distraerse en la oración, Julián conocía el instante en que se levantaba la señorita y el ruido imperceptible de sus pisadas sobre el entarimado nuevo. Cierta mañana no lo oyó. Este hecho tan sencillo le privó de rezar con sosiego. Al alzarse, vio a Nucha también en pie, el índice sobre los labios. Perucho, que ayudaba a misa con desembarazo notable, se dedicaba a apagar los cirios, valiéndose de una luenga caña. La mirada de la señorita decía elocuentemente:

—Que se vaya ese niño.

El capellán ordenó al acólito que despejase.

Tardó éste algo en obedecer, deteniéndose en doblar la toalla del lavatorio. Al fin se fue, no muy de su grado. Llenaba la capilla olor de flores y barniz fresco; por las ventanas entraba una luz caliente, que cernían visillos de tafetán carmesí; y las carnes de los santos del altar adquirían apariencia de vida, y la palidez de Nucha se sonroseaba artificialmente. *

* artificialmente se sonrosaba.

—¿Julián? —preguntó con imperioso acento, extraño en ella.

—Señorita... —respondió él en voz baja, por respeto al lugar sagrado. Tembláronle los labios y las manos se le enfriaron, pues creyó llegado el terrible momento de la confesión.

—Tenemos que hablar. Y ha de ser aquí, por fuerza En otras partes no falta quien aceche.

—Es verdad que no falta.

—¿Hará usted lo que le pida?

—Ya sabe que...

—¿Sea lo que sea?

—Yo...

Su turbación crecía: el corazón le latía con sordo ruido Se recostó en el altar.

—Es preciso —declaró Nucha sin apartar de él su ojos, más que vagos, extraviados ya— que me ayude usted a salir de aquí. De esta casa.

—A... A... salir... —tartamudeó Julián, aturdido.

—Quiero marcharme. Llevarme a mi niña. Volverm junto a mi padre. * Para conseguirlo hay que guardar se creto. ** Si lo saben aquí, me encerrarán con llave. M apartarán de la pequeña. La matarán. Sé de fijo que l matarán.

El tono, la expresión, la actitud, eran de quien *** n posee la plenitud de sus facultades mentales; de mujer im pulsada por excitación nerviosa que raya en desvarío.

—Señorita... —articuló el capellán, no menos altera do—, no esté de pie, no esté de pie... Siéntese en est banquito... Hablemos con tranquilidad... Ya conozco qu tiene disgustos, señorita... Se necesita paciencia, prude cia... Cálmese...

Nucha se dejó caer en el banco. Respiraba fatigosame te, como persona en quien se cumplen mal las funcione

---

* con mi padre.
** el secreto.
*** eran como de quien.

pulmonares. * Sus orejas, blanquecinas y despegadas del cráneo, transparentaban la luz. Habiendo tomado aliento, habló con cierto reposo. **

—¡Paciencia y prudencia!, tengo cuanto cabe en una mujer. Aquí no viene al caso disimular: ya sabe usted cuándo empezó a clavárseme la espina: desde aquel día me propuse averiguar la verdad, y no me costó... gran trabajo. Digo, sí; me costó un... un combate... En fin, eso es lo que menos importa. Por mí no pensaría en irme, pues no estoy buena y se me figura que... duraré poco... pero... ¿y la niña?

—La niña...

—La van a matar, Julián, esas... gentes. ¿No ve usted que les estorba? ¿Pero no lo ve usted?

—Por Dios le pido que se sosiegue... Hablemos con calma, con juicio...

—¡Estoy harta de tener calma! —exclamó con enfado Nucha, como el que oye una gran simpleza—. He rogado, he rogado... He agotado todos los medios... No aguardo, no puedo aguardar más. Esperé a que se acabasen las elecciones dichosas, porque creía que saldríamos de aquí y entonces se me pasaría el miedo... Yo tengo miedo en esta casa, ya lo sabe usted, Julián; miedo horrible... Sobre todo de noche.

A la luz del sol, que tamizaban los visillos carmesíes, Julián vio las pupilas dilatadas de la señorita, sus entreabiertos labios, sus enarcadas cejas, la expresión de mortal terror pintada en su rostro.

—Tengo mucho miedo —repitió estremeciéndose.

Renegaba Julián de su sosera. ¡Cuánto daría por ser elocuente! Y no se le ocurría nada, nada. Los consuelos místicos que tenía preparados y atesorados; la teoría de abrazarse a la cruz... todo se le había borrado ante aquel dolor voluntarioso, palpitante y desbordado.

—Ya desde que llegué... esta casa tan grande y tan an-

* respiraba fatigosamente, con sobrealiento penoso.
** con cierta serenidad.

tigua... —prosiguió Nucha— me dio frío en la espalda... *
Sólo que ahora... no son tonterías de chiquilla mimada,
no... Me van a matar a la pequeña... ¡Usted lo verá! Así
que la dejo con el ama, estoy en brasas... Acabemos pronto... Esto se va a resolver ahora mismo. Acudo a usted,
porque no puedo confiarme a nadie más... Usted quiere
a mi niña.

—Lo que es quererla... —balbució Julián, casi afónico
de puro enternecido.

—Estoy sola, sola... —repitió Nucha pasándose la mano
por las mejillas. Su voz sonaba como entrecortada por
lágrimas que contenía—. Pensé en confesarme con usted,
pero... buena confesión te dé Dios... No obedecería si
usted me mandase quedarme aquí... Ya sé que es mi obligación: la mujer no debe apartarse del marido. Mi resolución, cuando me casé, era...

Detúvose de pronto, y careándose con Julián, le preguntó:

—¿No le parece a usted como a mí que este casamiento tenía que salir mal? Mi hermana Rita ya era casi novia del primo cuando él me pidió... Sin culpa mía, quedamos reñidas Rita y yo desde entonces... No sé cómo
fue aquello; bien sabe Dios que no puse nada de mi parte
para que Pedro se fijase en mí. Papá me aconsejó que, de
todos modos, me casase con el primo... Yo seguí el consejo... Me propuse ser buena, quererle mucho, obedecerle,
cuidar de mis hijos... Dígame usted, Julián, ¿he faltado
en algo?

Julián cruzó las manos. Sus rodillas se doblaban, y a
punto estuvo de hincarlas en tierra. Pronunció con entusiasmo:

—Usted es un ángel, señorita Marcelina.

—No... —replicó ella—, ángel no, pero no me acuerdo de haber hecho daño a nadie. He cuidado mucho a
mi hermanito Gabriel, que era delicado de salud y no tenía madre...

* en el corazón.

Al pronunciar esta frase, la ola rebosó, las lágrimas corrieron por fin; Nucha respiró mejor, como si aquellos recuerdos de la infancia templasen sus nervios y el llanto le diese alivio.

—Y por cierto que le tomé tal cariño, que pensaba para mí: «si tengo hijos algún día, no es posible quererlos más que a mi hermano». Después he visto que esto era un disparate; a los hijos se les quiere muchísimo más aún.

El cielo se nublaba lentamente, y se oscurecía la capilla. La señorita hablaba con sosiego melancólico.

—Cuando mi hermano se fue al colegio de artillería, yo no pensé más que en dar gusto a papá, y en que se notase poco la falta de la pobre mamá... Mis hermanas preferían ir a paseo, porque, como son bonitas, les gustaban las diversiones. A mí me llamaban feúcha y bizca, y me aseguraban que no encontraría marido.

—¡Ojalá! —exclamó Julián sin poder reprimirse.

—Yo me reía. ¿Para qué necesitaba casarme? Tenía a papá y a Gabriel con quien vivir siempre. Si ellos se me morían, podía entrar en un convento: el de las Carmelitas, en que está la tía Dolores, me gustaba mucho. En fin, no he tenido culpa ninguna del disgusto de Rita. Cuando papá me enteró de las intenciones del primo, le dije que no quería sacarle * el novio a mi hermana, y entonces papá... me besuqueó mucho en los carrillos como cuando era pequeña, y... me parece que le estoy oyendo... me respondió así: "Rita es una tonta... cállate." Pero, por mucho que diga papá... ¡al primo le seguía gustando más Rita!... **

Continuó después de algunos segundos de silencio:

—Ya ve usted que no tenía mucho por qué envidiarme mi hermana... ¡Cuánta hiel he tragado, Julián! Cuando lo pienso se me pone un nudo aquí...

El capellán pudo al fin expresar parte de sus sentimientos.

---

* quitarle.
** le seguía gustando Rita!

—No me extraña que se le ponga ese nudo... Soy yo
y lo tengo también... Día y noche estoy cavilando en sus
males, señorita... Cuando vi aquella señal... La lasti-
madura en la muñeca...

Por primera vez durante la conversación se encendió
el descolorido rostro de Nucha, y sus ojos se velaron, cu-
briéndolos la caída de las pestañas. No respondió directamente.

—Mire usted —murmuró con asomos de amarga sonrisa— que siempre me suceden a mí desgracias por cosas
de que no tengo la culpa... Pedro se empeñaba en que yo
le reclamase a papá la legítima de mamá, porque papá le
negó un dinero que le hacía falta para las elecciones.
También se disgustó mucho porque la tía Marcelina, que
pensaba instituirme heredera, creo que va a dejarle a Rita
los bienes... Yo no tengo que ver con nada de eso...
¿Por qué me matan? Ya sé que soy pobre: no hay necesidad de repetírmelo... En fin, esto es lo de menos... Me
dolió bastante más el que mi marido me dijese que por mí
se ve sin sucesión la casa de Moscoso... ¡Sin sucesión! ¿Y
mi niña? ¡Angelito de mis entrañas!

Lloraba la infeliz señora, lentamente, sin sollozar. Sus
párpados tenían ya el matiz rojizo que dan los pintores
a los de las Dolorosas.

—Lo mío —añadió— no me importa. Lo mío lo aguantaría hasta el último instante. Que me... traten de un modo... o de otro, que... que la criada... sea... ocupe mi sitio... bien... bien, paciencia, sería cuestión de tener paciencia, de sufrir, de dejarse morir... Pero está de por
medio la niña... hay otro niño, otro hijo, un bastardo...
La niña estorba... ¡La matarán!...

Repitió solemnemente y muy despacio:

—La matarán. No me mire usted así. No estoy loca,
sólo estoy excitada. He determinado marcharme e irme
a vivir con mi padre. Me parece que esto no es ningún
pecado, ni tampoco el llevarme a la pequeña. ¡Y si peco,
ni me lo diga, Julianciño!... Es resolución irrevocable.
Usted vendrá conmigo, porque sola no conseguiría realizar
mi plan. ¿Me acompañará?

Julián quiso objetar algo; ¿qué? No lo sabía él mismo.
El diminutivo cariñoso usado por la señorita, la febril
resolución con que hablaba, le vencieron. ¿Negarse a ayudar a la desdichada? Imposible. ¿Pensar en lo que el
proyecto tenía de extraño, de inconveniente? Ni se le ocurrió un minuto. A fuer de criatura candorosa, una fuga
tan absurda le pareció hasta fácil. ¿Oponerse a la marcha? También él había tenido y tenía a cada instante miedo, miedo cerval, no sólo por la niña, sino por la madre:
¿acaso no se le había ocurrido mil veces que la existencia
de las dos corría inminente peligro? Además, ¿qué cosa en
el mundo dejaría él de intentar por secar aquellos ojos
puros, por sosegar aquel anheloso pecho, por ver de nuevo a la señorita segura, honrada, respetada, cercada de
miramientos en la casa paterna?

Se representaba la escena de la escapatoria. Sería al
amanecer. Nucha iría envuelta en muchos abrigos. Él cargaría con la niña, dormidita y arropadísima también. Por
si acaso llevaría en el bolsillo un tarro con leche caliente.
Andando bien llegarían a Cebre en tres horas escasas. Allí
se podían hacer sopas. La nena no pasaría hambre. Toma-
rían en el coche la berlina, el sitio más cómodo. Cada
vuelta de la rueda les alejaría de los tétricos Pazos...

Muy quedito, como quien se confiesa, empezaron a de-
batir y resolver estos pormenores. Otro rayo de sol entreabría las nubes, y los santos, en sus hornacinas, parecían
sonreír benévolamente al grupo del banquillo. Ni la Purísima de sueltos tirabuzones y traje blanco y azul, ni el
San Antonio que hacía fiestas a un niño Jesús regordete,
ni siquiera el arcángel San Miguel, el caballero de la ardiente espada, siempre dispuesto a rajar y hendir a Sata-
nás, revelaban en sus rostros pintados de fresco el más leve
enojo contra el capellán ocupado en combinar los preliminares de un rapto en toda regla, arrebatando una hija a su
padre y una mujer a su legítimo dueño.

XXVIII

Al llegar aquí de la narración, es preciso acudir, para completarla, a las reminiscencias que grabaron para siempre en la imaginación del lindo rapazuelo, hijo de Sabel, los sucesos de la memorable mañana en que por última vez ayudó a misa al bonachón de don Julián (el cual, por más señas, solía darle dos cuartos una vez terminado el oficio divino).

El primer recuerdo que Perucho conserva es que, al salir de la capilla, quedóse muy triste arrimado a la puerta, porque aquel día el capellán no le había dado cosa alguna. Chupándose el dedo y en actitud meditabunda permaneció allí unos instantes, hasta que la misma falta de los dos cuartos acostumbrados le descubrió un rayo de luz: ¡su abuelo le había prometido otros dos si le avisaba cuando la señora se quedase en la capilla después de oída la misa! Raciocinando con sorprendente rigor matemático, calculó que, pues, perdía dos cuartos por un lado, era urgente ganarlos por otro; apenas concibió tan luminosa idea, sintió que las piernas le bailaban, y echó a correr con toda la velocidad posible en busca de su abuelo.

Atravesando la cocina, colóse en la habitación baja donde despachaba Primitivo, y empujando la puerta, le vio sentado ante una gran mesa antigua, sobre la cual se encrespaba un maremagnum de papelotes cubiertos de cifras engarrapatadas, de apuntes escritos con letra jorobada y escabrosa, por mano que no debía ser diestra ni aún en palotes. La mesa y el cuarto en general atraían a Pe-

rucho con el encanto que posee para la niñez lo desorde-
nado y revuelto, los sitios en que se acumulan muchas cosas
variadas, pues imaginan ellos que cada montón de objetos
es un mundo desconocido, un depósito de tesoros inesti-
mables. Rara vez entraba allí Perucho; su abuelo acostumbraba echarle para que no sorprendiese ciertas operacio-
nes financieras que el mayordomo gustaba de realizar sin
testigos. Cuando el nieto entró, la cara pulimentada y oscura * de Primitivo podía confundirse con el tono bronceado de un acervo de calderilla o montaña de cobre, de
la cual iban saliendo columnitas, columnitas que el mayordomo alineaba en correcta formación... Perucho se
quedó deslumbrado ante tan fabulosa riqueza. ¡Allí estaban sus dos cuartos! ¡Menuda pepita de aquel gran cria-
dero de metal! ** Lleno de esperanza, alzó la voz cuanto
pudo, y dio su recado. Que la señora estaba en la capilla,
con el señor capellán... Que le habían despedido de allí.

Iba a añadir —y que se me deben dos cuartos por la
noticia o cosa análoga ***— pero no le dio lugar a ello
su abuelo, alzándose del sillón con la agilidad de bicho
montés que caracterizaba sus movimientos todos, no sin
que al hacerlo produjese un tempestuoso remolino en el
mar de calderilla, y la caída de algunas torres que, con
sonoro estrépito, se rindieron a la **** gran pesadumbre.
Primitivo salió corriendo hacia el interior de la casa. El
chiquillo se quedó allí, solicitado por las dos tentaciones
más fuertes que en su vida había sufrido. Era una la de
comerse las obleas, que con su provocativa blancura y
encendido rojo le estaban convidando desde un bote de
hojalata, y aun cuando sería más glorioso para nuestro
héroe vencer el goloso capricho, la sinceridad obliga a
declarar que alargó el dedo humedecido en saliva, y fue
pescando una, dos, tres, hasta zamparse cuantas encerraba el bote. Satisfecha esta concupiscencia, le apremió la

---

    * dura y metálica.
   ** monedas.
  *** o cosa análoga por la noticia.
**** a su gran pesadumbre.

otra, incitándole nada menos que a cobrarse por su mano
de los dos cuartos prometidos, tomándolos del montón
que tenía allí delante, a su disposición y albedrío. No sólo
apetecía cobrarse del debido salario, sino que le seducían
principalmente unos ochavos roñosos llamados de *la fortuna* en el país, y que merced a consideraciones muy lógi-
cas en su mente infantil, le parecían preferibles a las piezas gordas. Las adquisiciones y placeres de Perucho los
representaba generalmente un ochavo. Por un ochavo le
daba la rosquillera en ferias y romerías, caramelos de alfeñique o rosquillas bastantes; por un ochavo le vendían bramante suficiente para el trompo, y le surtía el cohetero de
pólvora en cantidad con que hacer regueritos; por un ochavo se procuraba tiras de mixtos de cartón, groseras aleluy-
as impresas en papel amarillo, gallos de barro con un
pito en parte no muy decorosa. Y todo esto lo tenía al
alcance de su mano, como las obleas; ¡y nadie le veía ni
podía delatarle! El angelote se empinó en la punta de los
pies para alcanzar mejor el dinero, alargó a la vez ambas
palmas, y las sumergió en el mar de cobre... Las paseó
mucho rato por la superficie sin osar cerrarlas... Por fin
hizo presa en un puñado de ochavos, y entonces apretó
el puño fortísimamente, con la intensidad propia de los
niños, que temen siempre se les escape la dicha por la
mano abierta... Y así se mantuvo inmóvil, sin atreverse a
retraer aquella diestra pecadora y cargada de botín al seguro rincón del seno, donde almacenaba siempre sus latrocinios. Porque es de advertir que Perucho tenía bastante de caco, y con la mayor frescura se apropiaba huevos,
fruta, y en general cuantos objetos codiciaba; pero, con
respeto supersticioso de aldeano, que sólo juzga propiedad
ajena el dinero, jamás había tocado a una moneda. En el
alma de Perucho se verificaba una de esas encarnizadas
luchas entre el deber y la pasión, cantadas por la musa
dramática: el ángel malo y el bueno le tiraban cada uno
de una oreja, y no sabía a cuál atender. ¡Tremendo con-
flicto! Pero regocíjense el cielo y los hombres, pues venció
el espíritu de luz. ¿Fue el primer despertar de ese sentimiento de honor que dicta al hombre heroicos sacrificios?

¿Fue una gota de la sangre de Moscoso, que realmente corría por sus venas y que, con la misteriosa energía de la transmisión hereditaria, le siguió la voluntad como por medio de una rienda? [136] ¿fue temprano fruto de las lecciones de Julián y Nucha? Lo cierto es que el rapaz abrió la mano, separando mucho los dedos, y los ochavos apresados cayeron entre los restantes, con metálico * retintín.

No por eso hay que figurarse que Perucho renunciaba a sus dos cuartos, los ganados honradamente con la agilidad de sus piernas. ¡Renunciar! ¡A buena parte! Aquel mismo embrión de conciencia que en el fondo de su ser, donde todos tenemos escrita desde *ab initio* gran parte del Decálogo, le gritaba "no hurtarás", le dijo con no menor energía: "tienes derecho a reclamar lo que te ofrecieron". ** Y obedeciendo a la impulsión, la criatura echó a correr en la misma dirección que su abuelo.

Casualmente tropezó con él en la cocina, donde preguntaba algo a Sabel en queda voz. Acercósele Perucho, y asiéndole de la chaqueta, exclamó:

—¿Mis dos cuartos?

No hizo caso Primitivo. Dialogaba con su hija, y a lo que Perucho pudo comprender, ésta explicaba que el señorito había salido de madrugada a tirar a los pollos de perdiz, y suponía que anduviese hacia la parte del camino de Cebre. El abuelo soltó un juramento que usaba a menudo y que Perucho solía repetir por fanfarronada; y sin más conversación, se alejó.

Aseguró Perucho después que le había llamado la atención ver al abuelo salir sin tomar la escopeta y el sombrerón de alas anchas, prendas que no soltaba nunca. Semejante idea debió ocurrírsele al chiquillo más tarde, en vista de los sucesos. Al pronto sólo pensó en alcanzar

---

[136] Doña Emilia alude con frecuencia, e incluso basa algunos relatos en esas gotas de sangre noble que condicionan el comportamiento de una persona; así sucede en sus cuentos "Responsable". "Restorán" o la novela corta *Finafrol,* entre otros.

* sonoro.
** te han ofrecido.

a Primitivo, y lo logró en lo alto del camino que baja a
los Pazos. Aunque el cazador iba como el pensamiento,
el rapaz corría en regla también. *

—¡Anda al demonio! ¿Qué se te ofrece? —gruñó Primitivo al conocer a su nieto.

—¡Mis dos cuartos!

—Te doy cuatro en casa si me ayudas a buscar por el
monte al señorito y le dices, en cuanto lo veas, lo que
me dijiste a mí, ¿entiendes? Que el capellán está con la
señora encerrado en la capilla y que te echaron de allí
para quedar solos.

El angelón fijó sus pupilas límpidas en los fascinadores
ojuelos de víbora de su abuelo; y sin esperar más instruc-
ciones, abriendo mucho la boca, salió a galope hacia donde por instinto juzgaba él que el señorito debía ** encontrarse. Volaba, con los puños apretados, haciendo saltar
guijarros y tierra al golpe de sus piececillos encallecidos
por la planta. Cruzaba por cima de los tojos sin sentir
las espinas, hollando las flores del rosado brezo, salvando
matorrales casi tan altos como su persona, espantando la
liebre oculta detrás de un madroñero o la pega posada
en las ramas bajas del pino. De repente oyó el andar de
una persona y vio al señorito salir de entre el robledal...
Loco de júbilo se acercó a darle su recado, del cual esperaba albricias. Estas fueron la misma palabrota inmun-
da y atroz que había expectorado su abuelo en la cocina;
y el señorito salió disparado en dirección de los Pazos,
como si un torbellino lo arrebatase.

Perucho se quedó algunos instantes suspenso y confuso: *** él afirma que al poco rato volvió a embargar su
ánimo el deseo de los cuartos ofrecidos, que ya ascendían
a la respetable suma de cuatro. Para obtenerlos era menester buscar a su abuelo, y avisarle del encuentro con
el señorito: no lo tuvo por difícil, pues recordaba aproximadamente el punto del bosque donde Primitivo que-

    * también corría en regla.
   ** podía.
  *** atortolado y suspenso.

daba; y por atajos y vericuetos sólo practicables para los
conejos y para él, Perucho se lanzó tras la pista de su
abuelo. * Trepaba por un murallón medio deshecho ya,
amparo de un viñedo colgado, por decirlo así, en la falda
abrupta del monte, cuando del otro lado del baluarte que
escalaba creyó sentir rumor de pisadas, que la finura de
su oído no confundió con las del cazador; y con el instinto cauteloso de los niños hijos de la naturaleza y entregados a sí mismos, ** se agachó, quedando encubierto por
el murallón de modo que sólo rebasase la frente. No podía dudarlo; eran pisadas humanas, bien distintas de la
corrida de la liebre por entre las hojas, o de los golpecitos
secos y reiterados que sacuden las patas unguladas del
zorro o del perro. Pisadas humanas eran, aunque sí muy
recelosas, apagadas y lentísimas. Parecían de alguien que
procuraba embescarse. Y en efecto, poco tardó el niño
en ver asomar, gateando entre los matorrales, a un hombre cuya descripción acaso había oído mil veces en las
veladas, en las deshojas, acompañada de exclamaciones
de terror. El hongo gris, la faja roja, las recortadas patillas destacándose sobre el rostro color de sebo, y sobre
todo el ojo blanco, sin vista, frío como un pedazo de
cuarzo de la carretera, en suma, la desapacible catadura
del Tuerto de Castrodorna dejaron absorto al chiquillo.
Apretaba el Tuerto contra su pecho corto y ancho trabuco, y, después de girar hacia todas partes el único lu-
cero de su fea cara, de aguzar el oído, de olfatear por
decirlo así el aire, arrimóse al murallón, medio arrodillándose tras de un seto de zarzas y brezo que lo guarnecía.
Perucho, cuyos pies descansaban en las anfractuosidades
del muro, se quedó como incrustado en él, sin osar respirar, ni bajarse, ni moverse, porque aquel hombre desconocido, mal encarado y en acecho le infundía el pavor
irracional de los niños, que adivinan peligros cuya extensión ignoran. Por mucho que le aguijonease el deseo de
sus cuatro cuartos, ni se atrevía a descolgarse del mura-

* del mayordomo.
** propios.

llón, temiendo hacer ruido y que le apuntasen con el cañón de aquel arma, cuya ancha boca debía, de seguro, vomitar fuego y muerte... Así transcurrieron diez segundos de angustia para el angelote. Antes que pudiera entrar a cuentas con el miedo, ocurrió un nuevo incidente. Sintió otra vez pasos, no recelosos, como de quien se oculta, sino precipitados como de quien va a donde le importa llegar presto; y por el camino hondo que limitaba el murallón divisó a su abuelo que avanzaba en dirección de los Pazos; sin duda con su vista de águila había distinguido al señorito, y le seguía intentando darle alcance. Iba Primitivo distraído, con el propósito de reunirse a don Pedro, y no miraba a parte alguna. Llegó a atravesar por delante del muro. El niño entonces vio una cosa terrible, una cosa que recordó años después y aun toda su vida: el hombre emboscado se incorporaba, con su único ojo centelleante y fiero; se echaba a la cara la formidable tercerola; se oía un espantoso trueno, voz de la bocaza negra; * flotaba un borrón de humo, que el aire disipó instantáneamente, y al través de sus últimos tules grises, el abuelo giraba sobre sí mismo como una peonza, y caía boca abajo, mordiendo sin duda, en suprema convulsión, la hierba y el lodo del camino.

Asegura Perucho que no ha sabido jamás si fue el miedo o su propia voluntad, lo que le obligó a descolgarse del murallón, y descender, más bien que a saltos, rodando, los atajos conocidos, magullándose el cuerpo, poniéndose en trizas la ropa, sin hacer caso de lo uno ni de lo otro. Rebotó como una pelota por entre las nudosas cepas; brincó por cima de los muros de piedra que las sostenían; salvó como una flecha sembrados de maíz, metióse de patas en los regatos, mojándose hasta la cintura, por no detenerse a seguir las pasaderas de piedra; salvó vallados tres veces más altos que su cuerpo; cruzó setos, saltó hondonadas y zanjas; no comprendió por dónde ni cómo, pero el caso es que, arañado, ensangrentado, sudoroso, jadeante, se encontró en los Pazos, y maqui-

* tercerola negra (faltan las frases intermedias).

nalmente volvió al punto de partida, la capilla, donde entró, enteramente olvidado de los cuatro cuartos, primer móvil de sus aventuras todas.

Estaba escrito que aquella mañana había de ser fecunda en extraordinarias sorpresas. En la capilla acostumbraba Perucho notar que se hablaba bajito, se andaba despacio, se contenía hasta la respiración: el menor desliz en tal materia solía costarle un severo regaño de don Julián; de modo que, sobreponiéndose el instinto y el hábito al azoramiento y trastorno, penetró en el sagrado lugar con actitud respetuosa. En él sucedía algo que le causó un asombro casi mayor que el de la catástrofe de su abuelo. Recostada en el altar se encontraba la señora de Moscoso, con un color como una muerta, los ojos cerrados, las cejas fruncidas, temblando con todo su cuerpo: frente a ella, el señorito vociferaba, muy deprisa y en ademán amenazador, cosas que no entendió el niño; mientras el capellán, con las manos cruzadas y la fisonomía revelando un espanto y dolor tales que nunca había visto Perucho en rostro humano expresión parecida, imploraba, imploraba al señorito, a la señorita, al altar, a los santos... y de repente, renunciando a la súplica, se colocaba, encendido y con los ojos chispeantes, dando cara al marqués, como desafiándole... Y Perucho comprendía a medias frases indignadas, frases injuriosas, * frases donde se desbordaba la cólera, el furor, la indignación, la ira, el insulto; y sin saber la causa de alboroto semejante, deducía que el señorito estaba atrozmente enfadado, que iba a pegar a la señorita, a matarla quizás; a deshacer a don Julián; a echar abajo los altares; a quemar tal vez la capilla...

El niño recordó entonces escenas análogas, pero cuyo teatro era la cocina de los Pazos, y las víctimas su madre y él: el señorito tenía entonces la misma cara, idéntico tono de voz. Y en medio de la confusión de su tierno cerebro; de los terrores que se reunían para apocarlo, ** una idea, superior a todas, se levantó triunfante. No cabía

* Suprime la expresión "frases injuriosas".
** aturdirlo.

duda que el señorito se disponía a acogotar a su esposa
y al capellán; también acababan de matar a su abuelo en
el monte; aquel día, según indicios, debía ser el de la
general matanza. ¿Quién sabe si luego que acabase con
su mujer y con don Julián, se le ocurriría al señorito quitar la vida a la nené? Semejante pensamiento devolvió a
Perucho toda la actividad y energía que acostumbraba
desplegar para el logro de sus azarosas empresas en co-
rrales, gallineros y establos.

Escurrióse bonitamente de la capilla, resuelto a salvar
a toda costa la vida de la heredera de Moscoso. ¿Cómo
haría? Faltábale tiempo de madurar el plan: lo que importaba era obrar con celeridad y no arredrarse ante obstáculo alguno. Se deslizó sin ser visto por la cocina, y
subió la escalera a escape. Llegado que hubo a las habitaciones altas, residencia de los señores, de tal manera
supo amortiguar el ruido de sus pisadas, que el oído más
fino lo confundiría con el susurro del aire al agitar una
cortina. Lo que él temía era encontrar cerrada la puerta
del dormitorio de Nucha. El corazón le dio un brinco de
alegría al verla entornada.

La empujó con suavidad de gato que esconde las uñas...
Tenía la maldita puerta el vicio de rechinar; pero tan sutil
fue el empuje, que apenas gimió sordamente: Perucho se
coló en la habitación, ocultándose tras del biombo. Por
uno de los muchos agujeros que éste lucía, miró al otro
lado, hacia donde estaba la cuna. Vio a la niña dormida,
y al ama, de bruces sobre el lecho de Nucha, roncando
sordamente. No era de temer que se despabilase la marmota: el rapaz podía a mansalva realizar sus propósitos.

Sin embargo, convenía que no despertase la chiquilla,
no fuese a alborotar la casa lloriqueando. Perucho la tomó
como quien toma un muñeco de cristal, muy rompedizo
y precioso: sus palmas llenas de callos y sus brazos hechos a disparar certeras pedradas y a descargar puñetazos
en el testuz de los bueyes adquirieron de golpe delicadeza
exquisita, y la nené envuelta en el pañolón de calceta, no
gruñó siquiera al trocar la cama por los brazos de su
precoz raptor. Éste, conteniendo hasta el respirar, andan-

do con paso furtivo, rápido y cauteloso —el andar de la gata que lleva a sus cachorros entre los dientes, colgados de la piel del pescuezo— se dirigió a buscar la salida por el claustro, pues de cruzar la cocina era probable una sorpresa.

En el claustro se paró obra de diez segundos, para meditar. ¿Dónde escondería su tesoro? ¿en el pajar, en el *herberio,* en el hórreo, en el establo? Optó por el hórreo —el lugar menos frecuentado y más oscuro—. Bajaría la escaleras: se enhebraría por el claustro: se colaría por las cuadras: salvaría la era, y después nada más sencillo que ocultarse en el escondrijo. Dicho y hecho.

Arrimada al hórreo estaba la escala. Perucho comenzó a subir, operación bastante difícil atendido el estorbo que le hacía la chiquilla. Lo estrecho y vertical de los travesaños imponía la necesidad de agarrarse con manos y pies al ir ascendiendo: Perucho no disponía de las manos: la energía de la voluntad se le comunicó al dedo gordo del pie, que semejaba casi prensil a fuerza de adaptarse y adherirse a las barras de palo, bruñidas ya con el uso. En mitad de la ascensión pensó que rodaba al pie del hórreo, y apretó contra el pecho a la niña, que, despertándose, rompió en llanto... ¡Que llorase! Allí no la oía alma viviente; por la era sólo vagaba media docena de gallinas, disputando a dos gorrinos las hojas de una col. Perucho entró triunfante por la puerta del hórreo.

Las espigas de maíz no lo llenaban hasta el techo, dejando algún espacio suficiente para que dos personas minúsculas, como Perucho y su protegida, pudiesen acomodarse y revolverse. El rapaz se sentó sin soltar a la nena, diciéndole mil chuscadas y zalamerías a fin de acallarla, abusando del diminutivo que tan cariñosa gracia adquiere en labios del aldeano.

—Reiniña, mona, *ruliña,* calla, calla, que te he de dar cosas bunitas, bunitas, bunitas... ¡Si no callas, viene un cocón y te come! ¡Velo ahí viene! ¡Calla, soliño, paloma blanca, rosita!

No por virtud de las exhortaciones, pero sí por haber conocido a su amigo predilecto, la niña callaba ya. Mirá-

bale, y, sonriendo regocijadamente, le pasaba las manos
por la cara, gorjeaba, se bababa, y miraba con curiosidad
alrededor. Extrañaba el sitio. Enfrente, alrededor, debajo,
por todos lados, la rodeaba un mar de espigas de oro, que
al menor movimiento de Perucho se derrumbaban en suaves cascadas, y donde el sol, penetrado por los intersticios
del enrejado del hórreo, tendía galones más claros, movi-
bles listas de luz. Perucho comprendió que poseía en las
espigas un recurso inestimable para divertir a la pequeña.
Tan pronto le daba una en la mano, como alzaba con
muchas una especie de pirámide; la nené se entretenía
en derribarla o forjarse la ilusión de que la derribaba,
pues realmente una patada de Perucho hacía el milagro.
Reía ella lo mismo que una loca, y pedía impaciente, por
señas, que le renovasen el juego.

Pronto se cansó de él. Con todo, estaba de buen humor, gracias a la compañía de Perucho. Su mirada risueña
y dulce, fija en la de su compañero, parecía decirle:
«¿Qué mejor juego que estar juntos? Disfrutemos de este
bien que siempre nos han dado con tasa.» En vista de
tan cariñosas disposiciones, Perucho se entregó al placer
de halagarla a su sabor. Ya le apoyaba un dedo en el
carrillo, para provocarla a risa; ya remedaba a un lagarto
arrastrando la mano por el cuerpo de la nené arriba, e
imitando los culebreos del rabo; ya se fingía encolerizado,
espantaba los ojos, hinchaba los carrillos, cerraba los puños y resoplaba fieramente; ya, tomando a la nena en
peso, la subía en alto y figuraba dejarla caer de golpe
sobre las espigas. Por último, recelando cansarla, la cogió
en brazos, se sentó a la turca, y comenzó a mecerla y
arrullarla blandamente, con tanta suavidad, precaución
y ternura como pudiera su propia madre.

¡Qué ganas, qué violentos antojos se le pasaban!... ¿De
qué? En las veces que fue admitido a la intimidad de la
habitación de Nucha y se le consintió aproximarse a la
nené y vivir su vida, jamás osara hacerlo... Miedo de que
le riñesen o echasen; vago respeto religioso que se imponía a su alma de pilluelo diabólico; vergüenza; falta de
costumbre de sus labios, que a nadie besaban; todo se

unía para impedirle satisfacer una aspiración que él juzgaba ambiciosa y punto menos que sacrílega... Pero ahora era dueño del tesoro; ahora la nené le pertenecía; la había ganado en buena lid, la poseía por derecho de conquista, ese derecho que comprenden los mismos salvajes! Adelantó mucho el hocico, igual que si fuese a catar alguna golosina, y tocó la frente y los ojos de la pequeña... Después desenvolvió lentamente los pliegues del mantón, y descubrió las piernas, calentitas como chicharrones, que apenas se vieron libres del envoltorio, comenzaron a bailar, sacudiendo sus favoritas patadas de júbilo. Perucho alzó hasta la boca un pie, luego otro, y así alternando se pasó un rato regular; sus besos hacían cosquillas a la niña, que soltaba repentinas carcajadas y se quedaba luego muy seria; pero que en breve empezó a sentir el frío, y con la rapidez que revisten * en los niños muy chicos los cambios de temperatura, los piececillos se le quedaron casi helados. Al punto lo advirtió Perucho, y echándoles repetidas veces el aliento, como había visto hacer a la vaca con sus recentales, los envolvió en mantillas y pañolón, y nuevamente llegó a sí a la criatura, meciéndola.

El más glorioso conquistador no aventajaba ** en orgullo y satisfacción a Perucho en tales momentos, cuando juzgaba evidente que había salvado a la nené de la degollación segura y puéstola a buen recaudo, donde nadie daría con ella. Ni un minuto recordó al duro y bronceado abuelo tendido allá junto al paredón... A menudo se ve al niño, deshecho en lágrimas al pie del cadáver de su madre, consolarse con un juguete o un cartucho de dulces: quizás vuelvan más adelante la tristeza y el recuerdo: pero la impresión capital del dolor ya se ha borrado para siempre. Así Perucho. La ventura de poseer a su nené adorada, la prez *** de defender su vida, le distraían de los trágicos acontecimientos recientes. No se acordaba

* presentan.
** sobrepujaría.
*** la gloria.

del abuelo, ni del trabucazo que lo había *tumbado* como él tumbaba las perdices.

Con todo, algo * medroso y tétrico debía pesar sobre su imaginación, según el cuento que empezó a referir en voz hueca a la nené, lo mismo que si ella pudiese comprender lo que le hablaban. ¿De dónde procedía este cuento, variante de la leyenda del ogro? ¿Lo oiría Perucho en alguna velada junto al *lar,* mientras hilaban las viejas y pelaban castañas las mozas? ¿Sería creación de su mente excitada por los terrores de un día tan excepcional? «Una *ves* —empezaba el cuento— era un rey muy malo, muy galopín, que se comía la gente y las *presonas* vivas... Este rey tenía una nené bunita bunita, como la *frol* de Mayo... y pequeñita pequeñita como un grano de *millo* (maíz quería decir Perucho). Y el malo bribón del rey quería comerla, porque era el coco, y tenía una cara más fea, más fea que la del diaño... (Perucho hacía horribles muecas a fin de expresar la fealdad extraordinaria del rey). Y una noche dijo él, dice: "Heme de comer mañana por la mañanita *trempano* a la nené... así, así." (Abría y cerraba la boca haciendo chocar las mandíbulas, como los papamoscas de las catedrales.) [137] Y había un *pagarito* sobre un *árbole,* y oyó al rey, y dijo, dice: "Comer no la has de comer, coco feo." ¿Y va y qué hace el *pagarito*? Entra por la ventanita... y el rey estaba durmiendo. (Recostaba la cabeza en las espigas de maíz y roncaba estrepitosamente para representar el sueño del rey.) Y va el pagarito y con el *bico* le saca un ojo, y el rey queda *chosco*. (Guiñaba el ojo izquierdo, mistrando cómo el rey se halló tuerto.) Y el rey a despertar y a llorar, llorar, llorar (imitación de llanto) por su ojo, y el pagarito a se reír muy puesto en el árbole... Y va y salta y dijo, dice: "Si no comes a la nené y me la regalas, te doy el ojo..." Y va el rey y dice, dice: "Bue-

* velo.

[137] Figuras de gran tamaño que abrían y cerraban la boca al sonar las horas en el reloj. En España es famoso el de la catedral de Burgos.

no..." Y va el pagarito, y se casó con la nené, y estaban siempre cantando unas cosas muy preciosas, y tocando la gaita... (solo de este instrumento) y entré por una *porta* y salí por otra, ¡y manda el rey que te lo cuente otra vez!»

La nené no oyó el final del cuento... La música de las palabras, que no le despertaban idea alguna, el haber vuelto a entrar en calor, la misma satisfacción de estar con su favorito, le trajeron insensiblemente el sueño anterior, y Perucho, al armar la algazara acostumbrada cuando terminan los cuentos de cocos, la vio con los ojos cerrados... Acomodó lo mejor que pudo el lecho de espigas; llególe el mantón al rostro, como hacía Nucha, para que no se le enfriase el hociquito, y muy denodado y resuelto a hacer centinela, se arrimó a la puerta del hórreo, en una esquina, reclinándose en un montón de maíz. Pero fuese la inmovilidad, o el cansancio, o la reacción de tantas emociones consecutivas, también a él la cabeza le pesaba y se le entornaban los párpados. Se los frotó con los dedos, bostezó, luchó algunos minutos con el sueño invasor... Éste venció al cabo. Los dos ángeles refugiados en el hórreo dormían en paz.

Entre las representaciones de una especie de pesadilla angustiosa que agitaba a Perucho, veía el muchacho un animalazo de desmesurado grandor, bestión fiero * que se acercaba a él rugiendo, bramando y dispuesto a zampárselo de un bocado o a deshacerlo de una uñada... Se le erizó el cabello, le temblaron las carnes, y un sudor frío le empapó la sien... ¡Qué monstruo tan espantoso! Ya se acerca... ya cae sobre Perucho... sus garras se hincan en las carnes del rapaz, su cuerpo descomunal le cae encima lo mismo que una roca inmensa... El chiquillo abre los ojos...

Sofocada y furiosa, vociferando, moliéndolo a su sabor a pescozones y cachetes, arrancándole el rizado pelo y pateándolo, estaba el ama, más enorme, más brutal que nunca. No hay que omitir que Perucho se condujo como

* indómito.

un héroe. Bajando la cabeza, se atravesó en la entrada del hórreo, y por espacio de algunos minutos defendió su presa haciéndole muralla con el cuerpo. Pero el enorme volumen del ama pesó sobre él y lo redujo a la inacción, comprimiéndolo y paralizándolo. Cuando el mísero chiquillo medio ahogado, se sintió libre de aquella estatua de plomo que a poco más le convierte en oblea, miró hacia atrás... La niña había desaparecido. Perucho no olvidará nunca el desesperado llanto que derramó por más de media hora revolcándose entre las espigas.

XXIX

Tampoco Julián olvidará el día en que ocurrieron acontecimientos tan extraordinarios; * día dramático entre todos los de su existencia, en que le sucedió lo que no pudo imaginar jamás: verse acusado, por un marido, de inteligencias culpables con su mujer; por un marido que se quejaba de ultrajes mortales, que le amenazaba, que le expulsaba de su casa ignominiosamente y para siempre; y ver a la infeliz señorita, a la verdaderamente ofendida esposa, impotente para desmentir la ridícula y horrenda calumnia. ¿Y qué sería si hubiesen realizado su plan de fuga al día siguiente? ¡Entonces sí que tendrían que bajar la cabeza, darse por convictos!... ¡Y decir que cinco minutos antes no se les prevenía siquiera la posibilidad de que don Pedro y el mundo lo interpretasen así!

No, no lo olvidará Julián. No olvidará aquellas inesperadas tribulaciones, el valor repentino y ni aun de él mismo sospechado que desplegó en momentos tan críticos para arrojar a la faz del marido cuanto le hervía en el alma, la reprobación, la indignación contenida por su habitual timidez; el reto provocado por el bárbaro insulto; los calificativos terribles que acudían por vez primera a su boca, avezada únicamente a palabras de paz; el emplazamiento ** *de hombre a hombre* que lanzó al salir de la capilla... No olvidará, no, la escena terrible, por

* impensados.
** reto airado.

muchos años que pesen sobre sus hombros y por muchas canas que le enfríen las sienes. Ni olvidará tampoco su partida precipitada, sin dar tiempo a recoger el equipaje; cómo ensilló con sus propias inexpertas manos la yegua; cómo desplegando una maestría debida a la urgencia, había montado, espoleado, salido a galope, ejecutando todos estos actos mecánicamente, cual entre sueños, sin aguardar a que se disipase el corto hervor de la sangre, sin querer ver a la niña ni darle un beso, porque comprendía, estaba seguro de que, si lo hiciera, sería capaz de postrarse a los pies del señorito rogándole humildemente que le permitiese quedarse allí en los Pazos, aunque fuese de pastor de ganado o jornalero...

No olvidará tampoco la salida de la casa solariega, la ascensión por el camino que el día de su llegada le pareció tan triste y lúgubre... El cielo está nublado; ciernen la claridad del sol pardos crespones cada vez más densos; los pinos, juntando sus copas, susurran de un modo penetrante, prolongado y cariñoso; las ráfagas del aire traen el olor sano de la resina y el aroma de miel de los retamares: El crucero, a poca distancia, levanta sus brazos de piedra manchados por el oro viejo del liquen... La yegua, de improviso, respinga, tiembla, se encabrita... Julián se agarra instintivamente a las crines soltando la rienda... En el suelo hay un bulto, un hombre, un cadáver: la hierba, en derredor suyo, se baña en sangre que empieza ya a cuajarse y ennegrecerse. Julián permanece allí, clavado, sin fuerzas, anonadado por una mezcla de asombro y gratitud a la Providencia, que no puede razonar, pero le subyuga... El cadáver tiene la faz contra tierra; no importa: Julián ha reconocido a Primitivo; es el mismo. * El capellán no vacila, no discurre ** quién le habrá matado. ¡Cualquiera que sea el instrumento, lo dirige la mano de Dios! Desvía la yegua, se persigna, se aparta, se aleja definitivamente, volviendo de cuando

---

* a Primitivo, al traidor.
** no investiga, no cavila en.

en cuando la cabeza para ver el negro bulto, sobre el fondo verde de la hierba y la blancura gris del paredón...

¡Ah! No, no olvida nada Julián. No olvida en Santiago, donde su llegada se glosa, donde su historia en los Pazos adquiere proporciones leyendarias, donde el éxito de las elecciones, la partida del capellán, el asesinato del mayordomo, se comentan, se adornan, entretienen al pueblo casi todo un mes, y donde las gentes le paran en la calle preguntándole qué ocurre por allá, qué sucede con Nucha Pardo, si es cierto que su marido la maltrata y que está muy enferma y que las elecciones de Cebre han sido un escándalo gordo. No olvida cuándo el Arzobispo le llama a su cámara, a fin de inquirir qué hay de verdad en todo lo ocurrido, y él, después de arrodillarse, lo cuenta sin poner ni quitar una sílaba, encontrando en la sincera confesión inexplicable alivio, y besando, con el corazón desahogado ya, la amatista que brilla sobre el anular del Prelado. No olvida cuándo éste dispone enviarle a una parroquia apartadísima, especie de destierro, donde vivirá completamente alejado del mundo.

Es una parroquia de montaña, más montaña que los Pazos, al pie de una sierra fragosa, en el corazón de Galicia. No hay en toda ella, ni en cuatro leguas a la redonda, una sola casa señorial; en otro tiempo, en épocas feudales, se alzó, fundado en peñasco vivo, un castillo roquero, hoy ruina comida por la hiedra y habitada por murciélagos y lagartos: en vísperas de fiesta y tiempo de oblata [138] le obsequian con leche de cabra, queso de oveja, manteca en orzas de barro. Hablan dialecto cerradísimo, arduo de comprender; visten de somonte [139] y usan greñas largas, cortadas sobre la frente a la manera de los antiguos * siervos. En invierno cae la nieve y aúllan los lobos en las inmediaciones de la rectoral; cuando Julián tiene

---

[138] Los feligreses de parroquias pobres pagaban sus diezmos y primicias con frutos de la tierra que ofrecían a su párroco por la Pascua.

[139] Paño áspero y burdo.

* de antiguos.

que salir a las altas horas de la noche para llevar los sacramentos a algún moribundo, se ve obligado a cubrirse
con coroza de paja y a calzar zuecos de palo; el sacristán
va delante, alumbrando con un farol, y entre la oscuridad
nocturna, las encinas parecen fantasmas...

Pasadas dos estaciones * recibe una esquela, una pape-
leta orlada de negro; la lee sin entenderla al pronto; después se entera bien del contenido. y sin embargo no llora,
no da señal alguna de pena... Al contrario, aquel día y
los siguientes experimenta como un sentimiento de consuelo, de bienestar y de alegría, porque la señorita Nucha, en el cielo, estará desquitándose de lo sufrido en
esta tierra miserable, donde sólo martirios aguardan ** a
un alma como la suya... La doctrina resignada de la Imitación ha vuelto a reinar en su espíritu. Hasta el efecto
de la noticia se borra pronto, y una especie de insensibilidad apacible va cauterizando el espíritu de Julián:
piensa más en lo que le rodea, se interesa por la iglesia
desmantelada, trata de enseñar a leer a los salvajes chiquillos de la parroquia, funda una congregación de hijas
de María para que las mozas no bailen los domingos...
Y así pasa el tiempo, uniformemente, *** sin dichas ni
amarguras, y la placidez de la naturaleza penetra en el
alma de Julián, y se acostumbra a vivir como los paisanos, **** pendiente de la cosecha, deseando la lluvia
o el buen tiempo como el mayor beneficio que Dios puede otorgar al hombre, calentándose en el *lar,* diciendo
misa muy temprano y acostándose antes de encender luz,
conociendo por las estrellas si se prepara agua o sol, recogiendo castaña y patata, entrando en el ritmo acompa-
sado, narcótico y perenne de la vida agrícola, tan infle-
xible como la vuelta de las golondrinas en primavera y
el girar eterno de nuestro globo, describiendo la misma
elipse, al través del espacio...

    * corrido medio año.
    ** recoge.
    *** con uniformidad.
    **** labriegos.

Y, sin embargo, no olvida. Y en aquel rincón viene a sorprenderle el ascenso, la traslación a la parroquia de Ulloa, especie de desagravio del Arzobispo. La mitra alternaba * con los señores de Ulloa en la presentación del curato, y el Arzobispo había querido ** manifestar así al humilde párroco enterrado diez años hacía *** en la montaña más fiera de la diócesis, que la calumnia puede empañar el cristal de la honra, no mancharlo.

    * alterna.
   ** quiere.
  *** hace.

XXX

Diez años son una etapa, no sólo en la vida del individuo, sino en la de las naciones. Diez años comprenden un período de renovación: diez años rara vez corren en balde, y el que mira hacia atrás suele sorprenderse del camino que se anda en una década. [140] Mas así como hay personas, hay lugares para los cuales es insensible el paso de una décima parte de siglo. Ahí están los Pazos de Ulloa, que no me dejarán mentir. La gran huronera desafiando al tiempo, permanece tan pesada, tan sombría, tan adusta como siempre. Ninguna innovación útil o bella se nota en su mueblaje, en su huerto, en sus tierras de cultivo. Los lobos del escudo de armas no se han amansado; el pino no echa renuevos; las mismas ondas simétricas de agua petrificada bañan los estribos de la puente señorial.

En cambio la villita de Cebre, rindiendo culto al progreso, ha atendido a las mejoras morales y materiales, según frase de un cebreño ilustrado, que envía correspon-

[140] Los diez años que Julián está fuera se extienden del 1870 al 1880 y en ellos tuvo lugar la implantación de la primera república (1873), rápidamente seguida de la Restauración Monárquica (1874) y el afianzamiento del partido conservador de Cánovas que gobierna casi ininterrumpidamente desde enero del 75 hasta febrero del 81. A partir de esa fecha comienza la alternancia en el poder con el partido liberal de Sagasta, que se prolongará hasta 1896.

dencias a los diarios de Pontevedra y Orense.* No se charla ya de política solamente en el estanco: para eso se ha fundado un Círculo de instrucción y recreo, artes y ciencias (lo reza su reglamento) y se han establecido algunas tiendecillas que el cebreño susodicho denomina *bazares*. Verdad es que los dos caciques aún continúan disputándose el mero y mixto imperio; mas ya parece seguro que Barbacana, representante de la reacción y la tradición, cede ante Trampeta, encarnación viviente de las ideas avanzadas y de la nueva edad.

Dicen algunos maliciosos que el secreto del triunfo del cacique liberal está en que su adversario, hoy canovista, se encuentra ya extremadamente viejo y achacoso,[141] habiendo perdido mucha parte de sus bríos e indómito** al par que traicionero carácter.*** Sea como quiera, el caso es que la influencia barbacanesca anda maltrecha y mermada.

Quien ha envejecido bastante, de un modo prematuro, es el antiguo capellán de los Pazos. Su pelo está estriado de rayitas argentadas; su boca se sume, sus ojos se empañan, se encorvan sus lomos. Avanza despaciosamente por el *carrero* angosto que serpea entre viñedos y matorrales conduciendo a la iglesia de Ulloa.

¡Qué iglesia tan pobre! Más bien parece la casuca de un aldeano, conociéndose únicamente su sagrado destino en la cruz que corona el tejadillo del pórtico. La impresión es de melancolía y humedad: el atrio herboso está a todas horas, aun a las meridianas, muy salpicado y como empapado de rocío. La tierra del atrio sube más alto que el peristilo de la iglesia, y ésta se hunde, se sepulta entre el terruño que lentamente va desprendiéndose del collado próximo. En una esquina del atrio, un pequeño campanario aislado sostiene el rajado esquilón;

* Orense y Pontevedra.
[141] Su partido está en el poder en 1880; por tanto, su decadencia se debe a la vejez, en efecto.
** indomable.
*** condición

en el centro, una cruz baja, sobre tres gradas de piedra,
da al cuadro un toque poético, pensativo. Allí, en aquel
rincón del universo, vive Jesucristo... ¡pero cuán solo!
¡cuán olvidado!

Julián se detuvo ante la cruz. Estaba viejo realmente,
y también más varonil: algunos rasgos de su fisonomía
delicada se marcaban, se delineaban con mayor firmeza:
sus labios, contraídos y empalidecidos, revelaban la severidad del hombre acostumbrado a dominar todo arranque pasional, todo impulso esencialmente terrestre. La
edad viril le había enseñado y dado a conocer cuánto *
es el mérito y debe ser la corona del sacerdote puro.
Habíase vuelto muy indulgente con los demás al par que
severo consigo mismo.

Al pisar el atrio de Ulloa notaba una impresión singu-
larísima. Parecíale que alguna persona muy querida, muy
querida para él, andaba por allí, resucitada, viviente, en-
volviéndole en su presencia, calentándole con su aliento.
¿Y quién podía ser esa persona? ¡Válgame Dios! ¡Pues
no daba ahora en el dislate de creer que la señora de
Moscoso vivía, a pesar de haber leído su esquela de defun-
ción! Tan rara alucinación era sin duda causada por la
vuelta a Ulloa, después de un paréntesis de dos lustros.
¡La muerte de la señora Moscoso! Nada más fácil que
cerciorarse de ella... Allí estaba el cementerio. Acercarse
a un muro coronado de hiedra, empujar una puerta de
madera, y penetrar en su recinto.

Era un lugar sombrío, aunque le faltasen los lánguidos
sauces y cipreses que tan bien acompañan con sus actitudes teatrales y majestuosas la solemnidad de los campo-
santos. Limitábanlo de una parte las tapias de la iglesia,
de otra tres murallones revestidos de hiedra y plantas
parásitas; y la puerta, fronteriza a la de entrada por el
atrio, la formaba un enverjado de madera, al través del
cual se veía diáfano y remoto horizonte de montañas, a
la sazón color de violeta, por la hora, que era aquella

* cual.

en que el sol, sin calentar mucho todavía, empieza a subir hacia su cenit, y en que la naturaleza se despierta como saliendo de un baño, estremecida de frescura y frío matinal. Sobre la verja se inclinaba añoso olivo, donde nidaban mil gorriones alborotadores, que a veces azotaban y sacudían el ramaje con su voleteo apresurado; y hacíale frente una enorme mata de hortensia, mustia y doblegada por las lluvias de la estación, graciosamente enfermiza, con sus mazorcas de desmayadas flores azules y amarillentas. A esto se reducía todo el ornato del cementerio, mas no su vegetación, que por lo exuberante y viciosa ponía en el alma repugnancia y supersticioso pavor, induciendo a fantasear si en aquellas robustas ortigas, altas como la mitad de una persona, en aquella hierba crasa, en aquellos cardos vigorosos cuyos pétalos ostentaban matices flavos de cirio, se habrían encarnado, por misteriosa transmigración, las almas vegetativas también en cierto modo de los que allí dormían para siempre, sin haber vivido, sin haber amado, sin haber palpitado jamás por ninguna idea elevada, generosa, puramente espiritual y abstracta, de las que agitan la conciencia del pensador y del artista. Parecía que era sustancia humana —pero de una humanidad ruda, primitiva, inferior, hundida hasta el cuello en la ignorancia y en la materia— la que nutría y hacía brotar con tan enérgica pujanza y savia tan copiosa aquella flora lúgubre por su misma lozanía. Y en efecto, en el terreno, repujado de pequeñas eminencias que contrastaban con la lisa planicie del atrio, advertía a veces el pie durezas de ataúdes mal cubiertos, y blanduras y molicies que infundían grima y espanto, como si se pisaran miembros fláccidos de cadáver. Un soplo helado, un olor peculiar de moho y podredumbre, un verdadero ambiente sepulcral se alzaba del suelo lleno de altibajos, rehenchido de difuntos amontonados unos encima de otros; [142] y entre la verdura húmeda, surcada

---

[142] La visión del cementerio es típicamente naturalista: el hombre, reducido a su aspecto más material, sirve de abono a las plantas, se identifica, al fin, totalmente con la naturaleza. A ese aspec-

del surco brillante que dejan tras sí el caracol y la babosa, torcíanse las cruces de madera negra, fileteadas de blanco, con rótulos curiosos, cuajados de faltas de ortografía y peregrinos disparates. Julián, que sufría la inquietud, el hormigueo en la planta de los pies que nos causa la sensación de hollar algo blando, algo viviente, o que por lo menos estuvo dotado de sensibilidad y vida, experimentó de pronto gran turbación: una de las cruces, más alta que las demás, tenía escrito en letras blancas un nombre. Acercóse y descifró la inscripción, sin pararse en deslices ortográficos: *"Aquí hacen las cenizas de Primitibo Suarez, sus parientes y amijos ruegen a Dios por su alma"*... El terreno, en aquel sitio, estaba turgente, formando una eminencia. Julián murmuró una oración, desvióse aprisa, creyendo sentir bajo sus plantas el cuerpo de bronce de su formidable enemigo. Al punto mismo se alzó de la cruz una mariposilla blanca, de esas últimas mariposas del año que vuelan despacio, como encogidas por la frialdad de la atmósfera, y se paran en seguida en el primer sitio favorable que encuentran. La siguió el nuevo cura de Ulloa y la vio posarse en un mezquino mausoleo, arrinconado entre la esquina de la tapia y el ángulo entrante que formaba la pared de la iglesia.

Allí se detuvo el insecto y allí también Julián, con el corazón palpitante, con la vista nublada, y el espíritu, por vez primera después de largos años, trastornado y enteramente fuera de quicio, al choque de una conmoción tan honda y extraordinaria, que él mismo no hubiera podido explicarse cómo le invadía, avasallándole y sacándole de su natural ser y estado, rompiendo diques, saltando vallas, venciendo obstáculos, atropellando por todo, imponiéndose con la sobrehumana potencia de los sentimientos largo tiempo comprimidos y al fin dueños absolutos del alma porque rebosan de ella, porque la inundan y sumergen. No echó de ver siquiera la ridiculez del mausoleo, construido con piedras y cal, decorado con ca-

───

to de fondo hay que añadir la insistencia en los detalles desagradables: ataúdes mal cubiertos, blanduras que semejan cadáveres putrefactos, olor a moho y podredumbre, difuntos hacinados...

laveras, huesos y otros emblemas fúnebres por la inexperta mano de algún embadurnador de aldea; no necesitó deletrear la inscripción, porque sabía de seguro que donde se había detenido la mariposa, allí descansaba Nucha, la señorita Marcelina, la santa, la víctima, la virgencita siempre cándida y celeste. Allí estaba, sola, abandonada, vendida, ultrajada, calumniada, con las muñecas heridas por mano brutal y el rostro marchito por la enfermedad, el terror y el dolor... Pensando en esto, la oración se interrumpió en labios de Julián, la corriente del existir retrocedió diez años, y en un transporte de los que en él eran poco frecuentes, pero súbitos e irresistibles, cayó de hinojos, abrió los brazos, besó ardientemente la pared del nicho sollozando como niño o mujer, frotando las mejillas contra la fría superficie, clavando las uñas en la cal, hasta arrancarla... [143]

Oyó risas, cuchicheos, jarana alegre, impropia del lugar y la ocasión. Se volvió y se incorporó confuso. Tenía delante una pareja hechicera, iluminada por el sol que ya ascendía aproximándose a la mitad del cielo. Era el muchacho el más guapo adolescente que puede soñar la fantasía; y si de chiquitín se parecía al Amor antiguo, la prolongación de líneas que distingue a la pubertad de la infancia le daba ahora semejanza notable con los arcángeles y ángeles viajeros de los grabados bíblicos, que unen a la lindeza femenina y a los rizados bucles asomos * de graciosa severidad varonil. En cuanto a la niña, espigadita para sus once años, hería el corazón de Julián por el sorprendente parecido con su pobre madre a la misma edad: idénticas largas trenzas negras, idéntico rostro pálido, pero más mate, más moreno, de óvalo más puro, ** de ojos más luminosos y mirada más firme. ¡Vaya si conocía Ju-

---

[143] Esta escena cierra la primera parte de la novela. Lo que viene a continuación es el lazo de unión con la segunda: *La Madre Naturaleza*.

  * rasgos.

  ** correcto.

lián a la pareja! ¡Cuántas veces la había tenido en su regazo!

Sólo una circunstancia le hizo dudar de si aquellos dos muchachos encantadores eran en realidad el bastardo y la heredera legítima de Moscoso. Mientras el hijo de Sabel vestía ropa de buen paño, de hechura como entre aldeano acomodado y señorito, la hija de Nucha, cubierta con un traje de percal asaz viejo, llevaba los zapatos tan rotos, que puede decirse que iba descalza. [144]

París, marzo de 1886.

[144] Muy hábilmente, en esta escena final, doña Emilia deja esbozada en trazos rapidísimos la problemática de la segunda parte y excita la curiosidad del lector con esa referencia a la anómala y contrastante vestimenta del "bastardo" y "la heredera legítima".

ÍNDICE DE LÁMINAS

ESTE LIBRO
SE TERMINÓ DE IMPRIMIR
EL DÍA 6 DE SEPTIEMBRE DE 1993

clásicos castalia

ÚLTIMOS TÍTULOS PUBLICADOS